# 何建明文集

卷四

# 根本利益

何建明 著

新世界出版社
NEW WORLD PRESS

**图书在版编目（CIP）数据**

根本利益 / 何建明著 . -- 北京 : 新世界出版社 , 2018.3

（何建明文集 ; 4）

ISBN 978-7-5104-6313-6

Ⅰ . ①根… Ⅱ . ①何… Ⅲ . ①报告文学 – 中国 – 当代 Ⅳ . ① I25

中国版本图书馆 CIP 数据核字 (2017) 第 133343 号

# 根本利益

作　　者 : 何建明
特邀丛书编辑 : 韩小群
责任编辑 : 熊文霞
责任校对 : 宣　慧
责任印制 : 王宝根　苏爱玲
出版发行 : 新世界出版社
社　　址 : 北京西城区百万庄大街 24 号( 100037 )
发 行 部 :( 010 ) 6899 5968 （ 010 ） 6899 8705 ( 传真 )
总 编 室 :( 010 ) 6899 5424 （ 010 ） 6832 6679 ( 传真 )
http://www.nwp.cn
http://www.nwp.com.cn
版 权 部 : +8610 6899 6306
版权部电子信箱 : nwpcd@sina.com
印　　刷 : 北京京华虎彩印刷有限公司
经　　销 : 新华书店
开　　本 : 710mm × 1000mm　1/16
字　　数 : 350 千字　　印　　张 : 22.5
版　　次 : 2018 年 3 月第 1 版　2018 年 3 月第 1 次印刷
书　　号 : ISBN　978-7-5104-6313-6
定　　价 : 60.00 元

1978年——中国改革开放启幕

1978年——我的文学生涯开始

庆幸，我的命运与时代、与祖国同行。还有一份安慰：当我离开这个世界时，有人可以从我的文字里触摸到中国今天的脉搏是如何跳动的……

何建明

## 重要创作历程及个人成就

1978 年　创作第一篇中篇散文《湘西探险记》

1980 年　发表第一篇报告文学《腾飞吧，苍龙》

1982 年　创作第一部军事题材小说《第二道战壕》

1986 年　出版第一部报告文学作品集《缉私大王》

1988 年　出版第一部长篇小说《东方毒蛇》

1989 年　由同名作品改编的电影剧本《西行囚车》被搬上银幕，此片获珠江电影制片厂优秀故事片奖

1990 年　第一次获中华宝石文学奖

1993 年　任文学杂志《新生界》主编

1993 年　发表第一部长篇报告文学《野性的黑潮》

1994 年　第一次成为《青年文学》封面人物

1995 年　《共和国告急》出版，此后获第一届鲁迅文学奖

1995 年　《科学大师的名利场》发表

1998 年　《落泪是金》发表，此后获第二届鲁迅文学奖、第一届徐迟报告文学奖、中国改革开放优秀报告文学奖

2000 年　《中国高考报告》出版，此后获第一届正泰杯全国报告文学奖

2001 年　《中国高考报告》被日本、澳大利亚翻译出版

2002 年　《根本利益》发表，此后获第二届徐迟报告文学奖、人民文学奖特等奖、第六届国家图书奖提名奖、第二届正泰杯全国报告文学奖，入选中宣部推荐的党的十五大献礼书目

2002 年　《国家行动：三峡大移民》出版，此后获中宣部第九届“五个一工程”奖，入选中宣部推荐的党的十六大献礼书目

2003 年　《北京保卫战》发表，获《文汇报》优秀作品奖

2003 年　完成电影剧本《廊桥悠悠》创作（此为与谢晋导演合作项目）

2004 年　由《根本利益》改编的电影《信天游》上映

2004 年　《永远的红树林》发表，此后获第四届正泰杯全国报告文学奖

2005 年　《李琬若：从中国留学生到美国市长》出版，并被美国翻译出版

2005 年　获国务院授予的“全国劳动模范”称号

2005 年　任《中国作家》杂志主编

2006 年　《男人的美丽男人的梦》出版

2007 年　散文《父亲的体温》入选中学课本及教辅资料

2007 年　《部长与国家》获第四届鲁迅文学奖、第三届徐迟报告文学奖荣誉奖

2008 年　《生命第一——5·12 大地震现场纪实》出版，此后获第二届“中华优秀出版物”奖、第四届徐迟报告文学奖

2008 年　任作家出版社社长

2008 年　荣获“全国新闻出版行业领军人才”称号

2008 年　根据《国家行动》改编的同名电视连续剧在央视播出

2009 年　任中国作家协会党组成员、书记处书记，中国作家出版集团党委书记、管委会主任

2009 年　《国家行动》电视连续剧获中宣部第十一届“五个一工程”奖

2009 年　《我的天堂》出版，获中宣部第十一届“五个一工程”奖

2009 年　《永远的红树林》获新中国六十年优秀中短篇报告文学奖

2009 年　获中华全国总工会“时代领跑者——新中国成立以来最具影响的劳动模范”评选活动提名奖

2010 年　根据《部长与国家》改编的电视连续剧《奠基者》在央视黄金时段播出，此后获中宣部第十二届“五个一工程”奖

2010 年　《忠诚与背叛：告诉你一个真实的红岩》出版，此后获中宣部第十二届“五个一工程”奖、第三届中国出版政府奖，入选“2013 年全国青少年推荐阅读的优秀书目”

2010 年　任中国作家协会副主席至今

2011 年　《国家——2011·中国外交史上的空前行动》出版，后获人民文学奖特等奖，入选“2012 年中国报告文学优秀作品排行榜”、中宣部推荐的党的十八大献礼书目

2012 年　《三牛风波》出版，荣登北京图书大厦畅销书排行榜

2012 年　任中华文学基金会理事长至今

2012 年　当选中国报告文学学会理事长至今

2014 年　《南京大屠杀全纪实》出版，此后获第四届中国出版政府奖、人民文学奖特等奖

2015 年　获亚洲品牌协会“中国文化品牌新领军人物”荣誉

2015 年　《真假之间》发表

2016 年　《爆炸现场》出版，获中国出版集团优秀销售奖，入选“2016 年中国报告文学优秀作品排行榜”

2017 年　《死亡征战》出版，被英国、法国翻译出版

2017 年　《那山，那水》发表

（截至 2017 年 9 月）

# 目　录

# 根本利益

# 序　迟了13年的葬礼，留下多少悲怆与深思

2002年的五一假期里，当城市里的人们背着大包小包，带着欢笑，忙着去那些风景名胜旅游的时候，本文的主人公——中共山西省运城市纪检委副书记梁雨润告诉我，他必须去处理一件“特殊事件”，而且这事“不能再拖了，每拖一天我就多揪心一天”。他用这词形容内心的急切与愤慨。

关于他说的“特殊事件”，我在第一次到山西运城时就听他说过，当时我觉得这事是横在这位先进纪检干部面前的一条难以逾越的鸿沟，出于“宣传”需要，我曾暗示他：你即使不处理这样的事照样是个响当当的先进人物，但如果这事处理不好或者处理成“夹生饭”，你不是把自己弄到很被动的地步嘛？但梁雨润摇摇头，他异常沉重地对我说：“如果不能把这样的事处理好，我以前纵然有中条山（当地的名山）一样高大的‘先进’牌牌，也等于零。”为这事，我们曾经还为“能不能”使写他的这篇作品问世而争执过。

“相比畅春英一家十几年来所经受的打击和遭遇，我们作为共产党的干部，是否宣传自己已经显得不那么重要和没有多少可比性了。真的，不瞒你何作家，我曾暗想过，如果像畅春英家出的那种事，已经到了我的手上再解决不了，我宁愿舍官回家跟着老父亲管苹果园去，因为我觉得比起畅春英这样的老百姓们受的冤屈，我们当不当官，能不能升职，似乎显得一点也不重要了。如果说当官还能解决好像畅春英家这样的老大难问题，那我觉得自己的这个官没有白当……”梁雨润说上面这段话时显得很激动。

我为前途无量的他捏了一把冷汗。从第一次接受中纪委有关部门的邀请采访梁雨润后至今的几个月时间里，我一直关注着他处理畅春英事件的整个发展进程。

这件事处理起来实在太难，难就难在我们常人无法想象得出世上竟然还会发生这样的事——一对农民夫妇，当活生生的儿子被杀害后，为了寻求法律的公正判决而将死去的儿子装入棺材放在家里整整 13 年，家贫的夫妇两人则到处上访告状。其间，丈夫不堪悲哀与经济负担，重病缠身，终因积劳成疾，卒于中年。身为母亲和妻子的一位农家妇女，身怀海一样深的悲愤，又将丈夫装入棺材，放在自己的床头，然后倾家荡产，挥泪出门，再度走上上访遥途……

梁雨润与这位名叫畅春英的农家妇女的相遇是在市纪委信访室。

那天正值上班时分，纪委有人匆匆地跑过来告诉梁雨润，说有位农妇举着“冤冤冤”三个大字的牌子在信访室要求见你梁书记。

“咋一定要见我嘛？”梁雨润顺口问了一声。

“咱运城这一带谁不知道你是专为群众办事的‘百姓书记’嘛！”

“别给我戴高帽子啊！”梁雨润与单位的同事开了一句玩笑，然后立即从原本去办公大楼的方向转了个弯走向信访室。

进了信访室，他一眼就看到有个上了年纪的农妇坐在长椅上。

“大娘，你要见的梁书记来啦，有话你可以跟他说。”信访室的工作人员对这位农妇说。这位名叫畅春英的大娘一听这话，全身立即像触电似的一阵颤动，随后她抬起头用那双目光呆滞的眼睛望着站在跟前的梁雨润，顿时泪如雨下……

“你就是梁……梁书记？”

“是，大娘，我就是梁雨润。”当看清对方容貌时，梁雨润的心猛然一颤：又是位坠入苦难深渊的老太太！凭着职业的敏感，梁雨润知道，这位脸上布满沧桑、表情迟钝，满头凌乱白发的老太太，心里一定有诉不完的冤情。

“大娘，您坐到我这边来，慢慢跟我说说您的事，啊，慢慢说，我们会想法帮您解决的。”梁雨润起身将畅春英扶到自己的座位旁边，然后轻声询问，“大娘您今年高寿？”

“我？高寿？”老太太自言自语地看看梁雨润，又看看屋里的其他人。

“梁书记问你多大年龄了。”有人对她说。

这回畅春英听明白了。她向梁雨润伸了伸右手，再伸了伸右手，又举起左手的四个指头。“您才 59 岁呀？！”梁雨润惊愕不已。他转头用目光询问信访室的同志。

“没错，她比我小两岁，1942 年 1 月生的。”

有位老汉长叹一声，道：“她可是个苦命人，都是愁老的啊……”

“大娘，您说说吧，我会尽力关照您的事。”梁雨润的心头顿时觉得堵得慌。

“梁书记——”突然，畅春英“扑通”跪倒在梁雨润的面前，一声撕心裂肺的惨烈呼喊之后，便不省人事……

“快快，快把老大娘扶起来！”梁雨润大惊，立即命令纪委信访室的同事，“马上叫医生过来抢救！”

“快快……”信访室内的人顿时乱成一团。还好，正当大家手忙脚乱时，畅春英慢慢苏醒了过来。而她做出的第一个动作，便是紧紧拉住梁雨润的手，不再放开。那抖动着的嘴唇，竟一句话也吐不出来，只是一个劲地流泪，大滴大滴的泪水，落在梁雨润的手上，令他感觉透心的寒冷……

畅春英是运城河津市小梁乡胡家堡村的农民，她的大儿子姚成孝是个退伍军人。1989 年的一天，姚成孝骑自行车回家，在村口的路上碰上了迎面过来的村支部书记的两个儿子。因为路不宽，村支部书记的儿子硬说姚成孝的自行车撞了他们，于是三人就发生了口角。这本来是小事一桩，可由于这个村打“文革”起就派性严重，村里的家族势力十分猖獗，不同道不同族的村民之间，要么老死不相往来，要么遇事互不相让。畅春英的儿子姚成孝这回撞的是村支部书记的两位公子，对方当然就不干了，又仗着平日老子在村上当“一把手”的威势，便冲孤身一人的姚成孝动起手来。姚成孝觉得自己连车子都没碰一下对方的衣衫，怎么说动手就动手呀？这一方非要赢回威风，另一方又不甘吃亏，你打我回，几招过后，村支部书记的两个儿子一前一后，一上一下，趁姚成孝不备之时，拿起刀子连捅姚成孝两刀，姚成孝当时便倒在了血泊之中。后被村上路过的人看到，急送医院，可还是由于失血过多，途中便停止了呼吸……

好端端的儿子，全家的顶梁柱在顷刻间悲惨离去，身为父母的姚志忠和畅春英悲痛欲绝。更令他们难解心头之愤的是犯有故意杀人罪的村支部书记的两个儿子，只被法院判了故意伤害致死罪，主犯被判 12 年，从犯 3 年。

杀人偿命的道理，畅春英和丈夫这对农民夫妇还懂，他们觉得自己的儿子死得惨、死得冤，而法院对杀人犯判得太轻，所以不服。为了使惨遭杀害的儿子能在九泉之下合上眼，畅春英和丈夫一直没有将死去的儿子下葬，而是将棺材放在了儿子活着的时候住的那间房子里。他们这样做的目的是希望法院能还他们一个心服口服的判决。为这事，老两口儿便开始上县城，跑运城，奔太原上访申冤。光北京就去过 4 次，连天安门派出所的民警都熟悉畅春英夫妇了。

这不，第一次上北京的畅春英和老伴不知怎么向政府申诉自己的冤情，便走到新华门那儿，见解放军战士在那儿站着岗不让进中南海，就掏出孝服穿上，然后披麻戴孝地在新华门门口长跪不起。老两口儿还没来得及哭喊几声，便被便衣警察送到了天安门派出所。警察同志了解实情后，并没有难为这对山西农民，但告诉他们北京是国家的首都，特别是中南海是党中央国务院领导的办公地方，要想解决问题还得一级一级地来处理。后来山西方面来人将他们接回了原籍。

人死了不埋会很快腐烂发臭的，再说虽然没有“鬼”这一说，可毕竟死人不入土，邻居和周围的人受不了呀！特别是一到夏天，那从棺材里发出的臭气，直熏得方圆十几里路都能闻得见。姚家从此成了谁也不待见的“死人户”，白天村上的小孩子们绕过姚家上学，晚上连成人都不敢出门串亲访友，生怕姚家的棺材里钻出一个“鬼”来喊冤。失儿离众的畅春英和老伴越发感到悲哀，每当夜深人静时，他们只有在儿子的棺材面前向鬼魂哭诉人间冤情。那凄凉悲切的痛哭，伴着阵阵夜风，飘荡在四周的村野上空，更令乡里乡外的村民们毛骨悚然，长吁短叹。

畅春英的老伴姚志忠是个农村教师，他知情知理，可同样咽不下这口气，所以老两口儿你携我扶着又一次次地往县上、市里、省城甚至北京跑，成了天安门派出所的常客。他们手中拿到的领导“批示”有厚厚的一叠，但“批示”后面的下文就没有了。畅春英和老伴不相信天下无说理之处，他们年复一年地跑啊跑，而长眠在棺材内的儿子的尸体，也由腐烂变干巴了，直到最后像被神灵抽走了云丝似的只剩下一具骨架……只有半夜里他的亲生父母那凄凉悲切的痛哭依旧飘荡着。

常年的上访和过度的悲伤，使畅春英夫妇身无分文，疾病缠身。1995 年，畅春英的丈夫又在上访的回程路上猝死。老伴在临死前拉着同是被病魔缠身的畅春英叮咛道："家里借不到钱，就不用为我备棺材，也可以扔在野地里不埋我，但儿子的事你一定要上访下去，直到有好干部来管我们。"

那年的畅春英才50出头，可她的模样已像个六七十岁的老太太。她把家里所有能换成钱的东西都拿出去卖了，总算给老伴备了口薄皮棺材，只是既没有办丧事也没有给他入土。她把装着老伴的棺材放在自己的房间，就像过去几十年一样，天天依偎着棺中的老伴，权当他还活着……畅春英家共有三间陋房，隔成两半，中间一道墙壁。老伴死后，她将隔开的两半房子内各放一具棺材，儿子和丈夫默默地躺在棺内伴她日起日落。打那以后，村上的人就再也听不到深夜那一男一女此起彼伏的凄凉悲切的痛哭声了。丧子失夫的畅春英早已哭干了眼泪，只有每天夜深人静时，她才像全身瘫了似的伏在儿子和丈夫的棺材上用苍老的双手一下又一下地拍打着棺木，借以倾诉心中的无尽悲愤与思念，那拍打棺木的声响，在静寂的黑夜里，显得很响，传得很远，会惊醒三里五村，引得鬼泣犬哭……

村上的成人和孩童谁也不敢再接近畅春英，虽然他们非常同情她，但毕竟那两具停放在屋子里的棺材，让所有的人无不感到恐惧和晦气。村上的干部，乡里的领导，一届又一届，届届都知道胡家堡有这么一户家里停放着两具装着死人棺材的"上访专业户"，但谁都没胆子迈进畅春英家一步。

"其实也并不全是怕死人的晦气沾到自己身上，而是怕自己没那个能耐帮姚家了结冤情。唉，说来愧疚啊！"村干部、乡领导谈起此事，无不摇头。

不用说，与畅春英同村的人更是有气无处出，人家已经惨到这份上了，你还能说啥不是？可政府和干部们是干啥吃的？咋就没个人来姚家瞅一瞅？开始是畅春英独自上访，后来村上的人也受不了了。特别是村里那些男娃儿更是气不打一处来，就因为这村上躺着死人，夏天“死人味”冲天，那外村的女孩子说啥也不愿嫁到这胡家堡村来呀！十几年来，村上的年轻人只出不进，这可愁坏了这些爷们娘们，于是有人告诉畅春英说，运城市纪委有个“梁青天”，他是市纪委副书记，人称“百姓书记”。你去找他，准没错。

走投无路的畅春英将信将疑地擦着眼泪，然后朝大伙作作揖，随即拎起身边的那只麻袋（这是几年来支撑她上访和度日的唯一“财富”，她用它捡些酒瓶和破烂卖钱换饭吃），便来到运城，找到了市纪委书记梁雨润……

“大娘，您不用再说啥了，我一定想法为您死去的亲人讨个说法，让他们能入土安息，在九泉之下合上眼……”梁雨润听完畅春英一番难以置信的哭诉，心头早已阵阵痛楚，“什么事都可以放一放，但这件事不能再拖一天了！”梁雨润感慨万千，不由对天长叹。当他抚摸着畅春英老人那双粗糙干裂的手时，默默地从口袋中掏出 50 元钱。

“大娘，您先上街吃顿饱饭，改日我一定上您家去。啊，千万别再受上访这份罪了！”

“梁、梁书记啊，我和我躺在棺材中的儿子、老伴，一起在家等着，你可一定得来……”畅春英话未说完，已是老泪纵横，泣不成声了。

梁雨润看在眼里，心头阵阵作痛：这就是中国的农民！一个为了能听到一句公道话而在家中放两口棺材整整十几年，生不如死、景况凄惨的乡村老妇人——除了党和政府能救她，还会有谁能给予她一丝希望呢！

可这漫漫十几年里，我们是不是欠这样的乡村老人太多太多东西了呀？！梁雨润的心潮久久不能平息。第二天，他便来到畅春英所在的河津市调查了解情况。当地法院领导一听这事，朝梁雨润直摇头：她的事全法院的人上上下下都知道，可就是不好办呀！怎么个不好办？梁雨润要问个究竟出来。

“因为当时畅春英没有向法院提出在刑事判决的同时附带民事赔偿这一条，所以作为受害者家属的畅春英一家自然没有得到一分钱的经济赔偿，这是其一；其二，虽然她后来多次上访，也曾提出当时没有进行民事赔偿这一条，可我们这儿的法院已经换了好几茬人，陈年旧案不好再翻过来。”法院的人说。

“畅春英夫妇上访多年，你们知道吗？”

“知道。样子也挺可怜的。”

“那你们有人去过她家了解情况吗？”

“没人去过，她家放了两口棺材，而且里面都装着死人……”

梁雨润见法院领导的脸部表情僵僵的，便什么话都没有再说。

“你是小梁乡党委吗？你就是书记？！那好，请你带上民政干事，我们一起上胡家堡村，就是上那个畅春英家。对对，就是那个家里放着两口棺材的人家。什么？问我知不知道那棺材里有死人？当然知道。我今天就是为这事去的。请你也尽快到胡家堡村，我们见面再商议具体解决方案。好，就这样。胡家堡村见！”梁雨润说话间，已经登上了去畅春英家的面包车。

十几年来从未有人围聚过的畅春英家院子外，此刻却人头攒动，热闹异常。自打 1989 年畅春英的大儿子姚成孝死后装入棺材的那天起，整整 13 年间，她畅春英家就几乎与世隔绝，从来没有人到她家来过。这一天，梁雨润是作为十几年来市县乡三级党组织和政府官员中第一位踏进她畅春英家的领导干部。

“梁书记，你真的来了呀！”畅春英颤颤巍巍地从里屋走出，泪流满面地拉着梁雨润的手，久久不能言语。老人凝视着眼前的梁雨润，仿佛是在做梦。

“大娘，这些年您受苦啦，我们早该来您家看您和您没有入土的儿子及老伯……”梁雨润向畅春英大娘说完此话，便独自大步朝放着棺材的两间破屋走去，并且站在那两口棺材前凝视许久，然后毕恭毕敬地鞠躬默哀。

“儿啊，他爹啊——你们睁眼看看哪，梁书记他到我们家来啦！他代表政府来看你们啦——十几年啦，你们盼啊盼，连魂丝儿都盼干了，今儿个你们该知足了呀，啊呜，我的儿啊，你和你爹该瞑目了呀——啊呜呜……”就在梁雨润鞠躬默哀的那一刻，吃尽人间苦楚的畅春英大娘再也无法克制地一头伏倒在棺材盖上，号啕痛哭起来。那断肠裂肺的痛哭，像决堤的山洪，冲击着在场的每一个村民和干部的胸膛，人们无不落下同情的泪水……

“大娘，根据您家庭的经济状况，政府决定给两万元困难补助，好让您儿子和丈夫的灵柩早日入土。”

“梁书记，我明白你的意思。你放心，我一定会尽快把儿子和老伴的棺材埋了。过去即使有海一样深的冤，有你这么大的干部今天上我家来这一趟，看咱屈死的儿子和苦命的老伴一眼，我从今再不上访了！我谢谢你，谢谢党……”

“大娘，我要代表党组织和政府向您表示歉意，是我们的工作没做好，才让您一家受那么大的冤和苦，真对不住您老人家呀！”

“不，梁书记，我要谢谢你，谢谢政府和党啊！”

梁雨润和畅春英就这样长时间地边流泪，边诉说着，那情景让在场的人无不感动。当然，最受震动的是那些闻讯赶来的县乡村几级干部，他们面对这一场景，都忍不住愧疚地低下了头。不是吗，如果他们都能像梁雨润一样早一点来真正关心和看望一下畅春英一家，已是悲哀万分的姚家怎么可能还会雪上加霜，走上了漫漫几百次的上访路？怎么可能父子同赴黄泉路？怎么可能两具装尸棺材屋内存放几年十几年？怎么可能……

我在北京知道了这件事后，立即用电话拨通了梁雨润书记的手机，希望能听到他对此事的激动人心的描述。然而手机里的他，却异常平静地说："我做的事算什么？就说我去畅春英家的事，其实根本不值一提。人家是老实巴交的农民，觉得当年自己的儿子死时法院判得不公，希望政府给个纠正机会，就为这，吃尽了千辛万苦，搞得家破人亡。当农民的有啥本事？没呀，所以他们用不埋死人把棺材放在家里作为唯一的筹码来争取自己那一点点权利。可是我们的干部和领导们十几年来居然可以对此不闻不问，就算是吓得不知如何办好，至少人家上访了这么多年，你也应该到受害者家里访贫问苦、问寒问暖一下吧！你一直不来，十几年不来一次，人家心能不冷吗？

"畅春英是一个手无缚鸡之力、被病魔缠身的农妇，她能做的举动仅仅是去跪倒在政府大门口。要是换了年轻力壮、血气方刚的人，你能料他不会干出什么过激的事？这种教训太多了。我听说她的事后就着急，不是着急畅春英家的两口棺材已经停放的时间有多长，而是着急我们这些身为百姓父母官的干部们为啥在这么长时间里不上人家家里看一看，关心关心呢？人心都是肉长的，更何况人家受了那么多的难！你当干部的，当共产党员的，为啥不想一想他们的疾苦呀！跟你说实话，我到畅春英家那天对她说政府看她困难，准备补助她两万元，那是我提着胆说的，因为我纪委没有政府职能，也没处拿这笔钱呀！可我看到畅春英家这么个景况，尤其是她四邻八乡的村民们这十几年因为她家的那两口放着死人的棺材，实在受了不少难以想象的苦，再不解决还想拖到什么时候？拖到姚家家里放三口棺材吗？

"想想这些，我们当共产党干部的能安得了心吗？所以我当场自作主张给畅春英大娘许了这么个诺。人家一听我这话，好像十几年的冤屈就顿时烟消云散了，还特意买了一条红河烟要请我们抽。你知道她畅春英这些年都是怎么过的吗？她为了上访，常年住在街头，没有钱，就靠捡啤酒瓶拾破烂。听说有一次因为睡在信访室的水泥地上八天八夜，得了重感冒，差点没有抢救过来。像这样的人，要是再有个三长两短，你说她一家的冤还有谁出来向政府说一说呢？那天离开畅春英家后，我立即给河津市委书记打了个电话，当时我心里也发毛，到畅春英家虽然把事情解决得那么痛快，可要是我许下的两万块钱见不着影子，那我不是在畅春英老人那颗已经流干血的心上又捅了一把刀子吗？河津市委书记一听我说的事，连声说道：‘梁书记啊梁书记，你今天算是帮助我们解决了大难题，别说两万块，就是十万块，我也会让政府给。’我这才放下心……”

“这么说，畅春英同意把家里的两口棺材入土了？！”我听后不由为梁雨润松了口气。

“她是同意了，但真要把棺材埋下土还难着呢！”梁雨润在手机里长叹了一声。

“为啥？”

“人家受了那么多年的苦，心头的悲痛太深了。她不求别的，最主要是想法律上有个让她心服口服的说法。”

“那法院方面能不能重新判决呢？”

“这很难说。”

“为什么？既然是明摆着当时判得不完全，就该知错改错嘛！”我说。

“事情没那么简单。”梁雨润说，“实际生活中常常有这样的事，你明知是有些问题的，特别是对案子，已经判了再想翻过来，实在不是那么容易，涉及的情况有时你想象不出来。”

“不管怎么说，再难也难不过人家畅春英老太太为了要个说法，活脱脱地陪着两个死人朝朝夕夕几年十几年呀！”我感到巨大不平，说这话的声音几乎是在喊。

“我知道，其实我除了苦口婆心地动员畅春英把家里的两口棺材埋了，更想在法律上帮她弄个明白，这样也不至于死人埋了活人心里还咽不下这口积压了十几年的冤气嘛！”

“那对法院重新审理此案你有多少把握？”

“说不上来。现在的问题，首先是要让法院真正为老百姓的利益着想，而不是为掩饰自身的问题动起来。难就难在这地方。因为时间已经过了十几年，陈年老账不好翻……”听得出，梁雨润想纠正法律上对畅春英家的判决所面临的难处远比动员受害者家属埋掉家里那两口棺材还要艰难得多。

“可不管怎么说，我们的工作再难也难不过人家畅春英心怀巨大悲痛，跑了十几年的上访路，伴着两个亲人的尸体生活了这么久的日子！你放心何作家，只要我在纪委岗位上工作一天，就一定会把畅春英家的事处理好……”

我们的通话就这样结束了。然而对梁雨润处理这件“特殊事件”的每一个进展，我几乎每天都在关注。那些日子里，我一直在想一个农家妇女是怎样背靠两具亲人的棺材，一天天苦度人间沧桑？虽然我一次次在午休和深夜的噩梦中被惊醒，但一旦回到现实时仍无法想象世上还有像畅春英这样的事以及她在这过程中所承受的那种生者与死者共枕数千个日日夜夜的岁月！

我的心一直揪着，既为苦难的畅春英，也为一心想妥善处理此事的梁雨润。

真是功夫不负有心人，有一天梁雨润从运城给我打电话过来，向我报告了这一喜讯：当年判决杀害畅春英大儿子姚成孝一案的河津市人民法院经过几个月的重新寻找案宗和调查审核，终于做出了“(2001) 河民初字第466号”新的“民事判决”。该判决如下：

经审理查明：原告畅春英系姚成孝母亲，1989 年 3 月 15 日，被告胡玉信与胡玉华在同姚成孝撕打时，用匕首将姚成孝伤害致死。1990 年 4 月 12 日，运城市中级人民法院以故意伤害致死罪，判处胡玉信有期徒刑 12 年，判处胡玉华有期徒刑 3 年。同年 7 月 3 日，山西省高级人民法院维持原判。姚成孝死后，其父姚志忠为儿子遇害一事多次上访上告，于 1995 年去世之后，原告畅春英继续向有关部门上访上告，并多次到中院申诉民事赔偿部分。本院认为：二被告对姚成孝的伤害行为虽然发生于 1989 年，但原告方多年来一直为此事向有关机关和法院上访上告，诉讼时效因而并未中断，所以原告的诉讼请求并未超过诉讼时效期间，二被告应当根据各自的责任大小对其伤害行为给原告造成的经济及精神损失进行赔偿。原告的其他之诉，因无举证，不予支持。根据《中华人民共和国民事法通则》第 119 条、第 140 条之规定，判决如下：

被告胡玉信和胡玉华赔偿原告畅春英死亡补偿费 4876.5 元，丧葬费 500 元，误工费 70 元，被抚养人安置费 22750 元，精神抚慰费 3000 元，共计 31196.5 元，其中由被告胡玉信承担 80%，计 24957.2 元，由被告胡玉华承担 20%，计 6239.3 元。

听完上面的消息，我不由长长地松了一口气。这口气既为梁雨润，更为总算有个明白说法的畅春英。

“这个结果应该说对畅春英一家是个比较圆满的‘说法’！”我说。但我马上又想到了另一个问题，便忙问梁雨润：“被告方胡氏兄弟那边怎么样？”

“对方自然不服，说事情已经过了十几年，该吃的官司也吃了，当时刑法既然没有规定附带民事赔偿，为什么现在要重新提及民事赔偿？而且他们认为诉讼时效也已经过了，所以向运城市中级人民法院提出了上诉……”

“你觉得运城‘中院’最终判决的结果会是什么？”我不由又着急起来。

“等着吧。是冤情的，人民法院总会给一个公正的结论。”梁雨润充满信心，并对我说，“等你再来运城时，便会有结果的。”

“五一”前夕，梁雨润在电话中告诉我，“事情快有个圆满结果了”，如有机会希望我再去一趟运城。当然，我很快便答应了他，于是在人们欢庆“五一”长假时，我的行程目的地则是黄河边的那块晋南大地。

到运城后，梁雨润给我看了运城市中级人民法院不久前刚作出的对胡氏兄弟“驳回上诉，维持原判”的终审判决。“中院”的终审判决如下：

经审理查明：原审判决（指河津市人民法院2001年10月26日之判决——笔者注）认定没有出入。山西省运城市中级人民法院于2001年8月10日给河津市人民法院的公函载明：畅春英是受害人姚成孝的母亲，并多次到中院申诉民事赔偿。市政法委、中院领导都十分重视。经中院审判委员会研究，根据最高人民法院关于执行《中华人民共和国民事诉讼法》若干问题的解释第八十九条之规定：“附带民事诉讼应当在刑事案件的案件立案以后第一审判决宣告以前提起。有权提起附带民事诉讼的人在第一审判决宣告以前没有提起的，不得再提起附带民事诉讼，但可以在刑事判决生效后另行提起民事诉讼……”本院认为：原审判决根据原审原告畅春英等多年来一直在向有关机关上访上告的事实，并依照运城市中级人民法院做出的公函，认定原审原告畅春英的诉讼请求并未超过法定诉讼时效，且判令原审被告按各自的责任大小对其伤害行为给原审原告造成的经济及精神损失进行赔偿，符合法律规定。上诉人胡玉信、胡玉华诉称畅春英的诉讼请求已超法定诉讼时效，理据不足，本院不予支持。故依照《中华人民共和国民事诉讼法》第 153 条第一款第一项之规定，判决如下：驳回上诉，维持原判。

……

至此，畅春英等了 13 年的一宗悬案终于在梁雨润和河津市人民法院、运城市中级人民法院等部门的共同努力下，得到了彻底的解决。

法律给了这位农家妇女一个明白的说法。只是这个“明白的说法”来得太晚了，然而它毕竟来了！畅春英该让自己两位亲人的棺柩入土了——我从心底里这样期望。

“你想到畅春英家看一看吗？趁现在她家的两具棺材还没有入土……”到达运城的当晚，梁雨润就问我。

这还用说，求之不得。

第二天一早，梁雨润就带我一起来到一百多里外的河津市小梁乡畅春英的家。这是我第一次见到畅春英。我无法相信站在我面前的这位满头白发，脸上布满刀形纹的“大娘”才大我十来岁！她一见梁雨润便哭得直不起双腿，嘴里不停地念叨着“救命恩人”四个字。这使我有时间粗粗地看了一下她家的房子，那可真是一个残垣断壁的破宅基，三间正房尽是用黄土垒起的泥房，那所谓的墙壁多处露出可以过人的洞穴。走进畅春英的家时，我感到阵阵胆怯（如果没有很多旁人跟着，我是没有胆量独自走进这里的）——三间土房，有两扇门，而两具装有死人的棺材对门而放，一眼便可看见。置放了 13 年的畅春英大儿子姚成孝的那口棺材，在左边的房间内，是死者生前住的地方。在这里，死者曾经与同村的一位姑娘成婚并生有一女，后来姚成孝被害后，他的媳妇带着姑娘离开了这间房子，独剩下死者冷冰冰地躺在这儿13年有余……当畅春英听说我也当过兵，更是老泪纵横地拿起原本放在棺材前的儿子遗像，一个劲地哭诉起她儿子在世时是如何地“有出息”。我拿起姚成孝的遗像，觉得小伙子真的长得很英俊，而他死得又太可惜！

当我向棺柩内的死者默默致哀时，心头涌起万千痛楚：年轻人，你就这样默默地躺下了，却让自己的父亲和母亲受了多少罪啊？！

在另一间的灰暗小屋内，放置着的是另一具棺材，里面躺着的是1995年逝去的畅春英的丈夫，死者姚成孝可敬的父亲姚志忠。如果不是亲眼所见，我断定谁也无法想象畅春英家的“一贫如洗”：在那间十来平方米的小屋里，一边放着姚志忠的那具棺材，一边是个土炕，在这个不足两米的土炕上，畅春英和现年已是37岁的光棍二儿子同枕了十几个春秋。而在这样一个硬邦邦的冷炕上，我只看到一块补了几处大补丁的薄薄小床单……在这样一个破落的家庭里，即使有千金万银堆着，也不可能有哪家的闺女愿嫁进来。当我心存余悸急急地从畅春英家的屋子里退出的那一刻，悄悄冲梁雨润说了句耳语：“真是罪过，我们欠这样的百姓太多了！”

梁雨润默默看了我一眼，脸色铁青，好久没有吱声。片刻，他颇有自责地说：“我悔恨自己为什么这么晚才知道她家的事！”

我忙安慰他：“不是你知道得太晚，而是我们那些早知道此事的干部没有像你这样诚心诚意来解决问题。要不，也不会弄得人家这么惨啊！”

梁雨润若有所思地点点头，说：“江总书记向全党提出要切实改变党的作风，这绝不是一句空话，我们做实际工作的党员干部同志，真该深刻反思反思了！”

难道不是吗？

畅春英把为儿子和丈夫举行的葬礼安排在五一长假期间，她有两个理由，一是平时大伙都忙，找不到人手；二是她期待法院的新判决能够顺利“执行”。

梁雨润知道其心思后，便有了主意。五一假期一到，机关的同事或回家休息或携妻带女奔名胜旅游去了，只有他却是同妻子和女儿打了个招呼后，直往畅春英的小梁乡“奔丧”。“什么事都可以不办，但畅春英家那两具置放了多年的棺材无论如何也该圆圆满满入地安葬了，这是咱当干部的欠人家的一份情啊！”梁雨润这么对我说。

在我与梁雨润的接触中，我知道他是位说话铮铮有声，踩足实实有印的人。

五一那天我正在北京的家中修改稿子，其实心头却一直挂念着山西这边梁雨润如何使畅春英家的两具棺材安然入土的事。上午下午曾经几次拿起电话想打给梁雨润书记，可还是放下了，我不想再给他增加压力了——他在那儿已经压力够大了。另则我想如果顺利的话，他一定会给我打电话的。然而这一天都没有接到他的电话，晚上十点时，我终于忍不住地拿起电话，可对方的手机关着，这更让我吃惊和担忧起来，因为在与梁雨润的接触中，我知道白天他由于会多而往往手机关着，但到了晚上十点以后至第二天清晨，他的手机是从不关的呀！我心头悬着，不知畅春英家又有什么新的麻烦？

这一夜我辗转难眠。

5 月 2 日，当我吃过早餐后，便迫不及待地拿起了电话。

“喂，是何作家吗？我现在正在畅春英家呀！昨天？喔，对不起，昨天本来我是要来畅春英家的，可一早起床后感到胸闷、浑身乏力，家人便急得把我送到了医院，结果没有来成。今天医生还是不让我动，可不行啊，我必须争取利用这个五一假期把畅春英家的事处理了，否则节后一忙又不知要拖多少日子了！”是梁雨润书记的声音。

“事情进展得怎么样啦？”我问。

“我现在正在进一步做畅春英的工作，她还是担心法院的判决能否执行，所以……”

“所以她还是不想把那两具棺材埋了？”我最为梁雨润担心的事还是发生了，于是很着急地问，“那你现在有什么办法呢？”

梁雨润说：“做工作呗！另外我向河津市人民法院打听了一下，主要是运城市中院的终审下来后，畅春英本人没有主动向河津市人民法院提出执行申请，这是她不太清楚法律程序，所以事情给耽误了……”

“这个问题应该好办，让她马上写份东西向法院提出申请嘛！”我说。

“是的，我正在找律师帮她做。不过不巧，这几天法院不是也在放假嘛。”

这可真有点“天不助梁雨润”呀！但我马上又听到他说：“这事我正在与河津市的法院院长联系，争取他配合……喂何作家，对不起，我的手机快没电了，先说到这儿吧，我马上要到畅春英的一个亲戚家，希望他和我一起做做畅春英的工作……”

“嘟，嘟，嘟……”电话断了。我的心也跟着又悬在半空。

3号一天梁雨润都没有来电话，我也不敢打扰他。

4号午饭前，我又忍不住拿起电话。

“喂喂，何作家吗？告诉你，事情进展得已经差不多了，定在8号棺材入土，现在我还在小梁乡，你放心好了！我这儿正忙着给市乡村三级干部商量畅春英家的丧事怎么个安排，到时再跟你说具体情况啊……”听得出，梁雨润正在给干部们开会。

我知道此刻不便再打扰他。

后来我才知道，虽然梁雨润在电话里跟我说得很简单，其实工作的难度一直非常大。

2 号下午，他在结束跟我的通话后，就直奔河津市，找到畅春英家的一个亲戚，那便是现任河津市公安局副局长的胡文成。老胡时年 56 岁，因机构改革，五一结束后他就要从副局长的位子上下来了，原准备趁这个假期在 3 号带着全家一起到西安旅行去。梁雨润的到来使老胡感慨万千，说："梁书记啊，我在河津工作了几十年，什么案子都执行了，唯独我表嫂畅春英家这事难办。你是上级领导，五一长假都不休息，跑来为老百姓办这么难的事。我全家明天也不去西安玩了，老胡我一定配合你做好我表嫂家的工作。"

梁雨润谢过胡文成后， 3 号又到小梁乡政府，召开了市乡村三级干部会议，商定成立了由乡村主要领导、乡纪检书记、司法民政助理员、村民代表和畅春英亲属等代表组成的畅春英家"丧事处理小组"，一一安排整个埋葬两具棺材的具体事宜。

但就在这时，畅春英由于没有见到政府的困难补助和法院的执行款，始终对什么时候同意安葬棺材一事迟迟不吐口。抱病下乡的梁雨润来回做工作，由于疲惫不堪，于 3 号晚上病情加重，住进医院。可他顾不得自己的身体，在病榻上打电话给小梁乡党委书记和乡长。小梁乡党委书记李明和乡长吕印发当即表示："梁书记你放心，畅春英家的安葬费用民政部门因为放假一时拿不出钱，我们自己掏腰包先筹 5000 元，现在就给畅春英送去！"

"谢谢你们了！"梁雨润躺在病榻上，非常感动。

"要谢也得谢你梁书记呀！要不是你，我们是不可能解决得了畅春英家的事的。"小梁乡党委书记、乡长掏着心窝说道。

4 号这天，法院那边也有了回话。河津市人民法院院长向梁雨润保证道："急事急办，特事特办，我们一定想办法，在明天把畅春英申请执行的3万多元钱送到她手里。”

“好，明天我们一起到畅春英家去！”梁雨润一激动，顺手将手臂上的针头拔了下来。

妻子急了：“你不要命了？还有两瓶药水还没挂呢！”

梁雨润笑笑：“我的病好了！明天还要上小梁乡去……”

明天——就是5号。这天上午，梁雨润和河津市人民法院院长、小梁乡党委书记、乡长等人，再次来到畅春英家，他亲手把剩余的15000元政府困难补助交给了畅春英，法院院长也把畅春英儿子姚成孝被害一案当年应该判给畅春英一家的民事赔偿31196.5元，如数交到了畅春英手上。

“梁书记——我替死去的儿子和他爸，谢谢党，谢谢政府，谢谢你这样的好干部啊……”畅春英接过钱时，抖动着双手，哽咽得就是说不出第二句话。

如此，葬礼正式确定在8号举行。

5号6号，很少下雨的晋南大地，突然大雨飘飘，仿佛天公也在为人间发生的这一幕落泪。由梁雨润亲自组织指挥的几十人挖掘坟茔的队伍，正在冒雨战斗……

7号，运城市委书记黄有泉找来梁雨润，听取他汇报处理畅春英家一事的过程。其间，黄书记两度感怀落泪，他对梁雨润说：“我们党的干部就应该像你这样，切实转变作风，要以办实事、干真事、不把事情办好不撤手的劲头，去为老百姓服务，去关心人民群众的疾苦，去解决他们的难题，这才是真正身体力行江总书记的‘三个代表’。”黄书记还对梁雨润在处理过程中的每个细节都做了具体指示。

8号清晨，梁雨润带着运城市委、市纪委的同志和河津的市乡村三级干部前往畅春英家参加埋棺入土的葬礼。临行前，多次过问和关心“畅春英事件”的运城市政府王守祯市长、市纪委周书记也特意向梁雨润下达两条指示：一是带去他们对畅春英一家的慰问，二是一定要圆满完成好死者姚成孝及姚志忠的灵柩入土工作，并希望河津的市乡村三级干部今后继续关心畅春英的生活。当日 11 时，梁雨润一行和河津市乡村三级主要领导，到达畅春英家。一切准备就绪，葬礼开始——

“起灵——”葬礼的主持一声令下。顿时，哀乐齐鸣，白色的纸钱在空中飞飞扬扬……

放在姚家分别已有 13 年和 7 年的两具棺材被缓缓抬起。梁雨润和市乡村干部们争着上前抬起死者的灵柩，并随着此起彼伏、凄婉悲恸的哀乐，一步一步地走出姚家那座破落的院庭，走上村里那条弯曲的小道，踏上送葬之途。

这是一个当地从未有过的特殊葬礼。它等了太久，它不该等这么久！然而它毕竟来了。

已是满头白发，眼睛都哭得半瞎的畅春英，此刻一步一躬，既像是对死者的哀悼，又像是对梁雨润等干部们参加葬礼而表示的一种乏力的谢意。然而谁也不会真正知道这位过早失去两个亲人，饱受悲痛与生活沧桑的农家妇人此刻心头的世界。只有她撕心裂肺的号丧声（她已经无法哭了）回荡在田野、山谷，乡亲们听着她的号丧声纷纷走出家门，擦拭着泪水，一起加入了送葬的队伍，长长的送葬队伍因此延伸至一二里……

葬礼结束后，我见到了梁雨润。他的脸几日不见一丝笑容，一向话语不断的他，在我面前却很沉默。终于有一天，他对天长叹一声后，对我说：“我要是能分身多好，还有许多老百姓需要我们去帮助他们解决难处和困难啊！”

静默数分钟后，我说：“该自责的不是你。如果我们每一个共产党人心头能真正想着老百姓的事，并且实实在在地去工作，八千多万人的先锋队伍一定会让我们的人民感到满意，我们的国家也会是另一个样子。”

“我的事对你写作还有用吗？”他听后终于露出了笑容，并问道。

“当然。”我告诉他，其实这话我是想告诉读者的。

# 第一章　土窑洞内有堵回音壁

在中国的地图上，人们还真不太容易找到夏县这个地名。因为它小，因为它偏，更因为它穷，甚至穷到了全国最贫困县之列。但这儿的百姓感到的不仅仅是一个穷字。再穷也穷不过旧社会，穷不过当年黄河泛滥的那些年吧？

然而夏县的百姓已有些年头总感觉自己的心情怎么说也是不舒坦的。什么原因？是政府的问题？好像又不是，政府是人民的政府。人民的政府怎么会让自己的百姓心情不舒坦呢？可，可这日子就是这么不舒坦。

咋回事嘛？！百姓开始一天天寻找答案。可答案难找啊。

天，还是共产党的天；地，还是共产党的地。天下还都是咱人民的天下。但人民的天下为什么人民自己的心里就像有棉絮堵着一样？那些生活依然过得苦涩的百姓自然还在天天巴望着能有个好年成，这样一来就不会饿肚子了，孩子上学的学费也有着落了。对他们来说，这便是最好的企求了。如果说穷人的心头整日整年压着一块石头算是正常的事，那么靠邓小平提出的政策致富了的人总该有个舒心日子吧。然而夏县的那些靠政策靠勤劳致富了的百姓的心头也像压着一块块石头似的。他们的心里甚至比那些过苦日子的人还愁，这又是为什么？是啊，为什么？为什么咱今天端着吃肉的饭碗，却也还要嘴里不停地骂娘呢？

1998年6月12日，梁雨润奉命出任夏县纪委书记。他来到夏县后的第一感觉就是这个。他在寻找答案。

来夏县当纪委书记之前，梁雨润在地区行署机关当纪委书记，虽然工作上和县里接触不是很多，但关于夏县的情况他早有所耳闻。这个穷县，却有“四多”远近闻名：告状的多，上访的多，恶性案件多，集体闹事的多。每年总有几回在太原省政府大门前闹事静坐的是夏县的人。至于梁雨润所在单位的运城市委、市政府门前的集体闹事事件中，更是少不了夏县人。

梁雨润接到地委的任命通知后，心里沉甸甸的：夏县的问题到底出在何处？我这个纪委书记又该咋个当法？

接到调任通知的第二天，梁雨润便到夏县报到。按惯例，头几天县里的几套班子，都要认识和熟悉一下，好今后彼此有个照应。相关部门一圈走下来就是四天，当办公室主任把其他相关部门的“到任走访日程安排”给梁雨润拿过来时，长长的细目，一直排了半个多月时间。

“我说主任同志，我是来工作的，可不是来串门子的呀！这走完县四大班子，再走县直机关，再到各乡镇，还不得一个月？”梁雨润急了，新任夏县纪委书记后第一次说话提高了嗓门儿。“可每回新书记来的前几个月都是这么着的。”主任小声地说。

“那就从我开始断了这种习惯。”梁雨润挥挥手，说，“今天下班之前，请通知信访室把近期的群众上访信拿给我，明天我就正式开始工作。”

到任的第五天早晨，梁雨润便恢复了多年来养成的习惯：每天早晨六点起床，走着在街头顺路吃点早点，然后再回办公室上班。现在跟在地委工作时不一样了，他的办公室和“家”都在一间30多平方米的房子里。所以，等同事们八点钟上班刚踏进办公室时，梁雨润便心急火燎地找到纪委信访室主任老胡：“我说老胡啊，有个你们姓胡的本家的那封上访信你看过没有？”

“本家？就是那个胡正来吧？”

“对，就是他。为什么人家上访了300多次还不给解决？”梁雨润握着那封皱巴巴群众上访信的手在微微发抖，“让这个胡老汉告到什么时候才是尽头呀？啊？我说老胡你这个信访室主任是怎么当的？”

老胡摇摇头，皱着眉头说：“您不知道，梁书记，这事……难哪。您新来乍到，这类理不清头绪的烂事，最好先放一放。”

“放？放到什么时候？人家一个平民百姓，在两年多时间里，上访了300多次，几乎两天就要往县城里跑一趟，你想过没有，两天上访一次！这人是埝掌镇的吧？这个埝掌镇我去过，是在山上的那个乡吧？那儿距咱县城少说也有五六十里路。人家上访了300多次，来回得走多少路啊？”

信访室主任老胡长叹一声，不吱声了。

“上午我在纪委还有一个常委会，吃完中午饭我们就上山。你先备车去。”梁雨润说。

6月下旬，正值盛夏时节，吉普车在干旱的黄土高原上飞驰，扬起漫天尘土。胡正来所在的埝掌镇高居横亘百里的中条山上。这里的路之难行是梁雨润不曾预先想到过的，难怪当年共产党和国民党的抗日游击战都选择这中条山作自己的屏障，1943年时那日本鬼子多疯狂，可是到了中条山跟前就再也神气不起来了，几仗下来，就再也不敢上山一步。新中国成立后，中条山归到人民的手中，但由于这儿的自然条件恶劣，居住在山上的老百姓生活一直很贫穷。即使是今天，他们仍然不富裕。多数人仍住在土窑洞之中，几个月前我来到这里采访时所看到的一切，给我印象深刻。在这里，似乎只有个别富裕人家的电视机，才使这片古老的土地与现代化的今天有了一丝连接。但当我从许多农民居住的土窑洞里看到他们的泥墙上仍端端正正地挂着一幅毛主席画像和那幅“听毛主席话，跟共产党走”的条幅时，我心头的强烈感受是：这儿的老百姓对大救星毛主席和共产党的那份感情特别的深，就像对他们脚下的那片永远不太可能使他们富裕却又永远无法离开的土地一样怀有深厚情感。

我有些扯远了，咱们还是跟着梁雨润他们的车子走。

梁雨润和信访室主任老胡他们上山时，这儿的路还是一条晴天是路雨天是沟的土道，不过好在这儿一年也下不了几场雨，慢慢地人走多了土道也变成一条能供拖拉机和马车之类的交通工具行走的路了。原在地区机关时便经常下乡的梁雨润熟知情况，他今天没有坐“桑塔纳”，而是坐了一辆吉普车。这吉普车上山是强项，但在炎热干燥的盛夏时分，坐在吉普车里面的人却受大罪了，如同关在闷罐车内一般，外面尘土飞扬，车内的人汗雨掺夹着尘土，活像一个个泥菩萨。

“嘟嘟……”

“谁的ＢＰ机在响？”老胡抹了一把汗尘，询问道。

“我的。”司机说着一手掌稳方向盘，一手摸着腰端的小玩意，然后他把车停了下来，“梁书记，您去不成山上了。”

“咋？什么事？”梁雨润问。

“县委办公室打电话来，请您马上回去，说下午各乡的党代表都到会了，请您务必回去，跟这些代表见见面。”

“哎呀，明天就要开党代表的换届会了。梁书记，这个当口您必须回去！”老胡着急道。

“为什么？”梁雨润问。

“这您还不比我清楚？您没听人说？现今当官天不怕地不怕，就怕换届选举这一天。再说您是新来的，虽说是上级调任您到咱这儿当纪委书记，可要是在党代会上选不上，那就……”老胡偷偷地看了一眼这位比自己年少五六岁的地区机关来的新上司，心头一团着急。

梁雨润听完老胡的话后，没有说半个字。他微微地将头转向弯曲绵延的崎岖山路，那张国字脸上映出一团深深的疑虑。是啊，这个“见面”和“拜会”太重要了，用当时官场上私下流行的话来说，这可是立竿见影的拉票时刻。而且，令梁雨润不得不考虑的是，在运城、在夏县这块土地上，啥事不能发生呀？曾经就有个乡干部，为拉票竟使出招数对上级的意图来了个全面颠覆；还有不久前在运城不是还出现了一位局长为竞选当副市长，高价贿赂了几十个人大代表，如果不是有人关键时刻倒戈，说不准人家就真的当上副市长了。这些都是在运城地区相继出现的并且已经被曝了光的选举丑闻。但沉在水面下的那些选举交易就没有了吗？有，太有了！梁雨润在运城市政府机关工作了 20 多年，啥事没耳闻目睹过？但令他没有想到的是，眼下这么件意外的事却像一座大山似的横亘在自己面前让他几乎有点措手不及……“走，继续上山！”他拍了拍身上的尘土，朝老胡挥挥手，自己先钻进了车内。

“不行！梁……梁书记，严格来说你这个书记现在还只是个预备的，只有经过了党代会正式选举后才算真格的。你不是一点不知咱夏县的情况，要真是因为你没有让党代表们认识而丢了选票，那我们的纪委工作还咋个开展呀？”老胡犟着劲不上车，并且命令司机倒车。

“老胡——你给我上车！”梁雨润凭着年轻力大，一把将瘦小的信访室主任拉上车，然后高声命令司机，“朝山上开！”

吉普车重新加大马力，在弯曲的山路上颠颠簸簸地艰难行进着。

“梁书记，你这样的作风在夏县会吃大亏的。不信你就走着瞧吧——”老胡弯着腰，对着梁雨润的耳朵大声说道。

“哈哈哈，老胡啊，对你实话实说，如果山上的那位农民的冤情属实，我们又能及时帮他解决了。我觉得这样的一票远比下山向那些党代表们拱手作揖得来的一百票要价值高得多呀！”

信访室主任听完这话，不由对这位新来的纪委书记重新从头到脚打量了一番，然后在心底满意地笑了笑。这一笑，使这位比梁雨润年长五六岁的老同志从此甘心情愿地跟着这位新书记开始为疏松夏县这块僵硬板结的土地而艰辛工作。

七弯八拐，吉普车拖着长长的尾尘，在一座土窑洞前停下。

“胡正来，你快出来，我们是县上来的，梁书记来看你们来啦！”老胡一边拍打着满头尘土，一边朝窑洞内直起嗓子喊着。

这时从土窑洞内走出一个五十开外的老农，他愣了一下，朝喊他的老胡点点头。

“哎呀胡主任，这大热天的你咋跑到我这儿来了？”胡正来很是惊诧。

“我是陪梁书记来的。你快来见见梁书记，他是专程来看你的，想给你解决问题呢！”老胡把胡正来领到梁雨润面前。

胡正来面对着梁雨润，不敢相信信访室主任的话。“胡主任你就别拿我们小老百姓取乐了。我这儿咋会有县上的书记来嘛！”

“哎，你这个胡正来，这就是梁书记，是我们县上新来的纪委书记，他就是专门来看你的嘛！”信访室老胡急得不知所措，最后还是梁雨润书记自己出来对胡正来说了个明白。

“老胡啊，我是新来夏县工作的梁雨润。今天专程来听你说说你们家的事，咱们进你窑洞里说好不好啊？”

“你……你真是县上的梁、梁书记？”

胡正来怔怔地愣在原地打量着梁雨润，当梁雨润向他点头时，胡正来突然转身朝窑洞内大喊起来：“娃儿他妈，快出来！出来！县上的梁书记来看我们啦！快，快出来见梁书记！”

这时，窑洞的那块旧门帘掀开了一角，一位满头白发、神智看上去有些恍恍惚惚的老农妇走了出来。“来，快来，见过梁书记……”胡正来拉过妻子的手，两人突然“扑通”一下全都跪在了梁雨润跟前……“梁书记啊，你，你咋就亲自辛辛苦苦来看我们了？这几年我到处找官不见官，现在你却自己大老远跑到山上来，这让我们……我们说啥好？你一定得给我们申这个冤啊……”胡正来夫妇说到这儿，早已泣不成声，接着便是“咚咚咚”地朝梁雨润磕起头来。

“别、别，二位老人家，你们快起来，快起来——”梁雨润不曾想到他来到夏县与百姓的第一次见面竟然是受了不少冤屈的父老乡亲给自己下跪磕头。他惊慌之余，瞅着眼前这两位老人，忍不住满眼含泪，心头无比愧疚：“都是我们当干部的工作没有做好。不该你们给我磕头，而是我们这些当公仆的人该向你们磕头才是。别急，咱们坐下来慢慢谈。只要你们反映的事属实，我一定会帮你们申冤的。来来，慢慢说……”

当胡正来夫妇拉着梁雨润坐在窑洞的土炕上，将事情的原委一五一十地给讲清后，素来办事稳重的梁雨润无法平静了，他“噌”地站起来，大巴掌重重地落在了胡家仅有的那张方桌上：“共产党的天下，竟然有人敢如此欺压百姓！老胡你放心，只要事情查实，我保证 10 天之内让他们把该给你们家的钱全部退回来！”

“梁书记，有你这句话，我胡正来这几年跑了 300 多趟县上就算没白搭。死去的娃儿也该闭上眼了，你瞅孩子他妈，就为这事，这一年多时间，头发全白了。现在连下地都不能下，整天只知道往儿子的坟地上堆土……苦啊，梁书记，咱老百姓的冤就盼您这样的好领导呀。呜呜呜……”老汉胡正来一只手拉着梁雨润的手，另一只手在老伴的头上轻轻一拨，便见几缕白发掉在手心。

梁雨润将白发接到自己的手中，再看看坐在炕上只顾自个儿用旧报纸做着纸钱的胡妻，心头不由打了几个冷战。

“老胡，你就等我的消息吧——”梁雨润转过身子，擦了把已经溢出的泪水，对信访室主任和司机挥挥手说，“走，回县城！”

吉普车沿着弯曲绵延的原路，像一艘行驶在风浪中的小舟，猛烈地起伏颠簸着。一路上，梁雨润一言不发，可他的心底却比这行驶在山路上的吉普车更加起伏跌宕。

是啊，胡老汉说得好啊，这样的事不该出在我们共产党领导的天下呀，可它又偏偏是出在我们共产党的鼻子底下，而且干这种缺德损民的事的竟然还是一些百姓的父母官。

真是混账！

胡正来家出的这种事，不能不令梁雨润感到气愤至极。

事情的缘由是这样的：1996 年 9 月的一天，胡正来老夫妻俩正在地里干活，突然有人传来口信，让胡正来一家赶紧上太原，说他们正在太原打工的儿子胡宏鸽出了事。到底出的什么事，来的人没说清楚，但显然是出了大事。要不然咋会让一个打工者的家属全家往几百里之外的省城里赶呢？胡正来老两口一听就瘫了，为啥？因为他们的儿子是全家唯一能为家里挣回些现钱的顶梁柱，再说儿子才刚刚结婚半年，儿媳妇李雪梅连个身孕还没有哩。

“爸、妈，宏鸽到底出什么事了？”儿媳妇一路都在问公婆，问得公婆急也不是缓也不是，只有默默流泪和乞求老天爷开恩不要降灾难到他们这户中条山上的贫苦人家。

然而老天爷不开恩。到太原后胡家才知道他们全家的顶梁柱已死于非命，胡宏鸽在做工时不幸触电而死。胡正来老夫妻和儿媳妇哭得昏天黑地，但人已逝去，留给胡家的除了无边的痛苦便是儿子打工的那个单位给的 17000 元抚恤金。

世上什么人的命最不值钱？当然是穷人的命。胡正来老夫妻手捧着儿子用生命换来的 17000 元钱，更感到悲恸欲绝。因为他们不仅要承受老年失子的无尽苦楚，更让他们担忧的是在失去儿子之后，他们的这个家将可能面临解体。你想呢，儿媳妇年纪轻轻，没了丈夫，身边又没孩子，咋说人家也该有选择自己未来的权利吧？

儿子没啦，家里垮了一半，老头子你说啥也不能让她再离开我们家，要不等老了谁来为我们送终？胡正来的老伴把儿子用命换来的17000元钱紧紧地裹在贴身布袋里，一边悄悄对老头子说，一边不停地抹着如泉般泻下的眼泪。

老伴胡正来只得无奈地对着苍天长吁短叹。

回到家，胡正来在儿子的坟头添完最后一铲黄土后，便从老伴手中要过了那17000元钱，然后一张一张地数了个无数遍。而每清点一遍，他心头便多一份惆怅：咱中条山上的农家人，就是干一辈子也未必见得着这么多钱。儿啊，你是想用自己的命来保你娘和我寿终正寝。我的好儿，儿啊……

这一夜，从没在外人面前流过泪的胡正来，搂着儿子的遗像整整哭了一宿。第二天一早，他便下山来到乡农业信用社，将17000元钱存了进去。

回到家，老胡觉得该给儿媳妇有个交代，便将存钱的事告诉了儿媳妇李雪梅。

当时李雪梅虽然有些不太高兴，但也没有说其他的，还反过来安慰老两口，说你们尽管放心，宏鸽虽然不在了，但我还是你们的闺女，等机会合适了我再招个女婿回来好为你们养老送终。

哎，好闺女，有你这话我们就放心了。失去儿子的老两口要的就是儿媳妇这句话。在中国农村，几千年来始终遵循着这样一条不变的规律：含辛茹苦把儿女抚养成人，为的就是他们将来能够给父母养老送终。胡正来两口子当时已经都是六十好几的人了，这对老夫妻打成亲那天开始就没有离开过黄土地和那个土窑洞，所以也就没有跟贫穷的日子和艰辛的岁月脱离过。当儿子第一次出远门从太原托人带回第一笔200元钱时，老两口乐得按捺不住那颗喜悦的心，逢人就要说一声他们家的儿现在有出息了，能在外头挣“工资”给他们老两口了，可把乡里乡亲的邻居给惹红了眼。

唉，老天瞎眼呀，才不到半年工夫，好端端的儿子便没了，没了儿子的老胡夫妻像一对离了土的枯蒂莲，整天唉声叹气，虽然儿媳妇的话说得很甜蜜，但老两口的心总是随着太阳一起上升落下。为啥？他们怕呀，怕天一黑，已经断了“线”的儿媳妇会突然远走高飞。

那些日子究竟是怎么过来的，老胡提起这话便会忍不住抹眼泪：老伴几乎天天整夜不敢睡个囫囵觉，时常要比儿媳妇睡得晚起得早，而且半夜还要常常起床装模作样地关关门看一看鸡棚的栓，其实都是为了“盯”住儿媳妇。另外，老两口在明里还不断托人给李雪梅找对象，他们想这是可以让娃儿留在胡家生根的最好办法。

可老胡夫妇所做的这一切其实没有起到任何作用，自丈夫死后，抹干眼泪的李雪梅已经开始盘算着自己的未来，只是这一切都做得不动半点声色。

“哎呀老头，快快，怨死我了怨死我了！啊呜呜——我的天你咋不睁眼啊？你叫我咋个活法呀？老天爷呀——”这一天老胡还在梦里，老伴却突然在院子里哭天喊地起来。

啥？她还真就跑啦？老胡往儿媳妇房头一看：可不，人家连床头的被子都卷走了……

唉，娃儿毕竟是外人，又年纪轻轻的，理该找自己的热被窝去。老胡强忍着泪，将昏倒在地的老伴扶起，自己也是一口闷在心头的鲜血吐出，溅在炕头。

不该是胡家的人就永远不会姓胡。可是令胡正来老两口万万没有料到的是仅仅在儿媳妇离家10天之后，在一个天色已黑的傍晚，几个身着制服的县法院法警，耀武扬威地跑到胡正来的土窑洞前，大声嚷嚷道 ：“这儿是胡正来家吗？快出来！胡正来！”

老汉胡正来还从没在自己家门口见过这个阵势，连忙放下饭碗从窑洞里迎出来。“什么事呀，警察……警察同志？”

“你们家的儿媳妇李雪梅是不是离开你们家啦？”其中一个法警手叉着腰，官气十足地在胡家的窑洞前边走边问道。

“是，她 10 天前就走了……”胡正来不明来人所问何意，如实说道。

“你们知道她为什么走吗？”

胡正来和老伴摇摇头。

“她是另找婆家啦！”那法警“嘿嘿”一声干笑，说，“婚姻自由，这是国家法律所允许的，你们想拦也是拦不住的。”

胡正来与老伴面面相觑，不知说什么好。

“虽说她人走了，但她还是你们儿子的财产继承人，所以今天我们来是为了给李雪梅执行她那份应得的财产归属权的。你们听好了，我们是县法院的，据原告李雪梅称，她的丈夫在死后你们家得到过一笔 17000 元的抚恤金。按照国家民法规定，李雪梅是你们儿子财产的第一继承人，所以法院判那笔抚恤金应该给李雪梅。”为首的那个法警从口袋里掏出一个皱巴巴的纸团，在空中扬了扬，对胡正来说 ：“这是法院判决书。我们今天来就是为当事人取回那笔抚恤金的。你要配合人民法院的工作，快把那笔钱交出来由我们转交给原告李雪梅，否则——”

“否则咋样？”胡正来的老伴双手颤巍巍地上前拉住法警的衣角儿，问。

“咋样？当然是我们带走他！”法警指指胡正来。

“天哪，这是什么王法？你们，要带你们就带我走，带我到我儿子那儿去——”胡正来的老伴“扑通”一下倒在地上，一声撕心裂肺的“儿啊——”震得窑洞的松土瑟瑟落下。

“不像话。既然你们是县法院的，难道不懂得执法的最基本常识吗？”就在这时，从胡正来家旁边的一个土窑洞里走出一个干部模样的中年人来，他气愤地大步走到那几个法警面前大声责问道。

“你，你是谁？”为首的法警惊惶失措地问。

“我是谁并不重要。不过也没有必要对你隐瞒什么。”那中年人瞪了法警一眼，说，“我是市民政局办公室主任，是市委派来驻老胡他们村的扶贫干部。顺便我想把在普法时跟你们法院的人学到的一点常识向你们‘求证’一下，那就是法院在处理案件时，最先的一步是对当事人发传票，在没有发出传票之前就进行具体的执行程序，法警先生如果我没有说错的话，恐怕首先违法的是你们自己吧？”

“这——”方才还不可一世的那个法警，没想到半途会杀出这么个“程咬金”。他很不服气地瞅了一眼那位扶贫干部，叽里咕噜地支吾了几声，说：“胡正来，你听着，今天就算我们专程来给你发传票，不过话说在前头，当事人李雪梅要回那笔抚恤金是早晚的事，你必须随时准备拿出来。走，回城！”

几个法警没好气地出了胡家小院，坐上警车一溜烟儿地消失在夜幕之中。

胡正来老两口自打出生在中条山这块黄梁山岗起，就没有离开过土窑洞，哪见过今天这阵势。儿子为别人打工，结果被电击致死后人家给家里一笔抚恤金，照说这也算是给悲痛欲绝的父母双亲的一点补偿。儿子死了，儿媳妇不辞而别，不但丢下孤苦伶仃的老两口不说，还要拿走胡家的这么点“命根钱”。这里特别要说明一下，那李雪梅跟胡正来那个死去的儿子胡宏鸽实际上并没有办理正式结婚手续，只是同居了半年，后来就被法院判为“事实婚姻”。且不管是“事实婚姻”还是正式婚姻，让胡正来老两口想不通的是：儿子是他们生的，即使儿子娶了媳妇，可他们还没有分家，现在儿子死了，得到一笔抚恤金，总该也有当父母的一份吧？这对老实巴交的农民，虽然不懂多深奥的法理，但他们想的都是情理之中的事。这法院是怎么啦？按理说人民法院是为人民秉公办事的，可他们怎么就像专门欺压老实人似的。

老两口这一夜就没有合过眼，一直在寻思着该怎样理会法院的“传票”。全家唯一的顶梁柱倒了，却还要为死去的儿子打官司。老两口抱着儿子的遗像一直哭到天明。

他们企盼天明后太阳不要从西边出来。

这是咋的啦？太阳真的从西边出来啦！

“老天咋专跟我们穷苦人过不去啊！老天爷，你倒是说话呀？说话呀？”第二天，胡正来的老伴听乡信用社的人说他们存的那笔抚恤金已经被法院的人带着“手续”给提走了，在叫了一声“老天爷你开开眼”后，便再也分不清东南西北了——好端端的一个人，从此便变成了“疯子”，那原是花白的头发也一夜之间变成了一片银白。

可怜的胡正来老汉，一边看着儿子的遗像，一边看着蓬头垢面的疯老伴，心如刀割。他不明白共产党的天下咋会有衙门里的人这么不讲理，这么为所欲为、无法无天，可以将别人的钱凭借手中的权力随意拿走！

胡正来不信这天变了。他相信毛主席说过的两句话：“政府是人民的”，现在的天下是“共产党的”。打那天起，年近古稀的胡正来老汉，便开始了一次次寻求希望的“下山上访”。在这之后的两年多时间里，他几乎每两天下山一次，先步行十几里山路，再到乡政府所在地搭乘去往县城的汽车，接着就是在县城找一个又一个“衙门”。他找到县人大，人大的人告诉他应该找检察院，他找到检察院，检察院的人又对他说是法院办案有错，应该找法院。那都是政府机关，胡正来老汉心怀一百个希望和信任，所以人家怎么说他就怎么做。今天人大的人下班了，他就明天再来；明天检察院的人说这两天要忙其他事，他就改后天再来；法院的人说你这事要改判不那么容易，不是一天两天的事，他就说那我隔三岔五来听你们的消息。总之一句话，人家说什么，他听什么；人家让怎么办，他就怎么办。人家是政府的官员，得听人家的话。胡正来老汉一次次顶风冒雨，每次往返行程几十公里，山上山下不停地跑，有人就说你在城里又没认识人，这样的事即使跑断腿也是白搭。

胡正来不信，他说县委县政府的大门口都写着“为人民服务”五个大字，有这五个大字，我就有希望告赢这场官司。

从 1997 年 1 月 26 日，法院的人从乡信用社私自取走胡家那笔抚恤金之日起，到 1998 年的 4 月份，胡正来前前后后下山 300 多次，每一次来回上百里路。这中间有多少个风雨交加、烈日炎炎的日子，胡正来自己也记不清。他只记得有几次为了等候法院和其他政府部门的那些“说话算数的人”，他得一清早在人家还没有进办公室前就在大门口堵住他们。从山上下来再搭车到县城，就是早班车也得在八九点钟进城，再算上前后花去的时间，想见那些“说话算数的”头头脑脑们，几乎是不可能的事。为这，据胡正来自己说少算也有二十来次为了在第二天能见到“说话算数的”那些人，自己就得在头天下午两点钟下山，走上一个小时，再搭上去县城的最后一班车。到了县城后就得找个犄角旮旯，露天里凑合一夜，这样好在第二天能搭上“上访早班车”。谁都知道现在没钱是打不成官司的，即使有钱也未必能打赢官司。胡正来老汉本来家里就穷得只有一个土窑洞和一个土炕，再就是一年也收不到几袋粮食的几亩旱地。为了省出每一分钱，胡正来老汉出门时都会烤上两张玉米饼，一张留给疯老伴吃，一张留给自己路上吃。可到了县城，又常常因为要见那些个没有准时的“说话算数的”人，他不得不经常改变自己的行程，这一改，带在身边的一张玉米饼便不够吃了。饿了，忍着；渴了，找个水龙头“咕嘟咕嘟”喝上几口。或许人们只知道上访的人既可怜又可气，却从来不了解上访的人多数还有着不为人所知的种种凄惨情景。

胡正来是个不善表达的庄稼汉，但只要他一回忆起上访的那些日子，那双有些混浊的眼里就会掉下眼泪。他只说有几次上县城走了一个又一个部门后，人家总是爱理不理地打发他“回去等候”，他只好无奈地出了县城。搭车到乡政府所在地后，就得自己步行上山，胡正来老汉说那十几里山路是最难走的。又饥又渴加上又疲又惫，尤其是失望加气愤交织在一起，“那时候，我几次跌倒了就不想再坐起来。看看身底下的黄土，捏一把，扬扬手就飞走了，只留下光秃秃的山丘给我们这些庄稼汉，让我们祖祖辈辈流汗流血却收不回填饱肚子的几粒苞谷。再看看天上的星星，高高地悬在天上只知道可怜地朝我们眨眨眼，啥忙也帮不上。那时我真想一死了事……”

据村里的干部介绍，胡正来老汉在为儿子的抚恤金一事而进行的一次次上访期间，不仅荒废了几茬庄稼，老伴的病也顾不得医治，家里几乎连锅都揭不开了。村上的干部和乡亲们实在看不过去，同时也对“上面”的一些机关办事拖拖沓沓，不负责的做法气愤至极，纷纷向胡家伸出援助之手。村支书等人甚至帮着他上县城一起上访有关部门。就连村里小学校的娃儿见上访的胡老汉路过他们学校时也会上前掰半块饼或塞上一两毛钱支持这位“打官司爷爷”。

然而，不知我们今天的某些政府的某些人到底怎么了，一件本来清清楚楚、简简单单的事，就是你推我我推你，最后总是在“一定”、“一定”中办不了，办不完，办不定。胡正来老汉后来算明白了一个理：他的事，凡是他见过的领导干部们都说应该纠正，可就是落实不下去，其原因有二，一是他是一介平平常常的无权无势的普通百姓，二是办错案的人都有“背景”。胡正来心想：我是啥人？一个祖祖辈辈都在山上住着的老农民，要什么没什么，就是跑断了腿也未必有结果。唉，儿啊，爹什么都不怨，只怨当初你说到山外的城里打工能给家里挣点钱，我没拦住你。你如果不出山，咱爷儿俩就算穷得啃黄土泥巴也不会轻易命归黄泉的。如今倒好，你走了，还留下无尽头的官司让你爹和你娘受着……娃儿，咱家到底谁作的孽啊？儿啊，你说，你说呀，爹想听个明白，啊——

在用完家里全部可以抵变现钱的财物后，胡正来除了每天带着有病的老伴上儿子的坟头跪哭之外，再也不抱什么希望了……

离开胡正来家，在回城的路上，梁雨润眼眶里噙着的泪水就没有干过。

“是县司法局吗？”

“是县检察院吧？”

“是县法院吗？”

“是县公安局吧？”

“……噢，我是梁雨润，我有要事，请你们每个单位的负责人来一趟县纪委，我要开个紧急会议。对，马上来人！”

当日，从几十里外的中条山胡正来家回到县纪委办公室，梁雨润都没顾上喝口水，抄起电话就给上面四个单位的头头打去电话，令他们一小时之内到他办公室。他要亲眼看看这么一件明明白白简简单单的“区区小事”，竟然让一位年近70岁的山区老农整整上访了300多次还解决不了，根源到底出在何处？

在预定时间内，公安局、司法局、检察院、法院四大单位各来了位负责人。这也是梁雨润到夏县上任后召开的第一个会议。几位夏县的“高级干部”第一次领教了新纪委书记的雷厉风行。

“你们说，胡正来家的事到底他告得有没有道理？法院随意武断地从乡信用社拿走人家的钱合不合法？那些钱该不该还给胡正来老两口？又怎么个还法？什么时候还？现在钱在哪里？你们都是执法的专门机构和部门，比我更懂法，请你们一个个给我回答！”

梁雨润强压心头的不满，作了一个没有半句客套的开场白，然后朝到会的几位关键机关的关键人物扫了一眼。

“我们司法局对这件事早有批复，而且不止一次。”司法局负责人的气也不打一处来，朝法院负责人瞪了一眼。

“这事明显是我们的执法人员违反了执法程序。”检察院负责人说。

“在夏县，谁都知道我们法院的个别单位是太上皇头顶的土——动不得呀。”公安局负责人讥讽道。梁雨润把目光停在了法院负责人身上。

面对会场上众人的目光，法院负责人脸色极其难看，那只握成拳头的手在微微发抖。他突然扬起头，对梁雨润书记说：“梁书记，你能抓这件事太好了，其实我也早闷了一肚子气。这帮混在法院内的共产党的蛀虫，早该处理他们了，可是……”法院负责人一脸难色。

“可是什么？尽管说。今天我们就是要研究解决问题的办法，即使再大的困难也要闯过去。”梁雨润不由从座位上站了起来，无比激动地说，“人家胡正来仅仅是个普普通通的山区农民，孤苦伶仃的老两口，没了儿子，儿媳妇跑了还不算，还带走了他们的养老钱，为这事，他卖掉了家中一切可以换成现钱的物品，9000多块呀，全花在上咱县城打官司的路上了。以致最后对我们政府和干部的心都死了，见到一个想了解他们情况的人就会在你面前长跪不起……假如胡正来是我们在座的某一位同志的父亲的话，我们的心里该是什么滋味？大家设想一下，啊？！”会场一片寂静。

“是我们工作没做好。”法院负责人垂下头，然后说，“一年前，当胡正来的上访材料转到我们法院时，我经手过。当时我也十分气愤，因为这事的当事人之一李雪梅一方，是将起诉状递到县法院的法警队的，这本来就不符合法律程序。但由于原告当事人的代理人冯某与法警队某人有亲戚关系，就凭这他们便为所欲为，在未征得另一方当事人胡正来同意的情况下，于 1997 年 1 月 26 日，法警队负责人指派一名临时法警在未经法院有关领导签字的情况下，私自拟定了一份所谓的民事裁定书和所谓的执行通知书，再由两名临时法警跑到胡正来所在的埝掌镇农业信用社将胡正来的一年定期存款连本带息共 17290 元 2 角强行提走。这么一桩违反法律程序的事，自然令胡正来不服，他告到县里后，人大等单位把告状信和处理意见都转给了我们。法院随即进行了干预，并且要求法警队追回其中属于胡正来的 9200 元钱，但法警队并没有将这笔钱退给胡正来，反而以种种理由日复一日地拖啊拖，一直拖到今天……有一次我实在看不下去，就当面对法警队的头儿说，你们吃了活人钱还不够，非得连死人的钱也要吃吗？可他们却朝我嬉皮笑脸，说：‘院长，死人钱不是更容易吃吗？不吃白不吃……’”

“这帮恶棍！”梁雨润听到这儿，一双拳头重重地砸在会议桌上，“法警队到底谁在负责？此人是什么人？竟敢如此嚣张？”

“哼，事情坏都坏在这人身上，人家身后有人……”有人轻轻嘀咕道。

梁雨润不满地道：“大声说。”

会场又一次寂静。梁雨润颇为惊诧，他不明其意地瞅瞅这个，再瞅瞅那个，可凡是被他瞅到的人都下意识地在躲避他的目光。

“梁书记，此人叫解林合，县上有靠山，是谁都碰不得的一个人物！”纪委信访室主任老胡贴在梁雨润耳边悄悄说道。

“我偏不信。他就是天王老子的亲儿孙，我梁雨润也要为夏县的百姓碰碰他！”梁雨润被激怒了，站起身，句句铿锵道，“大家听着，胡正来这事我们要马上处理，这次由我们县纪委牵头，组成公安、司法、检察院、法院联合调查组，每个部门出一名负责人，我任总指挥，我已经向我们的百姓许诺了：要在10天之内纠正此案。请各位记住一点：不管遇上什么难点什么重要人物，只要他有违法行为，就要一查到底。同时再说一句：不管谁出面干预此案，我们一律秉公办事，不得徇私情，谁要徇私情，纪委将严肃查处。如果是县纪委查不动的，我会请市纪委、省纪委，直至中央纪委来查处！”

作为新到任的夏县纪委书记，梁雨润没有顾得上去看望那些明天就要参加全县党代会的党代表，却在自己的小会议室里进行了他独特的“就职演说”。

听他“就职演说”的虽然只有几个人，但他的这番鼓舞人心的话语，从此一直久久地回响在夏县几十万人民心间。

在一些地区和部门由于腐败风气盛行，使得原本一件非常简单和不大的事情，解决起来却是那么难。问题出就出在许多事情的背后总有种种错综复杂的“关系”在作怪。

农民胡正来上访几百次想讨回属于自己的那笔养老送终钱的背后，牵出的正是这样一个错综复杂的关系网和一些吸人民血汗的腐败分子。

再来看看本事件的核心人物，那个在夏县声名显赫的法警队队长解林合。此人何许人也？我看到当时的联合调查组的《调查报告》是这么介绍的：解林合，男，现年43岁。汉族，高中文化。1973年参加工作，1979年加入中国共产党。现任法警队队长，系本县胡张乡人。

梁雨润给我介绍的此人“活档案”是：这家伙身高马大，腰粗体壮，普通的三四个人根本不是其对手。他又长期从事政法工作，总是一副盛气凌人不可一世的样子。

对付这样的人可不是一件容易的事。更棘手的是姓解的在夏县地盘上执法多年，上上下下都有特殊关系，以往的多少年里从来都是他找别人的麻烦，而不会有别人找他的麻烦。现今梁雨润初来乍到，就要在这么个“太岁”头上动土，多少人为梁雨润捏着一把汗。

果不其然，联合调查组刚刚开始工作，各种明的暗的势力立即像一股灭顶巨澜向梁雨润他们的调查组扑来。纪委信访室主任、本次调查组组长胡根发等办案人员家里的玻璃窗连续几次被砸碎；匿名和恐吓的电话不止一次地打到这些办案人员的办公室和家里。

“阁下，你的那条腿不是还没有好吗？听着，如果你想留下另一条腿，那就别跟着那个姓梁的没病揽伤寒——自找苦吃。”素有钢铿汉子之称的纪委副书记王武魁在梁雨润到任时因车祸被人撞断了一条腿，现在又有人打电话到医院对这位铁骨铮铮的汉子恐吓道。

王武魁“噌”地从床上站起，对着冲他而来的恐吓电话说：“你大概不了解我王武魁是什么人吧？告诉你，我就是菜园里的那种韭菜……”

“怎么讲？”

王武魁嘿嘿一笑，说：“是割了一刀又一刀都不怕的主。谢谢你的提醒，本来我还准备再住上几天医院，现在看来我得提前回去上班，参加梁书记他们已经打响的战斗！”

“你？哼，走着瞧。”

“哈哈哈……”

当夏县近年来第一场触动某些“中枢神经”的激烈战斗刚刚打响，梁雨润便高兴地迎来了一位坚强有力的干将：他便是拄着拐杖上班的王武魁副书记。

梁雨润要求关于胡正来这桩案必须在10天之内办完，所以调查组的全部人员一律按照他的统一指挥，吃住在办公室。这样既便于集中、节约时间，又可以避免外面的各种干扰。此时正值酷暑时节，办案的六七个人挤在一间十几平方米的房间里，白天他们分头调查取证，晚上挑灯夜战，审查调查对象，研究战斗部署。梁雨润亲自督战，夜夜坚守在办案现场，令调查组的同志干劲倍增。身为公检法司四大执法机关的工作人员，大伙心头早已积压了太多的怨气和受人奚落的恶气。以往大伙并不是没有看见夏县称霸一方的那些恶势力和腐败之风，只是常常迫于某些人有“靠山”和“背后的关系”，所以只能忍气吞声。今天看到新来的梁书记一身正气，大刀阔斧要力改夏县的风气，在人民心目中重新树起咱共产党人的形象，当然有使不完的劲。大伙也深知，胡正来一案虽然看起来仅仅是一个普通农民的受冤案，但透过这件事往前看，它可以让全县人民看到一种崭新的希望，一种人心所向的希望。这桩案情处理的本身，就是一场正义与邪恶的严峻较量。前进一步，人民群众拍手称快；退缩一步，我们党的威信就会蒙受耻辱。从这个意义上讲，办案的每位同志心里都明白，自己是在捍卫现实中最神圣和最重要的一种信念，它便是广大人民群众对党和国家的信任。

难道不是吗？

而与他们较量的另一方此刻也感到了极度的紧张和不安。因为过去他们从未遇到过像梁雨润这样认真的领导，所以每次总能化险为夷，这也使得他们在脱离人民群众、满足个人私欲的道路上越走越远、越来越猖狂。

胡正来一案调查的结果令办案人员感到，法警队的工作人员简直到了丧心病狂的地步。在队长解林合的一手指使下，几位临时法警人员（需特别注意：在这个县的法警队里，因为解林合一手遮天，他一向不要正式编制的法警人员，明面上是为了给法院省下几个编制，实则是为他干为非作歹的事大开方便之门）不仅随意私自编造、签发法院执行公文，而且将从乡信用社强行取走的那17000余元钱，想怎么处理就怎么处理。更令人气愤的是，原属胡正来的那9 000多元抚恤金，在被法警队拿到手后，几个人竟然用这钱去歌舞厅寻欢作乐，剩下的钱则被解林合装进了自己的腰包。与他们的恣意妄为相对的是，山上山下跑了几百趟县城的胡正来老汉两年多中差点为这养老送终钱家破人亡。

查！一定要把这种专门欺压百姓，败坏我党形象的败类查个片甲不留，直到清除干净为止！梁雨润的拳头在空中挥动着，愤怒的火焰仿佛要把一切对人民犯下滔天罪行的败类燃成灰烬。

经过七天七夜的连续作战，调查组不仅搞清楚了胡正来一案的来龙去脉，并且顺着法警队一连串违规违法案例的线索，很快发现了解林合不只在胡正来一案中任意滥用职权，进行非法活动，而且还掌握了他大量私吞案件当事人财物的事实证据。

"梁书记，此人生性歹毒，咱夏县一般的人都不敢碰他，过去他是穿着人民法警的制服，人家怕他、躲他，知道碰上他不管你是官司的赢家还是输家，到了他那儿没有不是亏家的。现在我们想动他，恐怕有点难啊。"当案情进入定性阶段，调查组组长、纪委信访室主任老胡在向梁雨润汇报时，不无担忧地提醒道。

"你就直说吧，这会儿屋里就我们两人，你尽管说。"梁雨润非常信任地请已经劳累了数日的部下坐下，倾过身请教道。

"你想，先不说这解林合上面有什么背景和靠山，单就现在我们要对他进行双规，要找他进行谈话，要向他核实情况，不是都得有人出面吗？"老胡一五一十地说着。

梁雨润在一旁频频点头。

“一旦通知这个解林合到咱们纪委或者调查组来谈话，这不等于是向毒蛇亮招吗？他可是个不仅掌握着一支由他一手扶植的法警队，而且他个人也有一套使枪弄刀的本领。你是派公安还是武警去？我可以告诉你，派谁去可能都对他有些胆怯，说不定派谁都不敢去。”

“真有这么严重？”梁雨润有些不信。

老胡点上一支烟，说：“不信，你明天不是准备派人把解林合找到纪委来谈话吗？我预料这回可能不管你找谁，他们都会找些理由拒绝你的指示。”

“真会这样？”

“基本是。”

“那我让你跟那个姓解的谈话你敢吗？”梁雨润给老胡来了个下马威。

老胡笑笑，说：“你要听实话？”

“当然。”

“那我告诉你：我真的不敢跟这样的人玩命。如果你不是以这种方式向我发指示的话，我会用个非常巧妙的理由来逃避你的指示，比如说我要上医院看病啦，身子不舒服啦，总之理由完全正当。但其实真正原因只有一个：那就是我怕这样玩命的恶人。”

梁雨润听完后突然站起身，在屋子里来回踱来踱去，表情极其严肃。

“梁、梁书记，我刚才，刚才只是说了些真心话。不过你明天如果真要让我去除恶治霸的话，我也在所不辞。因为我毕竟还是一名老共产党员。”老胡忐忑不安地从椅子上站了起来。

“坐下坐下。老胡，我怎么能不相信你呢？”梁雨润赶紧过来将老胡按在椅子上，十分动情地说，“我们虽然共事才几天，可你是个好同志这一点毫无疑问。我也相信如果真的有一天党和组织让你去冲锋陷阵，你一定会一马当先的。但现在是和平时期，尤其是我们夏县纪委和政法战线的同志，一方面要为捍卫党和人民的利益去英勇奋斗，流血流汗，另一方面他们的家和亲人都在本地，他们的后方会全部毫无保留地暴露在各种恶势力面前。担心亲人们的安危，这是人之常情，我自然非常能理解大家的苦衷。唉，这也正是我们今天的工作要比过去战争年代或者其他任何时候都困难的原因。人们越是生活在幸福之中，就越渴望过平静的生活。”

梁雨润不由感慨万千。

“那明天找解林合的事……”老胡忽然担忧起来。

梁雨润笑笑：“不是还有我吗？既然他是夏县有名的一霸，那这样的重量级也应该配个相应的对手。老胡你觉得我这身膘够不够？”梁雨润还特意拍了拍自己的“将军肚”风趣地说。

“梁书记……”老胡则两眼噙满了泪水，“我明白你的意思，你是想自己亲自担这个风险，不想让其他的同志涉险。可请你相信，你在夏县绝对不会是孤军作战的。明天你找姓解的谈话时，也算上我这个老兵，我一切听你指挥。你说上刀山下火海，我老胡眼都不会多眨一下。”

梁雨润默默无言地握住这个比自己个头还矮半截的老胡同志的手，两眼同样涌着热泪。

“现在你的任务是：马上回家睡觉。明天提前一小时起床。”梁雨润最后说。

“是。老兵明白。”老胡一个立正。

关于后来是怎么将姓解的这个彪形大汉找到纪委来的，又是怎样不打草惊蛇、机智地拘捕他，将其送上“双规”之路，当众宣布开除其党籍和公职，然后移交司法部门处理等等一个个惊心动魄的场面，梁雨润只朝我笑笑，说得十分轻描淡写。但是我从别人嘴里知道，事情确实出现过惊心动魄的几幕，而且当时也真的像老胡讲的那样，派谁去执行对解林合的处理任务时谁都会找一大堆各式各样的理由逃避。后来此事在老百姓中传说的版本很多，至今几年过去了，我到夏县时人们还有好几个关于“梁青天孤胆除霸”的折子，那听起来真是异彩纷呈。

不过，我从纪委同志那儿听到的是完完全全的“正版”。其真实情况是：

当调查组将解林合等人的违法犯罪事实弄清后，准备移交检察院处理时，身为法院法警队队长的解林合却跑了。关于解林合是怎么跑的，纪委的同志这样解释，尽管他们在办案时严密封锁内情，但由于调查已经在夏县几个司法部门成了一桩半公开的秘密，再加上解林合等人多年在夏县称“王”称“霸”，司法部门可能也有他们的“眼线”，不用说，肯定有人给他通风报信。你想他解林合是什么人？法院法警队的队长！可以说在夏县这块地盘上他是个最具危险性的人物，因为他一直是法院队伍中的执法头目。他跑了还得了！可纪委如此大动作地查处他的问题，如果他不跑，说明他还真有点呆。结果就是他这一跑给梁雨润他们查案带来了巨大压力。

“要不惜一切代价，将此人逮回来！”梁雨润命令道。

然而谈何容易，这一点梁雨润同样十分清楚。可是，不把姓解的逮回来，别说胡正来的案件无法处理，说不定还可能诱发更严重的恶性事件。

撕掉人民法警队队长伪装的解林合，此刻更像是一只归山的恶虎！

那些日子里，梁雨润带领纪委干部，联合公安等部门的同志，通过各种途径，在夏县一带撒下了天罗地网。由梁雨润坐镇指挥，各路兵马分成明暗两条战线作战。姓解的是个诡诈狡猾之徒，办案人员多次在他家设伏都没有逮住他。其实此时的解某早已远离夏县，逃往附近几个县。但姓解的同样知道纪委、公安部门会向各地散发“通缉令”一类的东西，所以他也没敢跑得太远，而且此人心存侥幸，心想自己在夏县有方方面面的交情，兴许会有一线生机，故而常以试探心理从夏县以外的地方给纪委打电话。纪委的同志按照梁雨润的指示，规劝其认清“坦白从宽，抗拒从严”之理。如此拉锯式的试探与反试探持续了一个多月，在外逃窜的解林合实在无路可走，只得表示“愿意回家交代问题”。当梁雨润知道解某要回夏县的家时，便带领纪委办案人员和公安干警，冒着生命危险，连续数日隐蔽在解林合家附近，但多疑的解林合并没有出现。根据这一情况，梁雨润同办案人员分析商议后觉得解某还是想回家的，就是担心自己会受到法律的严惩。为此，梁雨润布置有关同志找到解某的哥哥等亲属做工作。果然，经解某的哥哥多次按梁雨润的方案说服教育后，解林合终于在走投无路时回到夏县自首……

1998 年 7 月 16 日，正是梁雨润到夏县任纪委书记一个月的日子，夏县几十万人民像久旱逢甘霖一般喜悦。人们奔走相告，一齐涌到县城去参加和观看纪委召开的“夏县反腐败斗争公处大会”。就在这次大会上，解林合等 10 名政法公职人员被开除公职，移交司法机关公开处理。这 10 人中有 9 人是专干欺压百姓勾当的，有一半是科级干部。你们可别小看了科级干部，在一个区区县城中，他们可都是有权有势的“高干”哩！尤其是当老百姓们看到过去不可一世的“夏县一霸”解林合被“双开除”，并被司法机关判处 3 年徒刑时，更是拍手称快。对一名党员干部，又是执法人员，做出如此严惩，这在夏县近 20 年间还是第一次，所以由“胡正来民事案”牵出的一场反腐败激战，在夏县人民心中引起了巨大震撼。

“夏县来了位梁青天。”

“他是百姓的好书记。”

新纪委书记梁雨润的名字从此便在这片由大禹所开辟的传奇土地上不胫而走。

作为本案的主要受益者的胡正来一家更是做梦也不曾想到，害得他们几乎家破人亡，上访了300多次也没有结果的冤案，在梁雨润书记承诺的10天里，竟然干脆利索地全部解决了。当那天胡正来拿到纪委送来的那份属于他和老伴的9000多元钱抚恤金时，他再次来到儿子的坟头，那带着几分宽慰的撕心裂肺的哭喊回荡在中条山的山谷里："儿啊，你在九泉之下睁开眼睛看一看：咱家的土窑上又见阳光了……"

# 第二章　被践踏的“草帽”必须恢复尊严

到中国的黄土高原走一走，站在那一道道光秃秃的梁谷山峁上，向四周延伸百里的原野望去，你会有一种深切的感受：在这样一块贫瘠干旱的土地上，要想让生息在这儿的农民们富起来，几乎是一种乌托邦式的梦想。

但是中国共产党人为占人类 1/5 的、依靠土地生活的中国农民实现了这样的梦想。这便是人类发生在 20 世纪里的一个最伟大的奇迹。

我们知道，能够创造这样的奇迹，靠的是几代英明领袖的智慧和那些甘于奉献生命与汗水的勤劳民众的艰苦奋斗。

然而我们同时发现，一个依靠几代人努力而建立起的伟业和一个已经成了现实的美好梦想，也许就因为仅仅几个蛀虫的作怪和无耻的行径，会在瞬间化为乌有。

地处豫陕晋三省交界之地的夏县，毗邻九曲黄河的中段，清晨孩儿们上学扯着嗓子高歌，能同隔岸的雄鸡相呼应。就是这块今天看来贫瘠的土地却在四五千年前缔造了我们中华民族。公元前 21 世纪，中国的祖先结束了原始社会的最初文明史，开始了中华民族社会发展史上第一个里程碑，即由禹建立的第一个王朝，亦即夏朝，中华民族由此才得以见诸历史，而“华夏”也从此成为中华文明历史和中华民族的简称。禹的功劳不比任何中华历史上的君主逊色，他在当年的安邑，即今日的夏县建立了夏朝的国都，并把遍布于九州方圆内的那些整天与狼为伍的部落游民，圈州定邦，我们后人现在所知的“九州”便是禹的治邦之策。

现今你如果到夏县这个地方走一走，会有种特别的感觉：尽管你在此看不到多少现代文明的那种繁荣与昌盛，而且这儿的人们明显在物质文明方面远远比不上上海、北京和深圳人，但你只要跟他们深入接触，你会发现夏县人对世事国事民事都有非同寻常的独到的见识。我开始百思不得其解，但后来在除去了现代都市人的那份自以为是的浮躁心态之后，静静将心灵紧贴在这块中华民族的发源地时，我顿然明白了。原来这儿的人们，从他们生于斯长于斯的土地上获得了中华民族几千年传承下来的精华的智慧因子：那是一种不是靠一般的因材施教和经史文书所能传递的信息，而是来自地脉深处和漫长历史空间所飘扬出的精气与魂魄。

当地有这样的一种说法：可以在外轻易做宰相员外，却难在夏县当村长乡僚。意思是夏县这个地方，是个人就比你宰相员外的爷爷还大个辈分，这话听起来有点夸张，其实不然。你想，当年禹在此建都时，中国多数地方还是不毛之地，别说还没有官府衙门，就是连个起码的行政“编制”还是过了不知几百几千年才有的。你说人家夏县人从打四五千年前就是国都的子民，谁能与他们比资格？

到过夏县的人，还会发现夏县人的另一种美德，那就是这儿的人都有一种自觉自愿地听从“上头”指挥领导的“服从意识”。这大概也是作为第一个国都臣民的那种与生俱来的自觉意识。这种甘当臣民的自觉意识对任何一个朝代的统治者来说都被视为美德。然而，这样的美德一旦被那些以权谋私者所利用，则着实苦了这一方的庶民百姓。

自打改革开放以来，夏县这片过于古老而板结的土地，这些年来同样发生了不少变化。部分敢于思考又勤劳的农民则成了乡里乡外的能人富人。胡张乡就有这么个人，他叫史英俊，百分之百的农民，他的精明与其名字一样，在当地广为人知。他先是开办小杂货店积累资本，几年离土不离村的小买卖做下来，使他有了比别人多几倍的积蓄。接着他看中了贩运货物的活计，于是在乡村与城镇之间搞起了“泥腿子出租车”。山里人如今日子一天比一天好起来，都渴望能把在电视里看到的外面人的幸福生活搬到自已家里，同时也期望能把自己收的水果蔬菜运出家门换来现钱。史英俊看中的就是乡亲们最需要的这“中间环节”。于是他拿出自己的全部家底，购置了能上山下山的吉普车，置办了能种地能跑路的拖拉机及能进田头能入土窑洞的四轮车，还购置了能上高速路进城的摩托车。最红火的时候，史英俊家这样带轮子的各种车辆多达十余部，活脱脱一个运输专业户。有了四通八达的“轮子”，史英俊的生意越做越大。直让村里村外的人眼红，因为大伙儿看到他进账的钱票跟着那些轮子越“转”越多。1994 年起，夏县所在运城一带农民纷纷进行了一场轰轰烈烈的“果树革命”，昔日的荒丘黄土，转眼间成了一片连一片的花果飘香的果园。史英俊也有果园，但面积不如人家大，可到收获时他家的果子却比别人家多出几倍十几倍。啥原因？原来他专门做起了贮存果子的生意。乡亲们的果子熟了，着急得不知往哪儿卖，原本一元钱一斤的果子一天天烂在地里、越来越贬值。这时史英俊笑眯眯地过来说：“咋样，五毛钱一斤出手吧，我全包了！让掉价的果子换成存在银行里能升值的现钱，亏不了你老哥！”于是人们便将自己的果子全都卖给了他。

史英俊从乡亲们的果园里收回果子后，不是立即贩运出去，而是贮存在村边的荒丘底下的土窑洞内——那里面冬暖夏凉，是天然的贮藏仓库。等几个月后的元旦、春节将至时，史英俊便开始启窑开仓，再转动他那些“轮子”运到城里出售，此时上市的果子比收成时的价格已上升了一倍还多。这么一倒手，史英俊的财源便滚滚而来。头年他仅此一项便赚了 2 万元，比那些辛辛苦苦种了十几亩果树的果农还赚得多。尝到甜头后，第二年史英俊便有了更宏伟的计划：准备贮藏6万斤果子，将自家的那口土窑洞充分利用起来，满满地发它个财！雄心壮志下的史英俊，这年通过在乡信用社工作的一位亲戚作担保，贷了6万元钱收购了近6万斤果子贮藏于自己的土窑洞内。只等冬季到来之时再度启窑开仓，发个大财。然而正当他一心做着致富梦时，一场料想不到的人祸已经悄然向他逼近……

本村有个姓卫的人，早已眼红史英俊的"轮多财大"，连做梦时都在想如何跟史英俊玩一场"空手套白狼"的好戏。一日，此人找到史英俊，假装非常虔诚地来跟史英俊商量"盘货"事宜："我先付你一笔定金，到时再在明年开春时我拉一车果子给你付一车果子的钱，把你家窑洞里的那6万斤果子全卖给我，怎么样？大哥你一点风险也不会有的，坐地赚钱嘛！"见史英俊没有回音，那人死皮赖脸地又是递烟又是点火，说你史大哥赚钱有道，让兄弟也跟着你发点小财嘛！乡里乡亲的，我再精也精不到你史英俊大哥那份上不是？

别看史英俊做生意精明，但在做人方面却依然是老实巴交的农民本质。"那就照你说的办吧。""行行，我们签个协议？"姓卫的拿出早已准备好的一份"协议"交给史英俊，大意是由姓卫的包下史英俊家的6万斤果子，按一元钱一斤结算，在这之后史英俊不得再将果子转让第三方，而姓卫的则先向史英俊预交15000元作为订金。事情看起来没有什么漏洞。

史英俊觉得虽然这么做自己少赚些钱，但毕竟省了不少心，于是便没有疑义地在那份协议上签名画押了。

"订金我会在这两天给你送来啊，谁不知史大哥的腰包比我们村上哪一个都鼓嘛！嘻嘻，我先走一步啊！"姓卫的嬉皮笑脸地带着"协议"离开了史家，说是去筹那订金去。

第二天此人来到史家，是开着一辆摩托车来的。他跳下车后，将手中的钥匙往史家的饭桌上一放，十分抱歉地说："史大哥，一时手紧，订金还没有筹齐，我把这辆摩托先放在你这儿。你是识货的，值 15000 元。对不住了啊史大哥，我还有事要忙！"没等史英俊说话，他便溜出了史家小院。

这人！史英俊不知说什么才好。但一想都是乡里乡亲的就没有深究，该干什么，他照旧干什么去了。

善良的史英俊哪知道从这一刻开始，他便被人牵着鼻子往陷阱里跳了。

时间一晃就到了来年，这一天是农历十一月廿九，公历 1996 年 1 月 19 日，上午九时许，突然有人告知正在家里干活的史英俊，说是有警察开着车正在你们家的果窖前砸门，看样子是要抢你贮藏的果子哩！

史英俊不知是怎么回事，急步赶到村后的那个果窖。一看，果然有几名穿着制服的警察在动手砸他家贮藏果子的窖洞铁门。

"你们要干什么？怎么能随便砸我家的窖门？"史英俊上前制止道。

为首的是县公安局刑警队队员李将，此人长得又高又黑，一脸满不在乎的样子，见史英俊前来阻拦，便伸手将其一推，大眼瞪小眼地嚷道："这果窖里的果子已经全是我的了，你们不知道啊？那就去问姓卫的吧！"说着便指挥手下，"给我继续砸！"

史英俊急得跺起脚来："这这……你们怎么能这样？"他转身立即找来姓卫的责问到底是怎么回事。

"史大哥，是，是我将果子卖给了这位李将兄弟……"姓卫的哆哆嗦嗦地说道。

"你！你没有经过我的同意怎么可以卖给别人嘛！"史英俊气得差点昏过去，"再说，你们要拉走果子，按当时的协议也是一手交钱一手交货的呀！”

“少哆嗦，我们才不管什么一手交钱一手交货，一句话：窑里的果子既然是我们的，我们想什么时候拉走，就什么时候拉走！”刑警李将一副执法人员的气势，横行霸道地说道。

史英俊妻儿得知自家的果子被人抢，也哭喊着赶来与李将等警察争执起来。史英俊将拳头无奈地砸在硬邦邦的土丘上，眼睁睁看着这群人如此嚣张地把果子抢走，却百思不得其解。

原来，那个没长好心眼的姓卫的家伙，当他得到由史英俊签字的“协议”后，便以低出原协议价格近一半的32000元钱把果子转卖给了一位姓车的人和县公安局刑警李将。这位姓车的当时给了姓卫的12000元现金和一辆125型“五羊牌”摩托车作价2万元。这都是在姓卫的与史英俊签订好“协议”后那姓卫的在短时间内转手的结果。在这整个转手过程中，看起来除了史英俊蒙在鼓里之外，那姓车的似乎也是“受害者”。其实不然，人家姓车的到底姓“车”，从一开始便为防止这桩“转手”生意里有诈，而拉上了在夏县有“霸哥”之称的县刑警队的“小兄弟”李将作为自己的合伙人。

现今社会上什么事最能损害人民群众对我们党和政府的感情？那就是身为执法者的违法与横行霸道。人们最痛恨的莫过于这类败类。因为他们的一举一动，表面上代表着党和政府，实际上干的却是损害政府形象和党的根本利益、让人民群众痛恨已极的勾当。李将就是这样的一个人物。他的贪欲之心和游手好闲的本性，决定了他见钱眼开、鱼肉百姓的恶习。凭着关系混进了人民公安这支队伍后，李将靠刑警这块铁牌子，没有少干那些损害人民利益、欺压百姓的事。看看这种人对一个依靠自己辛勤劳动获得财富的普通农民所做的事，怎能让人不痛恨那些做事比流氓恶棍还要令人发指的人！

梁雨润长期工作在基层，长期生活在中国目前最贫穷的底层人民群众中间，他每每向我谈起这样的话题时，总是异常沉痛和沉重。他经常说的一句话就是：“即使我在这纪委的岗位上牺牲了，也不能眼见百姓的利益受到坏人恶人和有权势的人侵害而不管不问。”

像李将这样头顶国徽大檐帽却不把人民群众的尊严当作一回事的人物，在今日之中国怎能容忍！这天李将凭着姓车的可以给一些“好处”的许诺，便耀武扬威地领着人，开着一辆 5 吨载重卡车来到胡张乡史英俊所在的王村。当眼看果子的主人史英俊揭穿他们合伙行骗的诡计时，李将便摆出一副不可侵犯的“执法者”气势来。

“你们给我听明白了，既然我李将来了，不管这窑洞里的果子过去是谁的，从现在开始它就是我李将的，谁要是阻拦，就不要怪我这支冲锋枪不认人！”李将见史英俊一家人不仅拦着不让开窑，而且还叫来了村治保主任等人前来相助，更是气急败坏地从驾驶室里取出冲锋枪，来回地在史英俊一家和围观群众的头上挥动着，嘴里还高声嚷嚷道。

王村的百姓哪见过这阵势，吓得纷纷逃离。

“我史英俊全家靠邓小平的政策勤劳致富，你们怎么可以这样对待我们呀？啊，你们不能这样嘛！不能呀——”无论史英俊和家人如何阻拦哀求，李将等人仗着人多势众，强行撬开窑门后，满满装了一车就走。

眼看自己辛辛苦苦靠贷款收购来的果子被人在光天化日之下抢走，史英俊怒火中烧，当日便赶到县法院报案。法院听完他的报告，随即派了三名工作人员赶到现场，在听取史英俊和村里群众的意见之后，迅速做出了判决：姓卫的无权转让果窑，与史英俊原订的“协议”宣告无效，果窑和窑中的果子所有权归属史英俊，已被拉走的果子另案处理。当时应史英俊的要求，法院为了保护他窑洞的安全，还在窑洞大门上封贴了盖有“夏县人民法院”红章的封条。并说明等姓卫的与史英俊重新签订以上述内容为主要条款的新协议后再将封条启开。

史英俊以为自己总算找到了维护正义的靠山。当第二天他与姓卫的重新签好协议并带着协议上县城的法院找那位为他主持公道的法官请求为他的窑洞启封时，那位法官却脸色有些异样地对史英俊说：“老史呀，你把协议先给我，等我们的院长签了字它才能生效，那时我才好给你启封条。”史英俊一听，便将与姓卫的重新签订的协议交给了法官。

此时，已到腊月果子紧俏时节，史英俊比谁都着急处理窑中的货物。再加上有李将他们横行抢走一车果子的教训，史英俊时刻思忖着赶紧出手窑中的果子。第三天他又到法院来找那个法官。史英俊发现当他追问院长是否签字时，那个法官竟然很紧张地将他领到另一间屋子，悄悄说道：“老史，你这事蛮有来头，我是管不了了，你得赶紧另想办法，要快……”话还没有说完，那法官摇摇头便离开了。

史英俊不知所以地在法院呆了好一阵，当他再想问问其他法官是怎么回事时，那些法官们都像见了瘟神似的远远躲着他。

怎么啦？明明是他们抢我的果子，咋像我反倒成偷东西的贼了？史英俊弄不明白，只好无可奈何地回到自己的家。倒在床上寻思那个法官给他提的醒儿，史英俊觉得不能再等着别人把刀架在自己脖子上，得找律师跟李将等这些坏人论理。

接下来的几天，史英俊马不停蹄地进城四处询问法律规定，出钱聘请律师。2 月 5 日也是农历腊月十七的日子，史英俊骑摩托从县城回家途中，忽然身后飞速驶来一辆面包车。史英俊还没有弄清怎么回事，就被几个穿制服的和没有穿制服的人从摩托车上拖下来，“咚咚”几拳，连打带拖地塞进了面包车内……

“姓史的，快下车！”不知过了多久，史英俊又被人揪着衣领和头发，从面包车内推出来，他定神一看：这不是前些天来过好几次的县人民法院的人么！

没事没事，这儿是人民法院，平时不都听乡亲们说遇到啥不平的事就找人民法院嘛！既然到了法院，啥事就好办了，甭怕。史英俊心里嘀咕着安慰自己。

“走，进去！”正当史英俊寻思时，有人从背后将他重重一推，令他一个踉跄，连跌带撞进了一间十来平方米的小房子。

“把手伸出来！”有人像吆喝牲口似的叫道。

史英俊下意识地顺从地把一只手伸了出来。“咔嚓！”一副铮亮的手铐锁住了史英俊的右手，而另一头则铐在了一根暖气管上。

“哎哎，你怎么把我铐起来了？我犯什么法了啊？你们这是干什么呀？”史英俊急了，挣扎着，叫嚷着。

小屋的门“哐”的一声，关上了。

“开门！你们凭什么抓我？凭什么——？”小屋里，史英俊拼命地大声叫喊着，但没有一个人理会他，直到夜深人静史英俊喊得口干舌燥再也没有力气，也一直没有人理会他。史英俊在黑咕隆咚的小屋里度过了一个不明不白的长夜。

这是怎么了嘛，他们怎么可以这样对待一个百姓呢？史英俊带着满腔愤怒与屈辱，在黑暗中寻找着答案。

他盼望着天明，天明后会有答案的。

但他又错了。

第二天上午 9 时许，两名法警将史英俊带到法院二楼的一间屋子，他的手仍被铐在一根暖气管上，只是看守的是位面相很和善的小青年。

“同志，我犯了什么事把我铐在这儿？”史英俊问这话时连自己都觉得怎么这样没出息？自己到底干过啥坏事啦？

法院的小青年看看他，说："是不是去年的贷款还差两千元没有还清吧？"

史英俊一听是这事，他想起来了。不过，这事纯粹是因为这段时间自己的果窑被抢而忘了。"这事我承认。可不是我不想还，而是最近家里接连出了几件事才给忘了。"史英俊觉得心里头似乎踏实了许多，忙说，"麻烦小同志，你叫一下你们的领导，说我保证马上将去年借贷的两千元还上。"

小青年看了看史英俊，便去找法院领导。

不一会儿，一位后来史英俊才知道其是法院执行庭法警的杨东海出现在他的面前。

"哎呀领导啊，请你们一定相信我，那两千元贷款我一定马上就还！我可以给您写保证书！"史英俊一见杨东海就对天发誓道。

可人家法院"领导"杨东海听完他的话后连眼皮都没动一下，阴沉着声说："你的事不是这个，是果窑的问题。"

"果窑问题？那更不该铐我抓我呀？果窑明明是我的，他们合伙欺骗我，又来抢我的果窑，他们才该被抓起来。您说是不是？"

"哼！"史英俊原以为找到了申冤的机会，没料想这位姓杨的法官听他这么一说，鼻孔里哼了一声后便背着手头都没回地走了出去，一下便将史英俊一个人晾在了屋里。

"喂喂，你们怎么不管我啦？我到底犯什么罪了，你们怎么能这样对待一个老百姓啊？啊？你们人呢？这里还是人民法院吗？！"史英俊见自己不明不白被抓，法院却没人理会，又急又愤。

但任凭他怎么呼喊，那些抓他进来的人似乎并不将他当回事。手被铐着，不能久站，又不能睡觉，就这样过了整整两天两夜，啊！即使是从小在地里干惯了重活的史英俊，这么折腾也着实令他承受不了。第三天早上，疲乏已极的史英俊掏出一支烟吸起来。

由于一只手被铐着，点火很不方便，结果燃着了空烟盒，史英俊一惊，那只燃火的烟盒掉在水泥地板上，结果引燃了地上的一张旧报纸……

“什么味？哪儿着火了？啊？”走廊内有人在嚷嚷。

史英俊一听，便回应说：“是张旧报纸着了，已经灭了，没事！”

“咚！”门被踢开了，进来一位年轻法警。史英俊后来才知道他叫李国庆，是那个杨东海的心腹手下。此人虽穿着人民法警制服，却一脸凶相。史英俊瞅见这人心头便蒙罩上一层阴云。果不其然，那个叫李国庆的法警一看戴铐的史英俊脚下有摊纸屑烟灰，便瞪着眼大声问道：“谁干的？”

“是我不小心抽烟引着的。没事，你看早已灭了。”

“灭了？你他妈的看我怎么灭你！”

史英俊还没有反应过来是怎么回事，他的头上、脸上和双手，突然便被雨点般的拳头痛击了一通，直打得他眼冒金星……

“你，你怎么能无故打人？还有没有王法了？啊？你说清楚！”史英俊一边挣扎，一边责问。“老子就是王法！我要让你尝尝不老实的滋味！”李国庆一边说着，一边打开铐在暖气管上的一只手铐，然后将史英俊带到楼下的小院子里。那儿有棵树，他将史英俊的双手环铐在树上。

“喂喂，我问你：你是不是人民法警？你这样整我是哪条法律规定的？我一没犯法，二没犯罪，你凭什么这样迫害我？你算什么法警？我要告你们——”史英俊用尽全身力气拼命地挣扎和抗议。但这位连基本良知都没有的年轻法警则站在一边十分得意地一边欣赏着自己的“杰作”，一边又觉得似乎哪儿还不够劲，他看看头顶的天空，然后走到史英俊背后，抓住其后衣领，“嘶啦”一声，将史英俊的衣服扯破令其上身赤裸在严寒之中，自己则吹着口哨，哼着小调进了办公室……

“畜生！土匪！”史英俊感到仿佛是世界的末日降临，几天来蒙在心头的屈辱此刻终于暴发，他的嘴里骂出了一直不想骂的话。事后他对我说，他一直不想这样骂那些戴着国徽、穿着制服的法警，是因为他原本一直信任他们是人民的法警，是专为像他这样的老百姓申冤抱不平的人民法警。然而经历这般迫害和摧残，史英俊再也无法掩饰心头的愤怒。

他相信这样的人绝对不会是真正的人民法警，共产党的执法者。然而他就是弄不明白，不明白为什么有人在不告诉他任何理由的前提下以对犯人的方式把他抓起来，又受到如此迫害与折磨。“老天，你睁开眼告诉我这是怎么回事？”史英俊抬头望天，天上是灿烂的太阳，明明白白是睁着眼睛，可老天并没有看到人世间落得如此境地的他。不知是汗水还是泪水，顷刻间迷蒙了他的双眼……

不知过了多少时间，反正史英俊觉得自己像走了一趟地狱。他缓缓地醒过来，正好听到一个熟悉的声音似乎在跟法院的人说话。是，是自己村里的治保主任。

“他是我们村的致富先进，从没犯过事。你们不该这样对待他嘛。有什么事，我敢担保嘛。”村治保主任的口气同样充满气愤。

“好吧，先把铐给松了，不过人不能放，得等弄清楚了再说。”一名法官给铐了三天三夜的史英俊解开了双手。然而没过几个时辰，又有人将他送上警车，押到了离县城几里之外的一个拘留所。从未尝过铁窗滋味的史英俊，此刻已把自己蒙受的耻辱丢在脑后，他双手抓住铁窗，心里惦记着家中那一窑果子，这可是他一家人的命根子哟！

“放我出去！你们放我出去——！”从打娘肚子里出来这 40 多年里，人称铁汉子的史英俊第一次在铁窗内默默地流下了眼泪。让他更没有想到的是，此时此刻，他的家里，他的那窑果子，正在经历比他更惨的命运——

有必要先在这儿交代一下为什么当时夏县的某些执法机关的人敢冒天下之大不韪，如此胆大妄为地在光天化日之下任意欺压百姓。应该说这是梁雨润一到夏县便碰到那么多大案要案的关键所在。问题显然出在这儿的执法机关长期以来听任和纵容那些以权谋私者横行霸道所致，而执法部门的领导者不是罪犯的合伙人便是与犯罪分子有着千丝万缕的联系，或者本身就是某种利益的直接受益者，再加上法律程序上的管理混乱等因素导致夏县在相当长的时间内司法工作偏离了为人民根本利益服务的原则方向。看看在“史英俊苹果案”的整个过程中起着主要作用的李将和杨东海两名公安司法人员的所作所为，便可进一步证明我们的分析推断。

先说第一天上史英俊家抢了一车果子的李将。当他从好友车某那儿得到“好处”后，便借着自己是公安局的人到史英俊家抢了第一车果子，但他仍不甘心。回到城里，他召集同伙到自己家里密谋要让“史英俊哑巴吃黄连”的计划：令那姓卫的骗子再和姓车的重签一份合同，并于当日找到县公证处熟人任某，让其出具了一份对那个假合同的公证书，并称这份实际上是违法的公证书“具有强制执行效力”。而对这样的所谓“公证书”，该公证处主任李某竟大笔一挥，就以公文的名义，交给了李将。

李将有了这份“公证书”便去找到法院某领导，原先曾出面帮助维护过史英俊家那窖果子的那名法官后来悄悄对史英俊说他再“无能为力”了，原因就在此处。李将为了“合法”地把史英俊家的6万斤果子从土窖里拿走的目的，又通过精心策划，找出了一个可以将史英俊“逮”起来的“理由”：史英俊不是贷了信用社的钱吗？好，那就让他马上还！还不出就拘留他。在一切“计划”安排妥当后，李将找到法院政工科，亮出了包括那份强制执行的假公证书等材料，法院政工科的人一看“手续齐全”，便出具了一份以“拒不还贷”为由将史英俊“逮”起来的拘留执行书。

李将抖着两份执行书，得意忘形地对同伙说：“在夏县这块地盘上，还没有我李将办不成的事。那个姓史的太不自量力了，几车烂果子他都不愿脱手。好，现在看我李爷怎么治他！”

这就有了后来史英俊被拘留到离县城几十里外的地方所发生的一切事件。他在被拘留的第二天，即2月8日上午约9点半左右，李将和杨东海叫上两名全副武装的武警战士，挎着冲锋枪，开着两辆大卡车，导演了一场惊天丑剧。

据当地村民和史英俊妻子史龙麦描述：那天杨东海和李将可是大出了风头——其实在杨东海和李将眼里，这样的阵势是“小菜一碟”，他们到哪儿不是警车开道，武警压阵！可史英俊所在村的老乡们都是安分守己的普通庶民百姓，谁也没有想过或者见过自己的政府执法机关竟然会用如此的阵势冲着史英俊这样靠双手致富的“大户”而来。

“让开让开，谁挡道我就铐谁！快让开！”身着公安制服的李将半个身子坐在车内，半个身子探出车门，手里高高地举着亮铮铮的手铐，直着脖子，朝站在道路两边的村民威胁着。

卡车到了史英俊家的土窑前，杨东海拿出一副执法者的神气劲儿，对守护在土窑前的史英俊妻子史龙麦宣读了那份所谓的“强制执行书”，然后命令道：“把窑洞的钥匙交出来！”

“这窑洞是我家的，凭什么要把钥匙交给你们？”史妻反问。

“你找死啊？我今天既然来了，就是要腾空你家这个窑洞的。少啰唆，快把钥匙交出来！”

“我干吗要把自己家的钥匙给你们？再说钥匙也不在我的手上。”史妻说。

“在哪儿？”

“在我家掌柜那儿。”史妻说的是在她家男人手上。

“胡说，你家男人史英俊我问过，他说钥匙在你手里。快拿出来！”杨东海使了个套。

史英俊老婆也不傻，就是不给：“我没有钥匙。有也不给你们。凭什么给你们？”

李将已经从村上雇来了不少前来帮他们的群众。而杨东海觉得自己堂堂一个法院执行庭长，竟然在那么多人面前不能制服一个乡下婆姨，太丢面子了。便从身边的武警手中抢过冲锋枪，对着史妻老羞成怒地吼道：“你到底交不交钥匙？再不交我就用枪打死你！”

史妻号哭起来，用身子顶着杨东海的枪口，做着最后的选择：“你开枪吧！打呀！打死我们这些平民百姓吧！打呀……”

杨东海先是一愣，继而变本加厉地挥动手中的枪托，猛地朝史妻的头上击去。

“啊——”史妻一声尖叫后，应声倒下，那额上鲜血直淌……

“妈！妈——！”站在一旁的史英俊的大儿子史红科再也无法忍受这等惨状，一头冲杨东海撞去。失去人性的杨东海一面用枪口对着史红科，一面向李将等人高喊。

这时，早已看不下去的村民们见此情景，群起相助，他们挡着李将等人，拉起史红科逃到了村里。

“没有钥匙怕什么？给我把门砸了！砸！”杨东海走到史英俊家的土窑口，亲自动手砸起了那道铁门，然后让两名武警在窑洞门口持着枪左右把守在那儿。

李将便想指挥雇来的村民们进窑搬果子，可转头一看，发现人都跑了。

“妈的，这是怎么回事？”李将气急败坏道。

“我们不干了，你们这是抢东西！丧天良的事我们不干——！”那些离他们而去的村民回头冲他高喊。

“笨蛋！到外村去雇人！”杨东海出主意道。

就这样，在杨东海和李将一手指挥下，经过长达 3 个多小时的武装抢夺，史英俊家窑洞里的果子被洗劫一空。

11 日晚，被非法拘留了 7 天 7 夜的史英俊终于回到了家。他落脚村头的第一件事便是直奔窑洞想看看自已的果子还在不在，这是他史英俊的命根子，也是他全家的命根子。

可是当他走到土窑前，双腿再也挪动不了一下：那扇他花了 600 多元钱装制的防盗门，已扭曲不堪地掉落在一边，六七十米长的窑洞内空荡荡一眼可见底，只有几个残留的塑料袋在地面上懒洋洋地飘拂着……

“老天爷呀——！”蒙耻多日的史英俊再也无法克制心头的悲愤，忍不住老泪纵横地对天长嚎。

“娃儿他妈，你怎么啦？是我呀，我回来啦！你怎么伤成这个样？啊，你说话呀！”回到家，史英俊更觉得天旋地转。妻子满头绑着白纱布，躺在那儿两眼痴呆呆地看着他就是不说话，连这个一起生活了二十多年的老伴都认不出了。

“爸，爸爸，这是怎么回事呀？你倒给我们说说明白……”孩子们见了遍体鳞伤的父亲，一齐扑到他身边，哭诉着，追问着。

史英俊双手将孩子们揽到怀里，悲愤交加地发誓道：“我要告他们！就是告一辈子也要告！”

于是，后来便有了他的那卷让多少人看了忍不住凄然落泪的状子——一封洋洋万言的“我靠政策辛劳致富何罪之有”的激扬文字。

几年后，当我来到夏县重新从纪委的档案室找出这份滴满血泪的状纸读着时，仍难以抑制心头的悲愤。而更使我感到触目惊心的是，像李将、杨东海这样已经完全变成欺压人民群众的黑势力人，竟然在史英俊长达 3 年多的上访中，各级领导划了无数圈圈，指示“一定要严惩不贷”的一次次查处中，依然能够依仗“关系网”和以恶压善的手段，使自己平安无事。不仅如此，还因为每一次查处都是这样的结果，李将、杨东海等人事后丝毫没有收敛，相反更变本加厉地向那些主持正义的县人大、县纪委的查案人员发难。在梁雨润接手处理此案之前，县人大、县政法委等单位也曾两次专门召开县公、检、法三长联席会议，要求“专题研究，限时查处”，然而由于李将、杨东海等黑势力的猖獗极甚，查来查去，最后还是没了下文。县上的人都知道“史英俊苹果案”是个“马蜂窝”，谁碰谁就会撞一身霉灰。

史英俊是一介平民百姓，他的本领便是靠双手勤劳致富，养活全家老小，面对这样的恶势力，他所能做的便是一次次明知没有结果的上访和告状。从 1996 年初到 1998 年近 3 年时间里，他数不清跑了多少次运城地委和山西省委，光打印的申诉和告状材料就花费数千元。为了打赢这场官司，找回一个依靠党的致富政策富起来的农民的尊严，他不惜卖掉了家中的吉普车、四轮车和摩托车。妻子的神经病他顾不上帮助治疗，女儿因为没钱交学费而失学，大儿子因送不起彩礼娶不到媳妇，面对出事前与出事后差别如天上地下的两重家境，史英俊无时不是以泪洗面。特别是上访和告状的经历，几度使这位年过半百的农民有过一死了事的念头。然而每当他坚持不下去想要一了百了的时候，他总是告诉自己，要相信自己是在党中央教导下靠勤劳致富的农民，不该受到如此不公，终有一天笼罩在自己头顶的乌云会消散。就是怀着这样的信念，他才一步又一步地走下去。

人祸使这个原本远近闻名的致富大户濒临家破人亡之境，信念又使这位庄稼汉日日夜夜在期待党的阳光与温暖重新照耀到他的身上。所以，1998 年 10 月 8 日这一天，史英俊听村里人说如今县里新来了一位能够为百姓撑腰的梁书记，便顾不上吃午饭，跌跌撞撞地赶到县城，找到了县纪委，见到了梁雨润。

“简直是一帮土匪！哪还有点人民的公务员和我们共产党的执法者的形象！”梁雨润听完史英俊的叙述，拍案大怒。

这位同是农民出身的年轻的共产党干部，对农民具有特殊的感情。在运城采访结束时，我特意提出希望追追他的“根”。梁雨润当时很快答应了。那天是星期天，他正在上大学的女儿也在家，还有在当地学校当老师的梁雨润夫人，我们一行几人来到离运城市七八十公里之外的梁雨润的家乡芮城去参观。

恕我过去对祖国的“母亲河”——黄河了解太少，或者真心地说我这个从小在长江边长大的人因为十几年来一直听媒体在说每年“母亲河”时不时要断流的消息，以致怎么也提不起对黄河的那种特殊感情。我的家就在长江岸边，从小看到的长江宽达十几里路的滔滔江面，望不到对岸，多么壮观。而历史上的文人墨客为黄河写了那么多壮美的诗词歌赋，并将这么一条常常断流的、在我看来与长江相比只能是条小河沟的河誉为“母亲河”，我心底不服——为我的母亲河长江而不服。但从运城出发越过巍峨的中条山，来到梁雨润的出生地，我才第一次真正地看到了黄河，从此也对黄河有了真正意义上的认识。

梁雨润与我同岁，只比我大几个月。但我不曾想到我的这位同龄人与我的童年环境却有着天壤之别。我出生在长江边的一座历史名城——姑苏，虽然城市不大，但却在三千年前就有了漂亮的城郭。孔夫子时代，我的出生地就有了“江南第一才子”言子先生，此人也是孔子唯一的江南弟子。我还知道在两千多年前我们那儿就是吴国都城了，从此姑苏名扬天下。我那个在长江边的祖籍宅居，在两百年前被太平天国的义士们烧过，之后还曾被军阀土匪和日本侵略者烧过。但三次大火之后我们的何氏宅居从未断过炊烟，相反越烧越兴旺。我从小看到的是“晨听茶馆声，夜闻江水拍”的江南之景。我企图追索过祖先的足迹，但后来发现他们都太皇族化和洋化了——有在唐明两朝为皇亲国戚的，有20世纪初就在美利坚和日本国当了议员、教授的……这就是我小时候所听到和看到的。

但作为本文主人公的这位同龄人在与我相同年龄段时则是另一番天地了。

那天我们到他老家去时，梁雨润的老父亲和老母亲都在家，二老身体还挺硬朗，听说我要了解他儿子的“身世”，便愉快地带我到了梁雨润的“出生地”。

这不是黄河么！大约在梁雨润父母现住所的两三百米之外，我忽然被脚下的一条弯曲的大河所惊骇。

“是。”梁雨润给我介绍，说他从小就在这黄河边长大。因为那时人们都很穷，尤其是像他这样属于“库区”的农民们，没有好地，只能靠河维持生存。在高高的黄土坡上俯瞰弯曲蜿蜒的黄河，会看到河的两边是宽宽的滩床，这些滩床现在已经绿荫成行，田地成方。梁雨润的母亲告诉我，他们那一辈就是在紧靠河床的土窑里出生的。到了梁雨润这一代，他们的“家”从紧靠河岸的土窑往上搬了二三百米，但还是属于黄河的岸滩，还是清一色的土窑。从高坡下到十几米的岸滩上，在这里我看到了参差不齐地挖掘在岸崖上的一排土窑洞。从残留的油灯及墙上的张贴画可以看出，这里的主人离开这儿的时间并不长。

“润儿是在这个窑洞里出生的。”梁雨润的母亲指着那三个窑洞之中的一个，颇为自豪地给我介绍。

“润儿应该在这儿生活了十几年吧？是我带领乡亲们破除旧观念，首先从河滩的窑洞里搬到了岸头的平原。”曾是村长的老父亲情不自禁地抚摸起那条土炕，久久没有缩回手，似乎还在感受土炕上的那丝微温。

这时我的同龄人也走进了这个给予他生命的土窑。梁雨润在里面端详着每一块黄土，仿佛要寻找当年刻在土墙上的计算每年交学费的小账。他告诉我，当年为了从这个土窑走出去上学，他每天放学后背着竹筐，下到河滩，然后用嫩弱的肩膀，一筐一筐地将黄沙背到200米高的半岸处——自己家窑洞口，等背到可以装几车时，再将沙背到岸头，然后用小拉车拉到十多里远的县城，卖给那些需要黄沙的建筑单位。每拉1000斤是45元。而正是这四块五毛钱一车的黄沙，使梁雨润比别人更早地从河滩上走到了黄河岸头。

我几乎想笑：我的同龄人从原始式的土窑洞生活“进化”到现代人，仅用了二三十年！1971年，他随父亲和全家从黄河岸边的窑洞里，搬迁到了岸上的村庄，开始融入现代社会。但即使是这样，他们的家还是在黄河边，每天都能听到黄河之水的咆哮声。

这就是中国的现实社会。一个古老和原始，落后和现代，永远相随相伴着的农业社会。我转身远眺一望无边的黄河滩，如今还有相当多的人家依旧在岸边的土窑洞里栖息繁衍，白天还在像梁雨润当年一样用竹箕背着黄沙，天黑后坐在炕头看着新世纪巴黎的流行时装表演节目。除了在饭后茶余议论议论天南海北的精彩世界外，一切都是昨天和前天的生活方式。即使是身为当地“大官”的梁雨润的家人，他的那位值得尊敬的老父亲，现在还是主要靠侍弄河滩上的那几十亩苹果树为生。

黄河为什么被中国人称其为“母亲河”，从这一天开始，我才认清了她的真实含义。在我理解中，人们之所以称其为“母亲河”，是因为这儿的人们无法离开这黄河母亲的乳汁，是黄河给予了他们的一切。这不仅仅是文化的概念，文化在包含人类社会发展的诸多因素中占有多少分量？比得上人类生命的全部意义吗？

同时我现在也才明白，长江为什么不被长江人称其为“母亲河”，是因为长江人不用在长江的岸边挖土窑洞居住，长江人的身后是肥沃的稻田和飘香的柳枝，前面则是小桥流水的城市。

长江滔滔也无法比拟黄河涓涓给予那些在岸边土窑洞生活的人们的生命乳汁。

母亲总是在贫穷中更显伟大与慈祥。黄河属于这样的母亲，因而她成为中国这样一个农业国的母亲当之无愧。

我也许在这时才更加意识到史英俊这样的黄河岸边的农民为何对失去土窑里那些果子有那么痛彻的悲愤。他发誓要找回属于自己的尊严和财产，其实他想找回的是他和他全家的生命。

我的同龄人，与史英俊同为从土窑洞里走出的梁雨润，当然比谁都理解史英俊心头的悲愤。“老史，你尽管放心回家，只要查实你受害的事实，我一定会把这些丧尽天良的不法分子清除出司法队伍，让你安心走致富道路。”梁雨润说。

“谢谢你了，梁书记……”史英俊“扑通”跪下双腿。

“老史，你这是干什么？快快起来！起来！”

“不。你就让我诚心诚意地给你磕几个头吧！”史英俊此时已经泪流满面，“这第一个头是我史英俊给你磕的。这第二个头是代孩子她妈磕的，她已经痴呆了，不能自己来磕。第三个头是代三个娃儿给你磕的，你一定得接受……”

“老史……”梁雨润不知说什么才好，只觉得眼泪跟着流了出来。

第二天一早，梁雨润跟谁也没打招呼，便独自来到了史英俊家。

“哎呀，是梁书记，你这么早咋就来啦？”刚刚起床的史英俊开门一看，吃惊不小。

“对不住了，老史。”梁雨润边招呼边进了史家小院，“昨晚一宿没睡着，一直想着你家的事，天明就来看看。不碍事吧？”

“哪里哪里，我做梦都想不到你会亲自来。说真的，你怎么会来我们家呢？昨儿个你对我说的一番话，让我觉得即使我家的事再没人来处理，我也认了，因为我看到人民政府里有你这样的官在，我们庄稼人心里就踏实了。我真想不到你会来我家啊！”史英俊激动得有些语无伦次。“梁书记，梁书记——”史家老少几口子这时已经闻声出屋，并在小院将梁雨润团团围住，齐刷刷地跪在他面前。

“看看，看看，老史，你让他们起来！快快。”梁雨润忙躬下腰，上前一个个扶起。

“坏人。坏人要完的。要完的……”史英俊的老伴披头散发。独自在院子里转悠，嘴里不停地说着同一句话。

看着坐在小板凳上将头埋在裤裆里长吁短叹的史英俊和他披头散发的老伴，及一步不离跟在娘后面的那个背着书包的小姑娘，梁雨润心头一阵阵酸疼：是那些不顾别人死活的家伙，让这个原本富裕的农民家庭落得如此境况，真是罪不可赦。

梁雨润瞅着史英俊的小姑娘，突然想起道：“小娃儿，今天是星期天，你还背着书包干啥？”“哇——”不想孩子大哭起来。哭得两只瘦小的肩膀在不停地颤抖。

“老史，这孩子咋啦？”梁雨润感到奇怪。

“唉——”史英俊长叹一声，说，“自打前年一窖子的果子被抢后，家里既要还贷，又要种地，一下落了 9 万多元的债，孩子她妈病成这个样都没钱上医院治，娃儿哪还上得起学……”

“这哪行？”梁雨润的手伸进了自己的口袋，从里面掏了掏，正好是 1000 元钱，然后塞给史英俊，“孩子她妈的病要抓紧治，可娃儿上学一天也不能耽误。”

史英俊接过钱，双手抖动了半天，说：“娃儿，过来给梁书记磕头……”

“别别，老史，你不能这样作践我。知道吗，是我们这些党的干部没有把工作做好，让娃儿她们跟着受难。你再让她们向我跪下，不是在作践我们吗？是我们工作没做好嘛！是该我们向娃儿她们请罪呀！”

梁雨润后来对我谈到他第一次进史家时的感受时说：“那一次我几乎是‘逃’出史家的，他们一家人要向我磕头，可我心里认为该磕头的是我。是我们这些为官者没有管好自己的那一方天地，才使史英俊这样的百姓受了这等苦啊！”

我确信这是他内心的真实感受。同时也明白了他后来为什么在重重压力下义无反顾地一直坚持将此案查得水落石出。

“老胡，把史英俊一案的案宗给我马上拿来，我要看！”从史家回到县城的办公室，梁雨润立即命令纪委的同志调当时几个部门处理该案的材料。

“真是岂有此理。这样一件事实清清楚楚的案件，竟然会办不下去！涉案人至今仍逍遥法外！这世间还有没有公道可言了？”梁雨润拍案而起。

“马上通知公检法司四个部门的领导到纪委，史英俊一案必须立即处理，不能再拖一分钟。如果我们再拖着不处理，就跟那些到他家抢苹果的人没什么区别、是一种犯罪嘛！”

“梁书记，单就这案件的性质我们都清楚，也知道该怎么惩治这些违法乱纪者，但为啥拖了这么长时间你知道吗？”

“不就是因为涉案人员都在执法部门嘛！”

“还不全是这个原因，还有另一个原因。”

“啥？你赶快说来。”

“这案是现任县委的主要领导，前两年直接抓过但一直没有了结的案子。”

“这不就更需要我们抓紧办嘛！说明县委领导都非常关心

此案！”

“你说的是其一。”

“其二呢？”

“这不明摆着：你要是把它弄清楚了，不是让县委主要领导下不了台嘛！”

“你！”梁雨润一听这话，眼睛就瞪大了，“你这话听起来倒像是为我着想。可是你想过没有，如果我们尽快查清和处理了，可能使我的直接领导有些脸面不好看，但这仅仅是一个人的事，相反，我们如果处理不好，那全县的老百姓的眼睛都盯着我们，盯着我们这些共产党的干部，那可是我们整个共产党的脸面嘛！”

纪委的同事们再也不说话了。其实大伙儿心里早冒了一团火，身为共产党干部，谁不想为老百姓撑腰？

“行。有你梁书记这话，我们就不用担心啥了。你说吧，咋干？”

“‘史英俊苹果案’的整个事实和性质不都很清楚吗？所有涉案人员都是司法部门工作人员，别人想治他们不是难吗？那好，根据党授予我们纪委的权利，现在我们就案件性质进行讨论，如果确属国家公务人员违纪违法行为的，我们就立即‘双规’他们。”

“对。我们举双手赞成立即对几个涉案人员进行‘双规’。”

“好！大家意见统一，那么我们立即行动！”梁雨润站起身，“等公检司法四个部门的领导一到，我们就宣布‘双规’决定。”

这是一次在夏县政法史上少有的行动，一天之内，公安和法院两个部门的10来个人同时被宣布“双规”，并且一个不漏地全部被送进了夏县重大案件的办案地——温泉二招。

司法部门历来是敏感部门，不到一个下午时间，全县上上下下全都知道了梁雨润他们的行动。据说那几天里夏县有点像经历了七级地震一般，特别是在小小县城内，只要大家一见面，就会情不自禁地相互问一句："知道了吗？都'双规'了！"

"双规"是《中国共产党纪律检查机关案件检查工作条例》和《中华人民共和国行政监察法》赋予纪检监察机关的一项重要权力，是党内和行政机关在确实必要的情况下，对一些重要或复杂的案件所涉及的有重大嫌疑的党员、干部和有关人员进行内部审查的一种措施。其目的是查明真相，排除干扰，以便作出实事求是的处理。"双规"措施要求有关涉案人员在规定的时间和地点就案件所涉及的问题做出说明和交代。

俗话说：做贼者心虚。在"史英俊苹果案"中扮演主要角色的公安局刑警李将，法院执行庭杨东海等人被"双规"后，先是大吵大闹，根本不把纪委办案人员放在眼里，嚣张至极。

那几日，梁雨润由于劳累过度，正卧床输着液。当他得知这种情况时，不等汇报工作的同事找来医生，自己就将输液的针头一拔，直奔距县城十里之外的办案地温泉二招。

"梁雨润，你在夏县才待了几天，你算老几？竟敢把老子'双规'？"那个自以为在夏县没人敢动他的李将，见了梁雨润，便大吵大嚷道，"你们这是非法拘禁，我要去告你们！"

"这是你应有的权利，但现在你得老老实实先把自己的问题说清楚！"梁雨润义正词严地告诫他。"我就是不说，你能怎么办？而且我还告诉你：在夏县这一亩三分地上，我李将想干什么就干什么！你梁雨润敢拦我？让开，我要回家！"李将猖狂地扒开办案人员，凭着那身五大三粗的身板，满脸杀气腾腾地欲往外走。

"李将，你给我站住！"梁雨润快步上前大喝一声，将其堵在门口，"你要不交代清楚问题，想出这门一步，我看你有没有这个胆量！"

兴许沾了一身土匪习气的李将还从未遇见过有人敢这样在他

面前说话，也许这外强中干的家伙做贼心虚，总之梁雨润的凛然正气，如同巍峨泰山，震得李将连连后退了几步，没敢再越门槛一步。

在夏县能把李将这“茅坑里的石头”给摆平，一直在反腐治恶第一线的纪委同志们还是头一回见。“梁书记，有你在，什么样的案件我们都敢接了！”办案人员士气大振。

然而由于“双规”人员都是从事过公安司法工作的，他们的反侦察能力也相当强。

一旦当他们明白自己陷入困境之时，第一个职业性的反应便是订攻守同盟。由于这个案件在之前就有过两次立案调查，这批“双规”人员已经形成了某种默契——只要一有风吹草动，他们立马变守为攻，而且态度极其蛮横。参与此次立案的纪委办案人员，过去出于工作上的需要，也曾同这些被“双规”人员共过事，也一起办过案，相互之间都十分了解，对方甚至对办案人员家住在什么地方，孩子上几年级，什么学校，都一清二楚。

“兄弟们，咱都是夏县的乡里乡亲，平时抬头不见低头见。你们千万别为那个姓梁的卖命，人家是孤身一人，吃饱了一个饿不着全家。你们哪能跟他一样？要是把我们逼急了，即使我们没机会回去，我们的那些兄弟、孩子，他们会饶得了你们？”有人使攻心战术。

有人则来硬的：“‘双规’算个啥东西？老子不怕。别看你们现在神气，老实告诉你们这些人：即使今天老子一劫难逃，被你们判个十年八年。可是等十年八年后，老子还年轻着哩！到那时看我怎么收拾你们！”

案情比预期的要艰难和复杂得多。加上这些“双规”人员嚣张气焰和他们身后强大的社会关系网，使得个别办案人员产生了畏难情绪。刀光剑影的较量刚刚开始，军心不稳是梁雨润感到最担忧的。那些日子他除了必需的其他工作不得不离开外，一直坐镇办案现场，以振军威。有一次家中急电，说他的那位 90 岁高龄的老祖母病重，梁雨润吃过晚饭赶回老家，等老祖母输完液，已是深夜两点钟，家人让他在祖母的病榻头眯一会儿眼。可梁雨润想着夏县那几个“双规”人员的事，怎么也睡不着。这些人神通广大，反侦察的能力未必在纪委的办案人员之下，万一他们找些茬弄出点事来怎么办？

“兄弟，走！我们马上回夏县！”梁雨润叫醒司机，俩人借着月色，翻山越岭，飞驰在盘山公路上近 3 个小时，凌晨 5 点钟赶回了夏县的办案点。此时，正值人们熟睡之际，办案处的大门紧锁，四周一片寂静。梁雨润是个急性子，心想等天亮还有一两个小时，不如想法早点进去，便让司机做人梯，“噌”地越墙进了办案处的庭院内。

“梁雨润，你别以为自己是谁！老子在夏县拉的屎都可以筑成一道铜墙铁壁。你拿我怎么样？小心搬起石头砸了自己的脚！”几个“双规”人员一见梁雨润的出现，果真像急红了眼的赌徒，将这位铁面无私的纪委书记恨得牙齿咬得“格格”响。

梁雨润用鼻孔朝这些害惨无辜农民的家伙“哼”了一声，回敬道：“即使我搬的石头砸了自己的脚，也请你们明白一点：首先砸的肯定是你们的头！”

“咱们纪委干部是什么？是共产党的一把剑，一把专门斩除党和政府躯体上的毒瘤的钢刀利剑。大家记住：宁叫人打死，也不叫人吓死。因为我们是共产党的纪委干部，不能在这些人面前当熊包！”在办案工作人员全体会议上，梁雨润鼓励大家，同时他通知有关部门对所有办案人员及家庭成员的安保工作做了具体布置，使办案人员解除了后顾之忧，以更加坚定的信念和顽强的精神投入战斗。

经过20多个日日夜夜的艰苦的拉锯战，终于彻底查清了夏县历史上少见的一起公安、司法和法院三个执法机关人员共同参与的合伙欺诈农民的大案。5个主要涉案人得到了应有的惩治，原公安局刑警李将和原法院执行庭负责人杨东海等分别受到开除公职、开除党籍处分，并被移交司法机关惩处。

在史英俊向梁雨润下跪哭诉两个月后的1999年1月8日，夏县再一次召开声势浩大的“反腐败斗争公处大会”。不可一世的原公安局、司法局和法院的5名“史英俊苹果案”的主要犯罪人李将、杨东海等被公处。史英俊所在的王村数十名干部群众，冒着严寒赶到会场。当他们听到李将、杨东海等人受到严惩的决定时，激动得振臂高呼：“共产党万岁！”

人民群众出自内心的这样高呼口号，似乎让我们在感到亲切的同时又有些遥远……真的，不知为什么，我觉得现在能看到这样的场面是一种庆幸，一种希望。

夏县人民受这帮“比土匪还恶”的司法部门里的蛀虫的危害实在是太深重了。过去他们只能不敢怒也不敢言，因为言者就会吃苦头，怒者要杀头，这并非骇人听闻。想一想，这些手中有着可逮你、可抓你权力的人，他们一旦认为需要找你麻烦时，只要变着法地弄点“理由”出来便可整治你，而且通常是一切手续和程序都会在合法之中。即使不合程序，没有手续他们也不怕，可以“补”呗！啥也没有的小小老百姓又能拿他们怎么样呢？称王称霸者清楚，只要他们还穿着那身制服，手中还掌着权，啥事都可以颠倒过来说。“史英俊苹果案”之所以拖了几年，症结就在于此。可怕的是那些欺压群众，鱼肉百姓的人，在他们的心灵世界里还有一个看起来似乎荒唐但却是真实存在的谬论：他们把为一些亲朋好友办事，把为一些既得利益者办事，甚至把为贪官恶霸办事看成了是在“为人民服务”。在这些人心目中，“人民”的概念完全是另一种对象，他们在为这样另一种概念上的“人民”服务时，所表现出的那份“积极”与“努力”，更促使他们对待真正的人民群众时丧心病狂，无恶不作。我看过李将的原始卷宗，看到此人在“史英俊苹果案”的案发前十几天，曾因参与一起 24 人的集体赌博而被运城公安处查处的通报。当时公安局领导也找过他谈话，并给了他处分。李将在事实面前也痛哭流涕过，他在自己的“检查”中说过这样一段话：“我深感自己作为一个公安执法人员不该知法犯法。今后我一定要加强政治学习，提高思想觉悟和警惕性，以免让坏人钻空子，在社会上造成不良后果，请纪检部门监督。”初看这样一份“检查”似乎让人觉得他是个初入迷途的人。

其实就在给予他处分的决定刚刚宣读后没几天，有人以利益来引诱他时，他马上暴露出一副贪得无厌的嘴脸。再看他在“史英俊苹果案”中，手持枪杆，横行霸道的土匪恶霸行径，能说他对以往所做过的错事有半点真实的悔意吗？没有。一丝也没有。令人气愤的是，像这样不拿老百姓的财产和生命当回事的人，竟然也会厚着脸皮大谈“为人民服务”和自己的“形象”问题。我们不妨拿出李将在“双规”后期写的那份“检查”读读：“……我深刻认识到自己的这种行为是极其错误的，而且也是十分有害的。它有损于一个国家干部的形象，有损于一个公安干警的形象，破坏了党群关系，破坏了警民关系，在人民群众中造成极坏影响。此次出现的错误，从自己内心讲，对不起党，对不起领导和人民群众，更对不起生我养我的父母。今后一定要加强自己的学习和修养，加强政治组织纪律观念，树立全心全意为人民服务的思想，做一名人民满意的公安人员。”看着这样一份“检查”，对照李将前后两次不足十几天时间内所犯的罪行及其严重程度，我只能得出这样的结论：要么两次“检查”都是抄别人的，要么此人根本不懂得什么是人民和为人民服务的概念。因为我不敢再往深里想：如果他真的知道像史英俊这样依靠政策致富的老百姓，正是我们共产党和一切共产党执政机关、办事人员需要特别保护和服务的人民群众的话，那么李将等就是明知故犯，就是比一切反动派更反动的人了！

百姓不恨透这样的人才怪了！中国共产党几代人浴血奋斗夺取的红色政权和亿万人民群众在党的领导下创造的社会主义繁荣的宏伟大厦不倒也才怪了！

败类！称这样的一群人为败类毫不过分。

我因此更深地理解了在那天公处大会上夏县百姓为什么会激动得高呼“中国共产党万岁”！这是人民期待已久的一种心愿，一种局面，一种中国共产党领导下的社会主义本来的面目。2002 年春节前我到夏县采访，关于“史英俊苹果案”这起“五顶大檐帽欺压一顶破草帽”的司法腐败重案，已经了结 3 年多了。但在翻阅当时的卷宗时有些问题还是引起了我的深思。现在老百姓最不满的是党内腐败问题，而在党内腐败问题中最让百姓不可宽恕的是司法腐败。

从中国共产党成立初建立起我们的第一支队伍是工农红军，那时红军每到一处，人民群众会从心底里喊一声自己的队伍是“比亲人还亲的子弟兵”。那时我们的红军靠人民的乳汁哺育成长，又在成长中与人民群众保持鱼水关系。正是这样的鱼水关系，我们中国共产党才能从南湖的小船出发，实现了“百万雄师过大江”的历史性转折。1949 年，当蒋家王朝溃败大陆，不得不移迁台湾的途中，几乎与共产党人同时起家的蒋介石先生在东去的军舰上，面对滔滔海浪，不无沮丧地向蒋经国先生说了这么一句话：“你知道我们国民党输给共产党的根本的一条是什么？是共产党他们把老百姓抓在了自己手里，而我们国民党几十年来走的是精英救国，对中国老百姓尽做些让人憎恨的事。千古教训啊！”

任何一个时期的执政者，如果不是将他们放在历史长河里检验，恐怕很难断定谁一定就对谁一定就错，你的好也许就是我明天的好，你的错也许就是我明天的错。要不为何中国共产党人在执政50年后特别提出了为确保牢固的执政地位，就必须坚持“三个代表”！中国共产党人如果不能在不断进步的现实时期，始终做到代表中国最先进的生产力，最先进的文化，最广大人民群众的根本利益，她就不可能完成历史使命。

夏县区区几十平方公里的面积，几十万人口，但在梁雨润上任纪委书记之后，因为惩治了两起司法腐败案，一时间，用群众的话说“夏县终于能见一片青天了”。于是上上下下的人民群众纷纷向纪委等单位投诉报案，短短时间内，列入县纪委和政法委的大案重案竟然多达100多起!

啥叫重案大案？这在司法中是有充分解释的。就是那些人命关天，久拖不决，积怨巨大的案件。区区几十万人口的小县，可以列出如此之多的案件，这让我不得不相信那里的老百姓曾经对我说过的话：“夏县无青天”——此话虽然说得严重了些，但对那些深蒙冤屈的人民群众来说，这种比喻不是没有一点道理的。

共产党的天下怎么可能没有青天？梁雨润上任这里的纪委书记后，听说群众有这样的言论时就坚决不信。然而信和不信靠什么来论证？只有让事实来说话。这一点也正是梁雨润心中坚信的一种观点。

从胡正来的300多次上访案到“史英俊苹果案”的解决，一批多年来称霸夏县一方天地的执法人员纷纷落马，使得以往百姓有冤无处申，有屈无处诉的局面一下来了个翻天覆地的变化，一时间，“夏县有青天”、“梁书记能办事”的消息不胫而走。昔日几乎每天都有人喊屈叫冤的县委大门口，如今更是从早到晚都挤满了成群结队的上访和告状的人。

“这还了得，县委机关还上不上班了？”

“就梁雨润他一个人逞能呀？我们在这块地盘干了几十年反倒都成了别人的出气包了？”

干部们的埋怨在情理之中，但是也有人借机将私愤一起泼向梁雨润，道理非常简单，由梁雨润引燃的火快要烧到他们身上了——那些有问题的人感到了屁股底下的宝座在发烫，因此一起在暗地里使劲点着阴火，企图将梁雨润带领的办案人逼得退缩。

但他们想错了。当梁雨润看到自己仅仅惩治了两起腐败案，全县的百姓就如此信任，纷纷主动找上门来反映问题，举报案情，而且涉及的几乎都是某些权力机关不办事，办错事，一些干部尤其是身为老百姓的父母官们鱼肉百姓，对其疾苦和生命财产，不闻不问甚至丧心病狂侵犯之案。

“我们共产党人是干什么的？就是为百姓办事，为人民服务。老百姓来县委找我们，不是什么坏事，是信任我们。要我看，找的人越多，越是说明他们真正开始信任我们了。我们怎么可以不管？怎么可以漠然呢？所以我认为，根据群众举报的线索，我们在调查核实之后，对那些凡是够得上立案的问题要坚决彻底地查处。因此我建议：结合夏县的情况，应采取特殊的措施，在全县范围内开展反对腐败整治党风的‘双百会战’，即用一百天时间侦破和解决一百个人民群众亟待盼望解决的信访案件和久拖未了的积案，还夏县一个阳光温暖的青天给广大百姓！”

“同意梁雨润同志的意见，县委应全力支持这样的行动。”县委常委会上，全体人员都举起了双手。

县委常委们的这一举手，接下来的事可把梁雨润忙惨了。然而忙毕竟还是第二位的事，更让他内心暗暗打战的是一些在老百姓眼里被视为生死攸关的事，当反映到我们的某些领导和干部那儿后完全没有被当作一回事，或者轻描淡写地应付几下甩到了一边，结果问题越拖越大，最后让群众哭天不应，叫地不灵，轻者骂娘，重者砸党政机关大门。当有人看到群众真的砸党政机关大门时，他们出口就骂是“刁民造反”。君不知，一向温和谦让的平民，为何在你那里要起来“造反”呢？

有道是官逼民反。其实官不公，官不正，官不办事，民确实是要反的。

梁雨润处理的下面两起民事案颇为典型。这位“百姓书记”因为懂得上面这个理，所以经他之手，两起分别拖了18年和32年的上访案能够迎刃而解，在晋南大地传为美谈。

# 第三章　命根子的事怎能漠视

什么问题让农民最忧心？什么事对农民来说是最神圣不可侵犯的？没在农村呆过，没有干过农村工作的人，是绝对想象不出来的。

我当然知道，因为我在农村待了很长时间。农民做梦都想得到的自然是土地，因为土地是他们赖以生存的基本条件，也是衡量财富的唯一尺度，几千年来中国的农民都是这样过来的。即使到了世界已经开始进入知识经济的20世纪80年代初，中国改革开放推行的第一项政策就是满足农民们对土地的渴望，“分田到人，包产到户”使几乎贫困到边缘的中国八亿农民重新获得了解放，并且在之后的一二十年里走上了致富的道路。至今，我们中国的社会，无论在政治领域，还是科技战线，或者是文化教育界，不管你承认还是不承认，土地意识与经营土地的理念，一直主宰着我们的思维与行为模式。这不单是一种封建意识，把这样的土地意识简单地视为封建文化，是狭隘的。中国人的土地意识是这个农业大国与生俱来的，即使我们跟着整个世界的步伐全面实现了现代文明，也无法抹去我们对土地深厚和浓烈的感情。

过去在农村我听父辈们讲过许多很有意思的事：说有一个农民，祖辈三代一直给别人当佃农，后来到第四辈时，这户人家积存了几十块银洋，那时蒋介石的统治快要完蛋了，有些富人害怕共产党，就在逃离大陆时很便宜地将土地卖给了佃农。这家佃农趁此机会买了40多亩地。当祖辈四代第一次在属于自己的田地里干活时，心里甭提有多高兴了。40亩地靠全家几个劳力干不是件容易的事。一些老佃农就找到这家户主，说过去我们都是佃户，现在你家有田了，可以当地主了，我们租你们几亩地种种如何？这户人家说不用，说我们自己能种。可到他们买回这40亩土地整一周年时，人民解放军百万雄师过了大江，江南一带全解放了，之后紧接着便是土改，划成分。按照当时政策规定，40亩土地就被划为一户富农了。负责划成分的乡干部过去与这户人家的主人都是地主的佃农，便悄悄跑到老朋友家透消息，说你也是吃苦人家出身，买的这40多亩地也是血汗钱换来的，不易啊。可现在社会变了，按政策规定你家这么多地就该是“地富反坏分子”了，但我不忍心见到你们一家划进阶级敌人的那一边。怎么办，最好还是你们主动把土地退了，那个地主老财家不是还有个老家伙没到台湾去嘛！你们把地一还，啥事就都没啦，与我们一样都是社会主义的新主人了！老朋友走了，这户人家聚在一起商量了一宿，最后还是决定不将地退给地主家，说啥都可以不要，但这地已经是我们家的了，就不能丢掉，就是扣一顶富农帽子也不在乎。就这么着，这一家祖祖辈辈给地主当牛作马的劳动者，在土地改革后，不仅全家的40多亩地归公了，而且从此戴了30多年“阶级敌人”的帽子，害得第五代人没有一个读完初中。

另一个故事的主人公曾经是我笔下的人物。他是一个在二三十年代就在上海与鲁迅先生等人一起笔伐蒋介石的人。抗日战争开始，他以开明地主的身份，为共产党新四军出过大力，那出家喻户晓的现代京剧《沙家浜》里，本应该也有他的身影：因为当年这批驻在沙家浜的新四军主力部队里许多枪支弹药都是经他之手弄到的。不仅如此，他还一次又一次变卖自己祖上留下的地，为新四军筹枪筹粮筹药。到解放战争时期，他把上千亩祖上留下的地一块块变卖换回共产党队伍的军用物资，最后到土改时，他仅剩下了100多亩地。可就这100多亩地，使这位革命功臣的后半辈子蒙受了奇天大耻，直到他83岁时才被摘下了“地主分子”这个阶级敌人的帽子。这么一位过去只会靠笔杆子革命的红色书呆子，却因为土地的缘故，使他那文弱的身躯足足在最繁重的田野里当了50年农民。1998年我回老家时才知道他不久前已去世。老人家的后人对我特别友好，因为我是第一个著文为这个革命功臣平反，并且使他的传奇事迹见于报端，广为传颂的人。

土地对中国农民来说就是命根子。

新中国成立后，土地归了国家所有。农民拥有的便仅是那块生活的宅基地。

而由于大片的土地不再属于自己，农民们便视自己的宅基地是一块神圣不可侵犯的王国。农民对自家宅基地的看重，一点也不亚于我们对国家领土的重视程度。

在一个安分守己的农民面前，你无论怎么的辱骂和嘲讽他，他可能只朝你瞪一眼，或者干脆就躲你远远的。可假如你说尽好话，又悄悄想霸占他的一寸宅基地，那他就会不惜一切代价与你斗争，甚至付出生命也绝不会吝惜。

这就是中国农民对自己宅基地“奉若神明”的信仰。

但有人偏偏对这样的神圣视而不见，并粗暴地践踏。梁雨润接到的一个案子，就是关于村干部没能妥善处理好农民宅基地问题，结果使那位农民上访长达18年，与村干部积怨甚深。

这个农民叫王典才，老伴叫周爱仙。他们是夏县裴介镇朱吕村人。

到裴介镇朱吕村采访时，我不由想起一个典故：晋朝名士介子推的故事。

那天梁雨润说要到裴介镇的一个村子去。在镇子的东面，有座已经荒芜的坟墓，而坟前却竖着一块高大的石碑。我走近一看：哇，原来这里便是晋文公侍臣介子推的故里！关于介子推这个人物，现在的年轻朋友可能知道得不多，但读过历史的人都会知道介子推这个了不起的人物。在春秋战国时期，晋献公死后，儿孙们争夺王位，酿成内乱。次子重耳因受其兄排斥和后母骊姬的迫害，逃亡到了国外。途中由于连日奔波，饥寒交迫，侍臣们离的离，亡的亡，所剩无几。唯介子推等人一直护卫其左右。一日，重耳一行来到一个叫羊舍的地方，正值赤日炎炎之时，一路走来的重耳一行人困马乏，个个口干舌燥，饥肠辘辘。

公子重耳想起往日在宫中吃不尽的山珍海味，而今连粗茶淡饭也无处寻觅，不由连声哀叹，泪水涟涟。侍臣们见主子如此凄凉，很不忍心，便四处寻找食物。然而在这荒野之地，终无所获。介子推看着几近昏倒的君主，心里十分难过。他避开众人眼目，用利刃割下自己大腿上的一块肉，然后煮成羹汤，给主子端上。重耳忽闻如此鲜美的肉味，伸手接过连声称道："好香的野味，是哪位爱卿猎来的？"

可是众臣听主子的问话后，谁都不敢应声回答，相反一个个低头避之。重耳颇觉惊诧，他随众人的目光看去，只见介子推此时正颤颤巍巍地站在那儿，脸色苍白，下衣沾满鲜血。重耳什么都明白了，上前跪在介子推面前哭道："介爱卿，来日平定天下后，我定当报你的大恩大德。"后来，在外流亡 19 年的重耳重回晋都继承王位，并大宴群臣，封赏随从。然而在受赏的群臣中，已是晋文公的重耳却忘了有恩于他的介子推。老臣们很不服气，便在皇上的门上挂起书帛，写道："有龙矫矫，顷失其所。五蛇从之，同流天下。龙饥乏食，一蛇割股。龙返于渊，安其壤土。四蛇入穴，号于牛野。"晋文公见后连连说："我何以忘了介爱卿？罪过罪过！"随之传旨速请介子推。但此时介子推由于看到晋文公初登王位就没将心思放在改善百姓生活上，而是迷恋宫中华丽奢侈生活，便伴老母隐居到绵山。晋文公知道后派人请介子推出山，但介子推终不愿回宫，并让人转告晋文公："和睦待人，不忘根本，同心协力，图强社稷。"晋文公听后更加感动，便亲自前往绵山。介子推闻讯后隐居到更深处。晋文公见请不回爱卿，便对手下人说："分三路把山上的草木给我统统烧了，唯留一路给介子推母子下山所用。"晋文公心想，这样你介子推不就下山了吗？但在火焚三日之后，山上的草木皆成烟炭，却仍不见介子推母子下山。晋文公急了，派人全山搜寻，最后发现介子推母子相抱成焦尸的惨景。晋文公见此失声痛哭，后悔莫及。为感念介子推的救命之恩和忠言相谏，晋文公封绵山为"介山"。

我的主人公王典才的家就在介山脚下。

1982 年，村上为了建一个供销社，看中了村中十字路口最好的王典才家的宅基地。村干部把这个决定告诉王典才，并说村里安排了两处风水上好的新宅基地让他任意挑一块。王家是个老实巴交的农民，一听既然是村里的安排，便答应了。可真到挑地准备盖新房子时，发现那块上好的新宅基地已经被一名村干部的弟弟占了。王典才夫妇觉得自己被人耍了，就决定不搬了。王家的老房子是祖上传下来的，有些年头了。如今王典才的儿子也渐渐大了，也要准备娶媳妇，所以王家决定在旧宅基地上翻建四间新房子。村里干部看到了就派人阻挡。王家不服，说这地基是我家祖辈传下来的，凭什么不让我盖？村干部说："村里要发展经济，供销社是村里决定的一项'利民工程'，谁阻碍这样的事谁就是改革开放的'绊脚石'，是'绊脚石'就得搬走。"王家说："村委会的决定也得根据政策来定呀，你们不能想怎么着就怎么着。"于是一头要盖，一头不让盖，矛盾就激化了。

王典才家要盖房子有自己的道理，因为是在自己的宅基地上，所以他们该干什么就干什么。但村里也有招，你不是要盖房子吗？那好，你盖房子用的电是从村里的线路上走的，我掐断了不让你用。王家第一回就没盖成。第二回王家找到了邻居家，说了个情送了点礼，用电线路问题解决了。

村里一看电断不了，就搬出乡土地办的人来说，因为不管你是在自家老宅基地翻盖旧房，还是在新宅基地上盖新房，没有土地办的批准你就都算违法，王家第二次盖房又不得不停了下来。王典才的老伴周爱仙不甘心，跑了一次又一次，跟乡土地办和乡干部说理，人家觉得没有理由不让王家盖房，就批准了。王家又开始了第三次盖房，这回王家理直气壮了，有乡里批文看谁还敢拦咱们盖房？村委会也不是一帮尽吃闲饭的人，几个干部一合计，你王家不是找了乡土地办嘛，那我们就找管乡土地办的县土地局领导，还是不让你王家盖房。王典才夫妇都是地地道道的老实巴交的农民，大字不识几个，以前也没有去过县城，可为了这“头等大事”，他们不得不往县城跑。王典才去了两趟县城，结果连县土地局的门在哪儿都没找着，还白花了二十多块路费，老伴数落了他一通，自己又跑了一趟。人家到底是县领导，你把理说出来，那县里大干部就非常通情达理，说你们王家在自己宅基地盖房子没有错，村里想用你家的宅基地又不落实政策，错在他们那儿。

王家有了这“官话”，便像吃了定心丸，立即回去又动工，而且把县上的“官话”转告给了不让他们盖房子的村干部。这村干部毕竟经常跟上面的官打交道，说你王家到上面说的仅是一面之词，既然你们可以去说，我们也同样可以向上级反映。村干部就跑到县土地局去闹：“你县土地局同意也行，那我们全村百姓经济上不去，没了饭吃，我们就领着大伙儿上你们土地局来要饭吃！”县土地局领导一听朱吕村干部的这番话，连连摆手，你们的事我们管不了了，也没法管。村干部便得意扬扬地回了村。可回村一看：王家的新墙都砌到能放窗那么高了！咋，真反了？于是让各家出一个劳力，到王家把他们砌起的墙给扒了！村干部火冒三丈。

可动员了半天竟然没有几家愿去扒王家墙的。好好，你们都不愿出劳力不碍事，我出钱雇人来拆。村干部让人到外村叫来30多个人，说好了每人干一天30块钱。这回非常奏效，外村人与王家无亲无故，加上在家闲着也是闲着，人家给30块钱干这么点小活，于是来王家拆墙的人特别卖力，一会儿工夫就把王家新砌的墙“稀里哗啦”给平了。

王家老小怎么拦也没用，村干部在一边偷着乐。王家的气自然无法咽下去。从此便开始了一次又一次地上访，但这么一档子事王家有王家的说法，村里有村里的说法，结果让上面感到左右为难，干脆拖吧。这一拖不要紧，可是苦了王家。村里干部也心里不舒坦，觉得很丢村委会的威信，就又研究对策：你王家不是会上访吗？不是凭着两条腿一张嘴巴到处把咱村里说得一塌糊涂嘛。好，那我们也不让你过上安静日子。有一次，王典才的老伴上访跑出了病，住了院。王典才去医院陪床，家里几个孩子也没在家。村干部们瞅准是个机会，亲自动手，上到王家的五间旧房子的屋顶，将上面的瓦片掀了个精光，意思是你王家不是厉害吗，不搬也行，那你们就这么着“凉快”着吧。

这一下王家的日子可就难过了。王典才回家一看，气得一病卧床不起。老伴住在医院不知咋回事，提前出院回家，刚到家看到这一切就又气得旧病复发，老两口从此再也没有能力与村委会的干部们斗了。王家的大儿子原在市重点中学读书，准备考大学，听说家里的老房给人扒了，跑回家提起一把镢头，气冲冲地跑到支部书记家，砸了人家的临街厨房的小窗户。这下可就惹怒了“太上皇”了。支书觉得面子大丢，找到派出所，硬要人家将王家的儿子抓起来，并提出要赔偿6000块钱。王典才老两口急得火烧眉毛，一是大儿子是王家将来的全部希望，真要给人家整了以后的前途就彻底毁了，二是这么多年为房子的事折腾了多少冤枉钱，还哪有钱赔人家！一个小窗户本来就不值那么多钱，明摆着是要讹你嘛。王典才夫妇拖着病体，上支书家求情，支书连见面的机会都不给。后来总算托了个远房亲戚——也是支书家的沾亲带故人家，左说右说，算是同意让王家把砸坏的厨房窗子修好，但对方还是提出要赔 5000 元钱的“名誉损失费”。支书说 :“我堂堂一村之主，不这么整，以后村里人想砸我家房就可砸了？ 5000 元不多！”

王家觉得斗不过人家，便无奈送了 500 元过去，想了结此事。但支书那边不干，你不赔“名誉损失费”不要紧，我找人治你家小兔崽子。有一天晚上，支书知道王家的大儿子在家，便找了几个村上的小痞子，说今晚我支书包你们酒足饭饱，条件是你们给我整一下砸我家窗子的王家的那个小兔崽子。那帮好吃懒做的小痞子们第一次得到支书的“重用”，满口将此事包了下来，他们酒足饭饱后，便醉醺醺地提着棍举着刀来到王家。王典才的儿子一看这阵势，吓得拔腿就跑，长期不敢回家，从此神经兮兮，行为也同正常人不一样，更不用说考大学了，连中学都不得不放弃。王家一挫再挫，不仅再也没有能力盖新房，连旧房子都住着艰难。1996 年夏，极少下雨的夏县连续下了几场暴雨。王家一家老小不能待在上面没有瓦的大房里，只得躲进一间做饭的厨房。黄土垒的墙，哪经得起暴雨泼浇？一日傍晚，王家老少几口子躲避的小厨房内发出了“吱吱嘎嘎”的异常声响。“不好，这房要塌！”没睡着觉的王典才赶紧叫醒全家，从小屋里逃出，站在屋外的大雨中。小儿子不愿出来，痴傻傻地对父母说我就死在里头吧！急得老两口连拖带抱地将他总算拉了出来，当全家人刚刚逃出小屋，突然“轰隆”一声，小厨房顷刻间化为平地……王典才一家从此失去了自己的家园，五六口人不得不东借西凑住在亲戚和邻居家……

“天下哪有此等道理？为村里发展经济想办点事这应当，可不能不管别人的死活啊！”有一天，王典才的老伴周爱仙上梁雨润的办公室声泪俱下地诉说了18年来这桩事情的前因后果，令这位纪委书记也唏嘘不止。

“大妈，我知道这些年你们一家受罪了。虽然现在村里的干部换了一茬又一茬，但即使再难办，我也要把你们家的事解决了。你先回家，我会马上到你们那儿去的。”梁雨润望着一步一回头的周大妈，心中涌起万千感慨：一个农民，就因为村干部的工作简单化，使得全家几口人几年无家可回，如果见了这样的事不心疼，还能算是共产党的干部？梁雨润觉得不能再让这些确有冤屈，又无权无势的农民百姓抛家舍业地到咱政府和干部的办公室喊冤叫屈了。

当日下午4点，梁雨润放下一个会议，叫上县土地局的刘副局长一起来到了王典才所在的朱吕村。

通过调查了解，得出结论：村里要在地处村中央地段的王典才家宅基地上建蔬菜批发市场，符合全村经济发展需要，应予支持，但决不能让需要搬迁的王家遭受损失而得不到相应的补偿。有了这解决问题的基调，梁雨润就把村委会干部和王典才两口子叫到一起，进行谈话。王家提出腾老宅基地可以，但村上应该补助3万元钱。村干部则不同意，说可以考虑给一块好的宅基地，但这么多补偿费不能给。

梁雨润是抱着既来之必决之的信心到朱吕村的，他觉得拖了18年不该再让王典才一家人流离失所；可朱吕村又是个穷村，村上的经济建设也要发展，所以梁雨润是铁了心要解决问题。可是双方谁也不让步，身为纪委书记面对这样的纠纷，他不能像办重案要案那样向嫌疑犯拍桌子瞪眼睛的，只能耐心细致地做说服工作。

就这样，梁雨润一会儿跟村干部们谈，一会儿又回头找王典才一家谈。最后王家答应只要15000元补偿费，梁雨润和土地局刘副局长觉得王家比较通情达理，实事求是。可哪想到村干部还是嫌多，坚决不同意。

此时“谈判”时间已到深夜11点，看架势当事者的双方都没有退让之意，这可把梁雨润急得坐立不定。他这才深知这么一件并不大的事为什么要一拖就拖了18年的原因了。怎么样？再放一放？不行。梁雨润知道，如果再放一放，也许可能又是5年8年或者说不定是再一个18年，那王典才一家可就害惨了，而且对这么个穷村也不利啊！

“我说老王你睡了吗？刚刚睡下？那也不行，我就在朱吕村。你马上过来，今晚我们一起必须把王典才的事解决了，否则再拖一天我们这些身为父母官的干部就多一份对不起老百姓的罪过。你赶快过来，越快越好！”梁雨润拿起手机，又搬来了裴介镇的党委王书记。

十几分钟后，王书记到了。梁雨润与王书记分兵两头做工作，村干部那边由王书记负责，王家就由他出面谈。又是一个多小时过去了，梁雨润和王书记碰头，结果是王家说看在梁书记的面上，同意再让一步，只要1万元补偿费。村干部那头意见却“铁板一块”——只同意给7000元，多一分也不给了。

“啥，7000元？你们也太欺负人了。我们不搬了，一分补偿费也不要了，只要你们逼得我们全家几年无家可归的损失费！”

村干部也不是好惹的：“你们不搬家也行，那就把户口搬出我们朱吕村！”

“凭什么？”

“凭你们不为全村人着想！”

“你们为我们着想了吗？”

“……”

王家和村干部又斗上了嘴，谁都不让谁。

王书记气得浑身发抖："你们看看，闹了18年了，还想再闹18年呀？"接着，他又惴惴不安地给站在一旁出粗气的梁雨润端上一碗水，"梁书记，您可千万别生气，这些人哪，都不是省油的灯。快喝口水，您从下午来了到现在连口水都没有顾得上喝，这些人也太不识抬举了。要不您还是回城吧，日后我们再慢慢调停，您看行吗？"

"不行！"梁雨润脸色异常严肃地在屋里来回踱步。那"咚咚"作响的沉重脚步声，使得方才还吵成一团的当事双方静了下来，十几双眼一齐聚集在梁雨润身上……

"好了，今天算我来你们村做'生意'赔了！刚才你们一方同意给7000元，一方要1万元。不是差3000元嘛？好，这3000元由我们纪委出！王典才家的问题已经拖了18年了！我们不能让老百姓白跑18年！怎么样？你们双方还有什么意见？"梁雨润说完，用目光扫了一下全屋子的人。方才还是个个怒发冲冠的双方当事人，仿佛像冰山一下被强烈的阳光所融化。

"梁书记……我们听您的。"王典才和老伴周爱仙"哇"地一声，哭了……

"梁书记，我们也没有说的……"村干部们的眼眶里也早已湿润了。

这回轮到梁雨润笑了："那好……你们，你们现在就，就签约吧……我看着，看着你们签……"他用烧着火般的嗓子，断断续续地说道，当他摇摇晃晃地坐下用手端起那碗茶水时，竟然没有拿住，瓷碗"哐当"一下落在了地上……

"梁书记！梁书记——"众人赶紧围过来。

"没事没事。"梁雨润定了定神，说，"今晚我在这儿看着你们签完协议后再回城。"

深夜一点半，朱吕村村委会和王典才一家有关动迁和动迁补偿的协议签订完毕。双方代表在协议书上面签字画押，各执一份，镇党委书记也留了一份。

这时梁雨润站起来，一手拉着王典才的手，一手拉过村长的手，然后将这两只手握在一起，动情地说："干部和群众本是一家人，我希望你们永远好好地手牵着手，心连着心……"

这里有个关键的细节——就是当他看到王典才一家和村委会干部们为差的3000元钱争执不下时，断然说"由纪委出"这一情节。在采访时我特意问过梁雨润：这么做是不是有点勉强？因为纪委是党内监督机关，如果遇到这类问题都要靠纪委这样的部门或者你梁雨润来出钱，恐怕不太合适吧？梁雨润也无奈地摇摇头，说："其实这是个无可奈何的事，但在基层工作有时是非常具体和实际的，特别是一些久拖不决的老大难问题，有时就是因为某些具体的细节永远解决不了。"他还说："处事有个原则：作为党的干部，应该想尽一切办法去为老百姓着想，尤其是在处理农民问题时，你得把最大的难处往自己身上揽，而不是推到农民身上。我当时看到像王典才这样一个并不大的宅基地问题，弄了一二十年没解决，心里非常难受，觉得它有损于我们党的形象，所以那天我是抱着非解决不可的决心去的。最后矛盾的双方为了3000元僵持不下，我一着急，就说了'由纪委解决3000元'。当时拖了18年的纠纷马上达成了协议。当然我回到纪委机关大家对我这么做有些不理解，这我完全谅解。我们纪委既非慈善机构，又非创收单位，只有一些公务事业费。但我把要千方百计为农民的利益服务和提高纪委处理问题的能力等道理向纪委机关的同志们一讲，大家终于明白了，那就是我们是共产党人，是共产党组织的机构，如果不努力想法为人民解决问题，把一些难题往外推，这看起来自己是省事了，但却是对人民的不负责。当然，我在处理王典才一事时使用的也是没有办法的办法。"梁雨润朝我苦笑道。

从朱吕村出来，梁雨润回到城里时，已见东方红霞满天。他刚上到县委大楼的二层——这是他的办公室所在处，突然有人高喊：“快快，梁书记上班来啦！梁书记上班来啦！”

梁雨润抬头一看，只见与他办公室一墙之隔的一个平台上，聚着十几位群众。

“你们都是来找我的？那就请到办公室来吧。”

自从梁雨润铁拳重击夏县“黑势力”，惩治了几起腐败案和为群众办实事的事迹不胫而走后，县委大门口和他的办公室的楼道里，天天都会有数十名百姓群众跑来找他。有的群众为了能同梁雨润当面诉说心中的苦和冤，不惜头天从几十里外的乡下赶到城里，然后整宿整宿等在县委大门口或梁雨润的办公室旁的那个平台上。

面对如此众多的农民兄弟进城叫屈申冤，梁雨润深感肩负的重任，于是为了尽可能地满足大家的需要，梁雨润把自己的办公室变成了群众来访的接待室。而在这接待和倾听农民们的一件件申诉中，他发现了许多无法想象的农民的疾苦和人间的不平事。正是这些想都想不到的农民的疾苦，使梁雨润心头更增添了共产党人的责任。

这天一早，在众多上访人员中，一名满头银发的老大妈一边哭跪在地上，一边举着一套满是血迹和窟窿的衣服，泣不成声地对梁书记说：“梁青天啊，你一定要帮帮我啊，我都上访告状了32年啦！我已经老了，跑不动了，可，可他们还霸着我家的地，占着我的宅……”

梁雨润赶紧扶起老大妈，端水让座：“大妈，你慢慢说，等我弄清楚了问题，一定想法帮你解决好。你把事情慢慢说给我听听……”

原来这位大妈名叫崔良娟，家住该县埝掌镇上董村。崔大妈年轻时嫁给张保谋，张保谋是农家出身的知识分子，技校毕业后一直在太原钢铁厂工作。崔良娟一个人带着孩子在村里守着老宅，伺候年老的婆婆。因为丈夫长年在外，家里的事就靠崔良娟支撑着。那会儿像夏县这么个穷地方，谁家有个吃“商品粮”的，肯定是宽裕户。所以她家日子一直过得不错。崔良娟长得娟秀，干活又麻利，祖上留下的宅基地也很宽敞，难免招村上人嫉妒。“文革”开始的第二年，也就是 1967 年，村上有人喊着要筑一条“万年幸福的金光大道”，便不分青红皂白地推倒她家后院的一堵墙，一条集体用的“金光大道”侵占了她家的宅院两米多宽的地方，还说这是考验她是不是甘愿“走社会主义道路”。

“凭什么占我宅基地？这是我男人家祖辈传下来的。再说你们事先也不打个招呼，既然都讲大公无私，那你们为什么不把‘社会主义大道’先从自家院里通过？”崔良娟把气出病的老婆婆送到医院后，找到大队“革委会”主任责问道。

“你家男人是工人阶级，是革命的先锋队，你家不带头做贡献谁还带头？要我说，别说是大队修一条金光大道占了你们两米多宽宅基地，就是道路筑到你们院子的中央，你也该毫无怨言嘛！”

崔良娟心里不服，第二天一早，她就告到了公社。

公社的一位干部告诉崔良娟说：“我们只管‘革命’的大事情，你这个人的私事我们没时间管，也不会管的。”说完继续写他的大字报。

“这怎么能说是我个人的私事？再说我家又不是地富反坏右分子，他们凭什么推倒我家的墙，占我家的宅基地？”崔良娟原以为公社都是些明白道理的大干部，哪想会碰到这样的只讲大道理而不明白民情世故的人。她气得在那位公社干部的办公室里直打转。

那时崔良娟才 32 岁，在别人眼里她丈夫在外面吃“商品粮”，每月会给家里寄几十块钱回来，日子一定好过得很哩。外人哪知崔良娟的苦处，她上要照顾八十多岁的婆婆，下要拖带四个娃儿，供她们吃喝穿着上学。丈夫虽然在外，但一个男人啥事都不会料理，所以崔良娟还要时不时到太原去帮丈夫收拾收拾，尽尽做妻子的义务。那会儿是“农业学大寨”的高潮年代，你如果经常旷工，也算是觉悟问题。好在崔良娟那时年轻，里外都不耽误，不过这份苦只有她自己知道。崔良娟给我讲的一件事很能说明问题：那会儿她得一个来月上太原一次，男人三十几岁，正是需要女人热被窝的年龄，而且生活也需要女人打理。所以为了每月能上一次太原，她可受大罪了。家里孩子小，婆婆年纪大，都需要人照顾。四个女娃儿，上学的，吃奶的，排着队缠着她。而生产队里的“农业学大寨”活动中，女人们个个被煽惑得像疯婆似的，整日整夜里抢活干，不知死活，不知时间，也不知劳累。拖得崔良娟一回家就想倒在炕上呼呼大睡，但她不行，娃儿们和婆婆还等着她做饭吃呢！于是她只好撑起散了架似的身子，在院子里忙碌。怪也就怪在这儿，村上的男人和女人们见这里外忙得几乎是四脚朝天的崔良娟，不仅从没倒下过，那成熟少妇的样子还越来越招人眼。有吃商品粮的男人在外工作，有热热闹闹的婆婆与娃娃整天围着乐哈哈，有宽宽敞敞的大院子。农民嘛，有这些就是顶好的理想了。她崔良娟全有。说不出什么道理，反正村里人觉得你崔良娟家占的好处太多，就该在什么地方做出点“牺牲”，也好让村里其他人心头出口气。

事情就这么个理，虽然摆不上台面，但有人心里头就这么想的。

崔良娟哪知道这些理儿？她心中只有一个信念：嫁到上董村的张家来，就要操持好这个家，不能让张家的院子少一寸地。

但现在村里修路，没动其他任何一家的宅基地，偏偏将她家的院墙推倒了，而且令人气愤的是竟然没有一种通情达理的说法。崔良娟觉得自己的男人不在家，而自己在家里却眼睁睁地看着别人把老宅基地占了一块，这份“罪孽”重啊！她找公社没解决问题，便跑到县上找领导。找县领导比找公社干部难上好几倍，更何况，那是“文革”打砸抢和揪走资派最激烈的时候。有一次她好不容易打听到一位县长在某个地方，她便去了，可一上那儿就被几个造反派逮住了，问她干什么的？崔良娟说我家里有事找他。造反派说县长已经是走资派了，你这个女人还要找他？造反派左瞧右瞅，总觉得这个俊少妇跟当走资派的县长有什么关系。“搜！”几位女造反派，也不管崔良娟如何叫嚷，把她通身摸了个遍，查出了她身上带的四根自己做的麻花。崔良娟说是自己做的，准备“上访”期间吃的。造反派不信她话，说肯定是那个当走资派县长的什么“亲信”（那会儿还不叫情人一类的词，但意思差不多），这四根麻花很能说明问题。然后又说：“现在是全国上下一片红的时候，你一个女人出远门搞什么上访，这本身就是反革命活动。抓！”崔良娟就这么着被稀里糊涂地关了一夜。大概第二天造反派给崔良娟所在公社打了电话，才弄清了她并非是“走资派县长”的什么人，这才把她放了。回到家，她还未踏进院子，就听院内传出孩子们悲伤至极的哭喊声：“奶奶，奶奶你别离开我们呀……”

“你别走啊，好奶奶——”

崔良娟顿时双腿一软，瘫坐在门槛上。婆婆的死是与宅基地被占有关的，医生证实，当时老婆婆住院时一则气虚，二则她的胳膊有积血。前者是婆婆看到自家的宅基地无辜被占后气的，后者是那次村里来人推墙时，婆婆上前阻止时被人拽着胳膊拉扯了好一阵。婆婆年纪本来就大，哪经得起这么折腾。其间又听到儿媳妇到上面反映情况遇到的坎坷，这一气一忧，结果带着未愈的伤势和冤屈离开了人世。身为媳妇的崔良娟为之受到巨大打击，更觉得自己“罪孽深重”。作为张家的媳妇，在男人没在家时，自己既没守好宅基地，又搭上了老婆婆的命。崔良娟这回豁出去了，她并没有马上把老母亲的死讯告诉在太原工作的丈夫，而是先找到公社干部，想用婆婆的死来换取上级领导的公正说法。公社干部一听事情到了这一步，赶紧派人来崔良娟家做工作，说：“无论如何先把老人的后事给解决了，其他的事好商量。我们是代表公社的，是一级政府哩！得相信我们。”崔良娟是老实的妇道人家，公社干部立下的保证她能不信？在这种情况下，她才叫回丈夫，擦着眼泪将老人入了土。

可崔良娟发现，等她把婆婆的后事处理妥当后，公社对她家的宅基地问题却没有任何动静。她找那个曾经拍胸脯包她解决问题的领导，公社干部告诉她那位领导已经调走。那就找新领导吧，崔良娟不得不又从头说起，新领导说一定过问一下。可他的这一过问就没了“下回分解”。等十几天后崔良娟再去找到那新领导，人家说这事还得找村里的干部。崔良娟发现，自己磨破了几双鞋，结果还是转回了原地。

“你去上面告呀？别看生产队队长官儿最小，可就是毛主席他老人家说的话，要办的事，还得最后落在我这个生产队长头上。你崔良娟脚踩的是咱们上董村的地，你就得接受咱队上的领导指挥，告状没用的。”生产队长抖着“二郎腿”，一副可以领导中央的架势。

崔良娟不服，她不相信共产党领导的天下没有能说理的地方。从此这位年轻的农村少妇便开始走上了一条漫漫的上访之路。

尽管那时还在“文革”期间，但崔良娟不信邪，因为她心里装着两个“保佑菩萨”：一是自己的成分是贫下中农，二是丈夫是工人阶级。但虽有这么硬的“菩萨”保佑，仍不起作用。崔良娟跑了几十回县里、省里，那时大家都在“闹革命”，没有人理会她，倒是岁月的痕迹在这位少妇的脸上留下了几道皱纹。

“四人帮”倒台后，改革开放了，农村又来了新政策，包产到户，联产承包，热火朝天。可令崔良娟万万没想到的是，当年后院被占去的两米多宽的宅基地问题不仅没有解决，1982 年，村上又在她家的前院门口划去一块宽 3 米，长 17 米的地方，说是在这儿要修一条新路通过她家门口。村上的交换条件是：顺着这条线，她家的宅基地往后移动同样大的一块地方。崔良娟是个通情达理的人，虽然“文革”中的那档子事还没有了结，可现在毕竟是改革开放年代。那时她三个大的娃儿都在上学，四娃儿还在她怀中吃奶。丈夫写信来希望她到太原待一段时间，好多腾出些时间为厂里技术革新多做贡献。临走时村上干部找到她，再次向她催促关于在她家门口修路和往后移宅基地的事。

“这回村上事先打了招呼，我服从统一规划。”崔良娟通情达理，去太原前将院子的大门钥匙交给了一名村干部。

可是半个多月后回来一看，崔良娟拍着大腿喊屈：前院已经按村上筑路要求给刨走了一大片，本该往后挪移的地方却被住在后院的邻居李某家高高地砌上了一道墙，并在此墙靠崔良娟家这边又挖了一条深深的沟壑，凡是明眼人一看便知，村上规划中让崔良娟家后移的地盘，后院人家却不准她后挪一寸。

这不明摆着欺负人嘛！崔良娟不能不急了，回头就找村干部说话。村干部为难地说，不是村上办事不公道，而是你后院住的几户人家心里一直妒忌你家。他们眼红，认为你崔良娟和孩子虽然全是咱上董村的人，但你男人在太原工作，你家又是四个女娃，还都是读书人，将来一出嫁，谁还会回这驴子都嫌穷的黄土丘来？将来你崔良娟老了跟着你男人到太原享清福，老宅基地不就成了空院嘛！言外之意，他们占你崔良娟家的宅基，在情理之中，说透了，你崔良娟家这块风水宝地早晚也是他们的。哼，现在不跟你说透，他们先占着用又有何妨？

崔良娟好不生气，心想我娃儿才多大？男人和我也还有几十年可活，人家却如此给我们料理“后事”呀！村里解决不了，她跑到乡里、县里。三级政府意见一致：崔良娟的宅基地应当按集体占用的面积后移，后面的住户不得擅自占用她家的新界宅地。

1984年，乡镇政府法律服务站调解三户占用崔良娟家宅基地的邻居倒墙还地。但由于这三家邻居仗着他们的家族在村上人多势众，拒不腾宅还地。案子交到县法院，法院很快也做出了同样内容的判决，责令那三户人家按时退地。有政府支持，又有法院判决，崔良娟觉得自己有了定心丸，哪知日子一天天过去了，法院规定的日期过了很长一段时间，人家照常在她家宅基地上搭房修棚。更气人的是其中一户姓张的邻居仗着当过多年村干部，现在又在镇政府工作，镇上、县上认识的人多，不仅拒不执行法院判决，而且变本加厉地在崔良娟的院子里建厕所，倒垃圾，并且每天将十几头牲畜赶到她院子。崔良娟实在没法忍下去，便上镇里、县里告状。哪知她每告一次，回来得到的是更多地报复：不是这不见了，就是那被扔出了院子。更可恶的是一次她带着小女儿到太原看病，几天后回到家一掀油罐盖，油不见了，里面尽是粪便……当她含辱洗刷干净油罐后，划火点柴准备做饭时，突然“乒乒乓乓”地响声大作，一团团火星儿直朝她身上窜来……等到她从惊恐中回过神来，瞅着自己衣裤被鞭炮烧焦的一个个窟窿和表皮上渗出的血迹时，不由伤心得抱头大哭。而此时，她的耳边，是从后院传来的阵阵狂笑。

欺人太甚！崔良娟又重新走上过去十余年的上访路，并在这条路上走得不屈不挠，年复一年。而在这条漫长的上访路上，由于我们的一层层干部和办事人员不负责任的工作作风和态度，使这位当年标致的少妇，成了一个满头发白的老太太。

32年啊！在人的生命里能有几个32年可活啊？而崔良娟这位普通的农家妇女为了守护属于自己的一块宅基地，整整走了32年上访路。

1999年春节前的一个星期天，我见到了这位年已68岁的老人。当她得知我是从北京专门来了解她的事情时，不由得又一次老泪纵横起来。她拉着我的手，坐在她家的炕头上，然后拿出一个布袋，“哗啦”从里面倒出上百份各式各样的纸和信封。崔良娟告诉我，这都是她在32年里上访、打官司留下的“纪念”。我拿起翻了翻，有县“革委会”的介绍信，有地区“一打三反”领导小组出示的公函，还有镇政府、县政府、省政府和这些政府下属的法院、土地管理部门等单位的“信访处理意见书”。而在这叠起一尺多高的信函中，我看到特别多的是县长、副县长、市长、副市长、书记、副书记……的一份份批复，那些批复虽然字迹各式各样，有龙飞凤舞的，有中规中矩的，圈儿有画得圆的，有画得鸭蛋似的，但他们的内容却惊人地相似，如“此事一定得解决”，“请某某部门阅办”，“为什么她的问题拖延如此长久？不能再拖了！必须速办！”我看见的一个个领导者批示的“阅办”，“速办”，“必须办”的字眼是最多最醒目的，但就是在这么多层领导年年关注下，年年批复下，崔良娟的事却一直拖到梁雨润来夏县工作之前的1998年还没有解决。

当我请崔大妈谈谈上访的经历时，她突然双手紧紧地抓住我，我先是一惊，但马上明白过来：崔大妈的心又开始流泪了——

“我哪想到自己这辈子啥万元户、五好户都没当上，却被人戴上一顶上访专业户的帽子！”老人长叹一声，说，“我到现在都一直不明白，从第一次上公社告状，找到公社的最大领导，看他白纸黑字地写给大队书记让他退回我家的宅基地问题开始，我看了不知多少领导写过这样的话，批过这样的条，下过这样的指示，但我弄不懂为啥有这么多领导为我说话，为我抱不平，可到头来咋像黄河里撒网，总是打水漂漂呀？我一个大字不认的农民，又是女人家，弄不明白是咋回事，就以为我找的官不够大，公社书记解决不了后，我就找县上领导，县长说话再不算数我就找省委书记。那次我到太原，省委书记还真给我批示了，我高兴得想这回再不会有人敢不退还我的宅基地了。因为省委书记的秘书当着我的面说省委书记托话转告我，你崔良娟的问题再解决不了我省委书记就把夏县分管土地工作的县长给撤了。那回我回到家里，等着好消息。后来，果真县委书记派人来我家，说一定要解决我反映的问题。我盼啊盼，盼了一月又一月，还是不见问题解决。我就又到县里找书记。县委书记知道后也生气得很，朝土地局的局长拍桌子。我当时在场，那局长看上去也挺可怜的，人家这么大的官，50来岁的人了，被书记训得像孙子一样，只会点头，其他的啥都不敢说。我知道县委书记对我的事是认真抓的，我老伴的一个同学是省里的组织部副部长，专门找过这位县委书记请他过问我家的事。但书记桌子拍了，土地局长孙子也当了，可我家的问题还是没解决。我始终搞不明白，那么多的领导，一个比一个大的官，他们可以建设好一个大城市，让几百万几千万的人过好日子，咋到我这儿说话却一点不顶用呀？芝麻大的事，牛刀，铡刀，全用上了，咋还够不上劲呀？

“我左想右想，就是想不通。后来有一次我看了电视《杨三姐告状》的故事，心想我可能差就差在没有找皇上，没有到北京找中央去告状呀！对，我一定要上北京去。那儿是毛主席住的地方，邓小平住的地方，党中央住的地方，天王老爷也没有比北京的官再大了。老伴和孩子们不让我再折腾了，我就瞒着他们跑到了北京。你们北京可真大，人也好，一问到哪儿就会有人马上告诉你。

那些部长那么大的官，亲自接待我，当着我的面给下面打电话。不像我们山西有些地盘上，我站在一政府大门口想向领导递个状子，他们就出来个保安啥的，也有公安局的，啥也不问就说你是盲流。我有几次被他们无缘无故地当坏人抓了进去。六七十年代时，我还没老，一个女人家自己就出来了，到城里告状，有些部门里的人坏着呢，一听说你是找他们来上访的，就两眼贼溜溜地在你身上打转。你急死人，问他啥时能见某某领导，他嬉皮笑脸地问你，帮你找领导可以呀，但你会给啥好处呀？我心想穷得连上访的路费都没有，还有啥好处给你呀。便说：'我可以给你打扫办公室。'人家一听就冲我哈哈大笑，说乡下农民就是傻。其实我心里明白，他们说我'傻'，我就来个以'傻'装傻。后来我再出来时就带上四娃儿，就很少再碰上这类事，他们一看到我的娃儿哭，马上态度就变得凶狠起来。等我年岁大了再出来告状时，那些官不大脾气却很大的人就更多了，常常我的腿还没有迈进门里，人家就一句'疯婆子又来了'，便把我架到收容所等啥地方去了。苦啊，天底下恐怕再苦也苦不过上访人……

"那是别人不把你当人看待的那种苦。可这样的苦对像我这样一心想解决问题的人来说，又算啥？我想能把被占的宅基地要回来，我也对得起死去的婆婆，对得起远在太原工作的男人，也对得起几个娃儿。你问我为啥不死心跑了那么多年？啥不死心，我不知有多少回死心了。可每回死心后又回过神一想：咱是共产党领导的社会，老百姓的天下，总有说理的地方。不是总在说共产党是为人民服务的，所以每回死心后，一想到这儿我的心就又活过来了……"

崔良娟说到这儿松开了我的手，埋头整理起那堆记录她 32 年上访之路的公函与材料。

望着这位银发满头的农家老太太，我的心头说不出有多少感慨：32年！谁会有这样的毅力？谁会带着某种不息的希望和信念，能维持如此漫长的岁月？仅仅是一块宅基地，仅仅是需要收回属于自己的那份财产，她付出了32年的岁月与尊严！

这就是中国的老百姓。

这就是被世人们称之为天的中国农民。

按理说，像这种宅基地等民事纠纷，又是不被人待见的陈年老账，一般可以不列入纪委所辖工作范围，但梁雨润用恰恰相反的态度来对待和处理这样的事“你又要接这碗夹生饭吃？”信访室主任老胡一见梁雨润拿着崔良娟的状子来找他，便知这位年轻的上司又要做什么了，于是摇摇头，又笑笑。

“咋，你又要好言相劝了？”这回梁雨润也朝自己的得力干将笑笑。

“我知道劝是劝不动的，但作为比你在夏县多待了几十年的老同志，我有责任尽可能地帮助自己的领导尽量不陷入困境。”

“这个我爱听。”梁雨润搬来一把椅子，几乎是脸挨着脸地请老胡把话说完。

老胡知道梁雨润不抽烟，便只给自己点上一支烟，然后说：“据我所知，崔良娟老太太这桩事，已经有几任县委书记都插手管过，但至今没有解决，我想肯定里面的事情不是一般的复杂。当然我说这话正好有点像激你似的……”老胡说到这儿，朝梁雨润瞅了一眼，“我知道你好啃那些别人认为难啃的骨头。所以……”

“所以这件事我是一定要管到底的。”梁雨润站起身，拍拍老胡的肩膀，对天长叹一声，“你老胡知道我为什么对这样的事特别急着上手吗？”

老胡仰起头，想听听这位年轻上司那种坚韧不拔专啃硬骨头的动力所在。

“你想想老胡，一个连字都不认得几个的老实巴交的种地人，到底为了啥要一次次跑到县城、省城和北京去上访告状？而且一上访就是几十年啊？你我行吗？不行！肯定不干了，说不定跑几次没结果就再不跑了。不跑了心里又在想什么呢？肯定是灰心丧气了，或者根本就不相信谁了。我说的对不对？可人家庄稼人都实在，他们为啥跑了那么多次没有啥结果后，还一次次、一年年地跑啊？为啥？就是因为他们心里装着对我们党的信任，对我们这些共产党干部还有一丝希望，他们相信天底下虽然有不公平的事，但总会有人给他们主持正义，为他们服务呀！你想想，他们不惧任何困难，不畏任何耻辱，甚至敢用一生的时光，全部的生命，来找回这种对党、对政府，对我们这些干部的期望和信任，你说比起他们的这种执着和牺牲精神，我们还有什么可顾虑和担忧的呢？还有什么架子不能放弃？还有什么理由不去认认真真地、实实在在地为他们化解矛盾，平反冤屈？其实农民们上访几十次、几百次需要我们帮助他们解决的问题并不难啊！可为啥老没有得到解决呢？就是因为我们这些当干部的当领导的，不能像为自己的子女安排工作，晋升职务那么认真地去做，去动脑筋而已。说句良心话，老胡你讲我说的是不是这个理？”

此刻，老胡的两眼已经湿润润的：“梁书记，听了你的这番话，老实说我感到很惭愧，而且我想有这种惭愧感的不仅仅是我一个人，应该有相当多的人。不说了不说了，处理崔良娟的事，你给我安排任务吧，我请求参加。”

梁雨润欣慰地笑了：“行，你算一个。另外我想这件事可能比较复杂，解决起来难度大，所以纪委再派一名常委带队，会同法院同志一起去。你们下午就到上董村去，这事不能再让百姓等了，一天也不能等了！”

“是。”

工作组进驻崔良娟居住的上董村后，果然发现这件拖了32年的宅基地事件解决起来难度不小，根本的原因是与崔良娟宅基地相连的三家邻居中那位张某，当过几任村干部，现在又在镇上工作，所以崔良娟告了几十年，法院也判了三四次，但没有一次可以付诸实施。张某当着村干部的面不止一次扬言：领导批示、法院裁决能顶啥用？就是皇帝下圣旨他也管不了我脚跟底下的事。梁雨润派去的工作组找到张某谈话，张某百般狡辩，无理强占三分，依然一副天王老子也管不了他的架势。

张某也算是个“官”，太知现今官道上的奥妙了。他说：“你说一个省长、县长管得了天塌地裂的事，管得了千万人的苦与乐大家都相信，但是否能管得了几户农民家发生的宅基地纠纷？好，你管行啊，你法院判也行啊，中央发文件我都不怕哩！我早晨拎着裤子一泡尿撒他家墙根里，晚上睡觉前一泡屎拉在邻居的院中央，你是派警察还是让军队来天天看着我？哼，老子啥也不怕，你省长、部长，这个‘批示’，那个‘速办’，到我这儿呀，啥都得听我的！老子想咋办就咋办！看你们能怎么办！”

工作组成员气得说找村长、镇长来跟他谈。

张某更得意地说：“行啊。这儿的村长、镇长哪一个上台没有我的推荐？你们把他叫来，看谁听谁的。”

工作组成员说：“这次你别再想拖着不还崔良娟的宅基地，否则我们就进驻你家一直到你退出为止。”张某一听哈哈大笑：“那我巴不得呢，热烈欢迎你们进驻我的家，我正愁着盖了那么多房子不能像城里人一样出租呢！嘻嘻。”

看着工作组成员气呼呼地像所有曾经来过的无数个工作组一样双手空空地返城时，张某的脸上堆满了得意的阴笑。

“呸！你告，再告 100 年也没用！”张某路过崔良娟家时，操起一根树枝，“唷唷唷”地将几头猪崽往崔良娟家的院子内赶着。熟门熟路的猪崽在主人的吆喝下，摆着尾巴，晃晃悠悠地遛进他人的院子。

“难道就真的没法让这样的无赖就范了？”梁雨润听完工作组的汇报，思忖着对付张某这种人的办法。

“那张某什么也不在乎，该占人家的地照样占着，而且可能会变本加厉。”工作组的同志说。“法律也治不了？”梁雨润又问。

“嘿，法院已经先后判过三四次了，到他那儿等于一纸空文，啥都不顶。”梁雨润点点头，说：“张某这个人可能还懂点法，所以他这么多年一直胆大妄为。不过他再聪明也还是差了一点知识。”

“啥知识？”

“中华人民共和国民事法规定，凡拒不执行法院判决的，可以对其采取强制执行措施，对仍然拒不执行者，可以采取拘留等强制手段……”梁雨润手里捧着的是一本《中华人民共和国民事法通则》。

“太好了，这么说我们是可以通过法院手续，对张某进行强制拘留处理！”

“立即行动！”

当日下午，法院和工作组的成员，持着拘留张某的手续，再次来到上董村。当着众村民的面，向张某宣读了法律“拘留文书”。

“你们不能抓我，我儿子在北京当武警呢！我要让他回来告你们——”这回张某急眼了。在临上警车时大吵大闹起来，但一副冰冷的手铐已紧戴在他的手上……

在拘留所里，张某依然心存一丝希望：只要等儿子从北京回来，看你们放不放我出去。一出去，啥事就是我说了算。哼！

果真，在张某被拘留的第三天，身着武警服装的儿子从北京回来后，立即怒气冲冲地找到纪委，责问凭什么抓他父亲，并指责纪委这是“蓄意打击现役军人家属”，如果纪委不从速放人，他要上北京找某某人告梁雨润他们。

梁雨润得知后不动声色地让人将张某的儿子叫来，然后严肃地对他说：“你身为现役军人，又是武警，应该更懂得所有公民都必须遵守中华人民共和国的法律。你父亲多年拒不执行法院的判决，擅自占据他人宅基地不还，对这种严重违法行为，你无论作为他的儿子，还是作为一名现役军人，都有责任帮助他好好认错，并立即服从法院判决，而不是助纣为虐，是不是这样？”张某的儿子带着一腔怒气进的纪委，出门的时候已经心平气和了，他整整警服，知道自己应该做什么了。

“儿子！你总算回来啦！太好了，怎么样，他们得把我放出来吧？什么时候放呀？”在拘留所的张某一看儿子，欣喜若狂。

儿子说：“爸，是你不对，干吗一定要占崔婶婶家的宅基地嘛！”

张某一听儿子这话，顿时像泄了气的皮球，一头瘫在水泥地板上，逞了32年的威风荡然无存。他有气无力地说：“你这个傻儿子，我这还不是为了你吗？唉，我这几十年折腾啥嘛！”

在拘留所待到第六天，张某终于痛哭流涕地要找梁雨润书记当面认错。

“不是向我，而是应该向为了从你这儿重新获得尊重的崔良娟一家认错赔罪。俗话说，人心都是肉长的，你应当比我更清楚，她崔良娟从当年的一个小媳妇，一直上访成满头白发的老太太，我们是不是心里应该感到罪过啊！”梁雨润语重心长地对张某说。

“我理亏。我不是。我回去马上把建在她家宅基地上的三间房子拆了，退回多占的地。梁书记我向您保证：今后我假如再敢把脚朝崔良娟她家多伸出一寸，我愿受天打雷劈！”

“哎——这你就说错了。你们是邻居，应该友好相处，相互信任和帮助。只是不要再抢占属于人家的地盘和财物便是。”

在张某的带头下，其他多占崔良娟家宅基地的另两户邻居也随后向崔良娟家赔礼认错，归还了多占之地。就这样，这起让一位农家妇女走了32年上访路的民事纠纷，终于宣告处理完毕。那天，崔良娟一听说我是从北京来的，还不无感慨地拉着我的手，走到那堵耗去了她32年精力的新墙前，热泪盈眶地说："32年啦！兄弟啊，第一次出门上访时我比你还年轻不少哩！你看看我现在……"

我有些不忍地看看她那张布满刀痕般皱纹的脸和缕缕银丝飘动的头颅，心头不觉阵阵发痛。当老人听说我要写梁雨润书记的事迹时，她便拉我坐在炕头滔滔不绝地讲了起来。

"你可一定要写好他。一定啊！"那天临别时的一幕永远留在我的记忆中：当带我前往上董村采访的车子已经发动并走出几十米了，我从反光镜中突然见她朝我挥着手，我赶紧让司机停下，以为出了什么事。

崔大妈迈着颤巍巍的步子，奔跑着过来，伏在车窗前气喘吁吁地双手再一次拉住我的手，说："梁书记是个好书记，你千万要写好他，啊！"

我默默地点点头，泪水噙在眼眶有种说不出的滋味，但心里在向老人保证：我一定会的。

回城的路上，汽车飞驰在田野上。我的思绪一直被崔良娟老人的话和她在过去30多年的风雨中喊屈叫冤的身影牵扯着，长思不解地想着一件事：如果有干部在32年前就能像梁雨润这样认认真真地把事情解决了，那这个崔良娟将是怎样的一个形象？如果今天夏县没有梁雨润书记的出现，那崔良娟这位农家妇女的命运又将是什么样呢？

汽车还在田野上飞驰，我的问题没有答案。

这使得我更想从梁雨润身上寻找更多的东西。

很巧，那天从崔良娟家回城的路上，遇见了另一位得到梁雨润帮助的农民。他叫李卫国，是个残疾人。因为残疾和家贫，天资很高的李卫国没能在高中毕业后继续上大学，他开始自学医书，并获得了一个行医执照，在自己家所在的小镇上行医。李卫国十分注重自己的行医道德，从来都是一丝不苟。可偏偏有一次出了问题。那是 1998 年年末的一天，他在给一位农民看病时，开了一副从县医药公司水头批发站买回的药。患者服用后，突然感到不适，副作用极其严重。仔细一看，原来那药已经变质，药丸的外壳出现了裂缝，他便找到李卫国。受害者家属当时说的话很难听，李卫国感到无地自容。其实李卫国也是一肚子冤屈，因为他并不知从县医药公司进的货会出现质量问题。第二天他便拄着拐棍，先到县药检所化验，结果证明确实那药有质量问题，于是他便找到县医药公司索赔——既为经济损失更为名誉伤害。哪知人家并不把他当回事，爱理不理的。李卫国急了，坐在经理办公室不走。药材公司经理恼怒起来，从街头找来两个人，威胁李卫国说，你要再赖在这儿，老子把你的两只胳膊也废了！双腿残疾的李卫国打小自尊心特强，哪受得了如此屈辱！

从此这位青年农民，拖着一双残疾的腿踏上了寻求伸张正义的上访之路。他到过县上，也到过运城市委，见的领导和干部不下三五十个，但都令李卫国无比伤心和失望。那些领导的门是很难进的，因为他们通常十分注意“形象”，所以一见有人拖着残腿一拐一跛地在自己的门口晃来晃去，就会显出一副不耐烦的样子，好的听你三分钟话；腻的干脆搪塞说“有事”便让秘书一类的人“接待接待”。这一接待事情就常常变了味。好点的会说：“你把相关的材料留下，人先回去等消息。”恶劣的就不用多说，什么“制造不安定因素”，“闲着没事跑出来想榨油水”云云。开始李卫国还很当回事，对那些所谓的“好点的”，他几次感动得直流泪，甚至在人家已经赶他出了门后，他还傻里傻气地跑到街上买条烟什么的回头再给人家送去。而对那些不把他当回事的“恶劣行为”，李卫国气得也直落泪。可时间一长，见惯了，听惯了，也见怪不怪了。然而不管是“好点的”还是恶劣的，最终结果都是一个样：对他要求解决的事，总是石沉大海，有去无回。

有一次印象最为深刻。那是他在县委办公大楼里发生的事。李卫国打听到某某领导正在二楼的办公室，便想求得一见。可根据以往的经验教训，像他这样的残疾人，想直接进领导办公室，结果总是被轰出去。所以这回他等候在一楼楼梯口边的那间厕所内——这里既不会被人轰出去，又便于一眼看到从楼上下来的人的模样。从早上 8 点进厕所，一直等到中午时分，李卫国仍没有见到那位领导。熏人的臭味和饥饿的肚子，让他不得不再次闯一闯领导的办公室。当他拖着残腿一步步艰难地爬着楼梯时——因为水泥地滑，他的一双拐棍不能用，所以只能靠双手和膝盖骨的力量一步一挪往上爬行。你想县委办公大楼是个什么地方？人来人往，忽见楼梯上出现这么个残疾人上气不接下气地爬行，谁见了都会惊讶的。

“怎么搞的，堂堂县委办公大楼怎么成乞丐爬来爬去的地方啦？保卫科的人干什么吃的？”突然，李卫国的耳边响起一个异常愤怒的声音，当他抬起头时，这位残疾青年农民的脸凝固了：这不就是某某领导吗？是他，一副夏县百姓许多人都认得的面孔！！

“……”这就是李卫国盼望了多少个日子渴求见一面的领导吗？然而就在这凝固的时间里，心中装着千言万语的李卫国却说不出半句话来，他呆呆地仰着头，眼巴巴地看着那领导从自己身边走过。

“呜——”不知过了多少时间，李卫国伏在楼梯的水泥台阶上，哭得双肩像拉动的风箱：“我要是早知道人家领导是这样儿，我根本不会忍受一次又一次的屈辱，像狗似的用四肢伏在地上爬着楼梯去见他。真的，打那次看到人家领导这么对待自己的老百姓，我的心彻底地死了，从此再也不想为自己的冤屈寻求一个说话的地方了。你想，人家当领导的都这个样，你还能期望那些普通的干部和办事员能为你一个小农民服务办事？更何况我这样一个不招人待见的残疾农民！”李卫国告诉我，那次伤心经历后，他曾有过一个念头：“寻找机会，到坑害我的县药材公司，放一把火，烧他妈的精光，连同我自己一起烧为灰烬！反正我这样的人不值钱。可我想光自己死太亏了，怎么也该把那些不为咱农民办事说话的人一起拉着去见阎王！可就在我准备实施‘计划’时，梁书记出现了，他不仅妥善解决了我与药材公司的纠纷，而且拯救了我的灵魂，唤回了我对咱们党的信念……”

李卫国的话并没有夸张，因为要不是那天正在县委信访室值班的梁雨润，无意间知道了李卫国的事，并且在短短几天时间内帮助李卫国重新赢回了他视为生命一样宝贵的“信誉”——县药材公司当面向他承认所批发的那批药材有质量问题，并公开赔礼道歉，也许夏县又多了一起震惊省内外的恶性事件。

“其实根本不是我梁雨润有什么特别能力，只是我觉得像李卫国这样极其需要帮助的农民，我们当干部的只要主动弯一下腰，去倾听他们的呼声，再费些时间和精力去为他们做些本属于我们分内的事，那就会化解一切天大的问题。关键是要看我们对百姓有没有真正的感情和能否将心比心。”其实，梁雨润得民心的“法宝”就这么简单。而这简单的“法宝”，在实际工作中一旦用上，就这么灵验。

残疾青年农民李卫国原先连杀人的念头都有了，可经梁雨润亲自出马做工作，他不仅连当初向县药材公司要求索赔的5000元都一分不要了，而且特意雇了一辆车，敲锣打鼓到县城，给梁雨润送去了一面写着“人民好公仆”五个大字的锦旗。

我见到李卫国时，他给我说了一句发人深思的话："我们农民是生活在最底层的人了，别人总不该再骑在我们头上张牙舞爪吧？"

当下我们的一些干部和领导，他们不仅对农民和百姓缺少关心，而且真的常常是骑在人民的头上张牙舞爪，为所欲为，这样的干部和领导者，人民不恨他才怪。

# 第四章　寸土必争是本色

什么事在农民的心目中最神圣？什么是农民的命根子？

毫无疑问，当然是土地。

土地不仅是农民的命根子，其实也是我们所有中国人的命根子。

中国是个农业大国，在漫长的五千多年文明史中，除了只有近代不到一百年的工业化进程之外，中国的全部历史都是农民的历史，或者说都是土地化革命的历史。即使在今天，土地仍然是影响中国现代化历史进程的最重要因素。

土地上发生的每一件事，都将推动或者制约中国的现代化进程。中共中央已经在近十几年的时间里每年颁发的“一号文件”，都是与土地直接相关的农业问题。

中国的土地，决定着中国昨天和今天的命运，还将在很长时间里继续决定中国未来的命运。用现代时髦的话讲，城里人对财富的理解是以资本的多少来衡量的，而农民们对财富的理解则是看自已对土地的占有情况。农民对土地的渴望与拥有，其实远比现代人对资本和财富的渴望与拥有要强烈得多。

土地从本质上体现的是农民的绝对的财富价值观。因而土地的拥有或丧失其实就是农民们的根本利益的得与失。

明白了这层意思，我们就不难理解像崔良娟这样的农家妇女，为什么可以几乎是用了半辈子的时光，仅仅是为了争得咫尺宅基地的拥有权的全部意义了。然而在广大农村，像崔良娟这样寸土必争的农民以及他们寸土必争的信仰，又何止仅仅体现在对自己的宅基地上。

1999 年 4 月 8 日是个大雨天，这一天是梁雨润的“群众接待日”。瓢泼大雨不停地下着，从昨天的深夜一直下到今天的上班时间仍未见停。8 点整，梁雨润准时从自己的办公室来到县委信访接待室。这时有一位 60 来岁的老人进了门。梁雨润感到有些惊奇，因为老人从上到下的一身装束完全是陈永贵式的——头扎毛巾，一身黑裤、黑袄，那腰间系着的是一根用草绳编织的裤带，黑袄上有数处已破，里面露出几缕发黄的棉絮，一看便知是从山里来的农民。

“大伯，您是山上哪个乡的？”梁雨润给老人搬过椅子，端上一碗热茶。

“哎哎，我是庙前镇井沟村的，叫庚银项。”

“您老为什么浑身都湿透了？刚刚被雨淋的？”梁雨润伸手摸摸湿袄，关切地问。

老人的眼睛开始潮湿了，浑身一个冷战，然后全身哆嗦起来：“梁书记，我为了见到你，已经在那儿，你看就是那儿……”老人指着窗外的县委办公大楼的侧墙，“那儿的屋檐下，我在那儿睡了两宿。今天总算等到你了，算我没有白给雨浇了……”

梁雨润感到心头一震：“您老就为见我两晚都睡在屋檐下？是雨水把您浇成这个样？啊？”

老人“嘿嘿”一笑：“是啊，可我值啊，总算把你梁书记等着了。嘿嘿。”

梁雨润眼眶里的泪珠在打转：“老人家，您这么大年岁，咋睡露天嘛，可容易得病呀！”

“梁书记，呜呜呜……你可要给我们农民做主啊！我已经跑 8 年了，再跑下去我连这身破棉裤袄都穿不起了。呜呜，呜——”老人伤心地哭泣起来。

“您慢慢说，大伯，有什么冤事只管跟我说。先喝口水——”梁雨润动情地说。

“哎，梁书记，是我们村里的支书，他——”庚银项老人开始讲述起他这 8 年来一直为土地的事而奔波的遭遇。

梁雨润听完庚银项老人的叙述，火就来了，那只大巴掌重重地落在桌子上：“大伯，我一定在 7 天之内给您把这事解决了！”

“7 天？”

“对，7 天。只要事情属实，我用一个星期时间给您把事办了！”

当日下午，在梁雨润的统一安排下，一个专门办理庚银项老人举报问题的专案组出发了。经过以纪委王武魁副书记为首的专案调查组三天多时间的连续调查核实，庚银项老人反映的问题基本属实。问题的真相大体是这样的：

庚银项是夏县庙前镇井沟村六组村民，原该生产队队长，后来生产队改为生产小组，他是该村六组组长。这是个自然条件比较差的村落，农民们赖以生存的仅是一年打不出几担粮食的土地。农村实行包产到户后，他们更加珍视脚下的土地，坚守着祖先留给他们的每一寸良田。1984 年，庚银项所在村民小组的王某当上了井沟村的党支部书记。作为庚银项一手培养起来的娃，庚银项打心里希望王某能当好一村掌舵人，时刻想着村里的父老乡亲。但王某当了支部书记后，想的不是全村百姓的事，而是盘算着如何用自己手中的权为自己多谋私利。井沟村地处中条山腹地，几个自然村非常分散，自然村与自然村之间的生活条件差异不小。

庚银项老汉的六组比起村委会所在地的五组就要差得多，王某身为村支部书记，平时家在六组，开会则要翻过几个丘峁到五组那儿的村委会所在地。这事一直让王某心里很别扭。客观地说，为了工作方便起见，王某有心把自己的家迁到五组并非全部是搞特权。但问题出在王某后来确实利用了特权并让农民的实际利益受到了损害。1987 年，原五组的村民河南籍老乡迁回了黄河东边的老家，使得五组多出了 20 多亩承包地。

身为书记的王某见时机到了，跑到乡政府那儿先把自己全家的户口从六组转到了五组自然村。回头又找五组组长商定，把自己在六组席家坡的 24 亩承包地带到五组作为“迁户之礼”。由于农民对已经属于自己承包权的土地格外看重，虽然王某是村支书，但五组村民对于他的迁居一直暗里对抗着不乐意。来一口人占一份地，就等于从别人的饭碗里抢走一口饭吃。再说席家坡的地比起五组的耕地来，肥瘦程度不可比。但念在王某是村支书和他能从六组带来 24 亩耕地份上，王某迁居这事勉强办成了。可六组的村民不干了，你王某是支书，爱富不爱贫可以理解，因为你手中有权，可以往条件好的自然村迁户，但你不该带走 24 亩地。按照 1979 年 9 月 28 日中共中央颁发的《关于加快农业发展若干问题的决定》第二条第五款之规定，像王某原居住地的承包地是不能随家迁出第六组自然村的。令六组村民气不打一处来的是：王某把 24 亩地擅自转让给五组后，五组因为嫌路远耕作不方便又把这些地的承包权还给了王某一家，而王某凭着他是村支书，在五组那儿他一家获得了那位迁走的河南籍村民留下的承包地，这边他又把在六组原有的 24 亩地划在自己户下，并且把这 24 亩地又转包给了别人。

庚银项和六组村民不干了，他们知道这是王某利用职权做了违背中央土地政策的事。于是他们就到乡里、县里反映情况，以求把属于他们六组的 24 亩土地要回来。庚银项告状的事让王某知道了，很生气，一句话就将庚银项的六组组长职务给撤了。

王某这么做明摆着是以权压人，罢一个人的职是小事，但以权谋私，违反国家农村土地政策，危及席家坡父老乡亲子孙后代利益是大事！庚银项在村民们的支持下，从此开始了长达8年的上访，要求政府和党组织出面纠正王某的做法。庚银项一次次走出山村，来到县上、运城市向上级反映情况，8年间在他的那份“上诉材料”上，写满了各级领导的“批示”，然而问题却始终得不到解决。原因并不复杂，因为像所有上级对农村的指示精神一样，真正要落实时还得找村一级干部来实施。井沟村的事王某身为村支书，他能不知道？更何况庚银项“告状”针对的正是他这个村“第一把手”。

“老子辛辛苦苦当支书，这么点事你们还要告个没完啊？”王某开始并没有当回事，但年复一年，他已经无法做到“宰相肚里能撑船”了，竟然下令“他姓庚的再告状就别想回村。出了山，他庚银项爱到哪告我管不得他，但要想再回村咱就得收拾他！”

就这样，为村民争土地而上访的庚银项老汉，变成了一个长年有家不敢回的“流浪汉”。原本便是一贫如洗的山民，一旦离开了山村和土地，哪有法子过日子？上访上诉，本是件耗时耗钱又耗神的苦差，而如今身为“流浪汉”的他，更是吃尽了苦头。为了省钱（其实庚银项身上根本就没有钱），他只得时常夜宿街头，像那天见梁雨润的头两天夜里睡在县委大院的屋檐下算是“好运”的了，至少不会半夜三更被那些刮地皮财的流浪汉们赶来赶去，或者敲诈勒索。令庚银项气愤至极的是一些部门的官员和办事秘书，明明知道他是一位正儿八经有事要向政府和组织反映的上访农民，却拍桌子瞪眼地硬说他是“疯老头”，让保安一次一次拉出去送到收容所……屈辱和无奈伴着庚银项度过了一个又一个不眠之夜。他曾几次从收容所逃到中条山那个自己的家，但天一亮他又不得不含泪离家，因为一旦被王某知道他这个“钉子户”回村，就会派人前来抓他。人家的理由很“充分”——据上级有关部门来函，庚银项在外面有妨碍社会治安的表现，村委会根据村民治安条例进行处理。服不服？服的话就交罚款；不服？那就送乡派出所！派出所哪是好去的地方？轻则受训，重则一顿皮肉之苦——这在那些素质低下的山村小镇是常有的事。庚银项欲诉无门，欲哭无泪。如此处境，正是“八年啦——别提它”！

梁雨润知道整个事情的调查结果后，极为震惊和气愤，立即会同县纪委和镇党委负责人，一起来到井沟村，对村支书王某的问题进行了现场办公处理。在事实面前，对照国家相关政策和条例，王某承认了自己的做法是错误的，对过去几年中对庚银项上访的处理存在个人打击报复的行为，表示立即按政策向席家坡自然村退还24亩土地的所有权。

那天，当梁雨润把乡党委关于给王某的党内警告处分和乡政府土地经营管理站关于向井沟村第六村民组归还24亩耕地的两份决定书附本，带给刚从山外流浪8年多归来的庚银项时，这位刚直不阿的农民老汉，跪在地上，手捧黄土，激动得泪流满面，他向在场的干部一再地表示自己再也不离开家乡，一定要带领乡亲们把这儿建设成富足的乐园。

这样的场面并非电影镜头。它教育的也不仅仅是像王某这样的村支书，梁雨润在处理一件件农民上诉案中，同样受到极大教育。

“现阶段的农民日子并不好过，特别是像我们夏县这样地处黄土高原的贫困县农民，他们的日子更是过得艰辛。要是再有人任意侵占他们的利益，那是天理不容！”梁雨润不止一次这样发出感慨。

与庙前镇井沟村同在中条山上的祁家河乡，是夏县这个贫困县中的贫困乡。该乡距县城136华里，是个有名的“三边乡”（黄河边、省界边、县界边），当地有民谣这样描述祁家河，叫作“脚浴黄河水，头枕中条山，左右牵两县，夏县最边沿”，这儿的雄鸡一叫，能让三省的人听见。梁雨润的得力助手、县纪委副书记王武魁当过这儿的公社书记，我本想跟他一起上山实地看看这块“一鸡鸣三省”的穷乡僻壤，但王书记告诉我从县城到那儿来回得用三天时间，这让采访后急着返京的我不得不留下了遗憾。

这个乡在梁雨润来夏县当纪委书记前有过一件事，让县里犯了几年的难。这就是该乡西北庄村有件事让全村的农民集体上县城闹了好几回，为啥？这得从头说来：西北庄村是个严重缺水的山村，村民们祖祖辈辈吃水都是靠到几里路外的地方去人背马驮。改革开放了，外面的世界一天比一天精彩，农民致富的一条又一条消息也通过电波越过中条山吹进了大山深处的西北庄村，但这里的村民们苦于缺水而无法圆自己的致富梦。在夏县，像西北庄村这样的穷村何止一两个，所以纵使西北庄村民多少年来曾经想过无数办法，想一解水源之苦，可是终无结果。1995 年，一位从西北庄村走出去的段先生得知自己的家乡仍然生活在“滴水贵如油”的窘境中，便请求一位在另一个比较富裕的县里当人大领导的同学帮助从省有关部门要了一笔以工代赈人畜吃水款给自己的老家西北庄村。于是山西省计委将 17 万元的一笔专款拨到了夏县计委，明确是给西北庄村用于解决那儿的人畜饮用水的。

村民们听到这消息，可谓欣喜若狂。那是他们盼了多少年才从“天上掉下来的馅饼”呀！村民们把这笔钱视为脱贫致富的全部希望。他们得知喜讯后，群情振奋地自发行动起来，为赶来年春天能使庄稼和苗圃用上水，全村男女老少，在寒冬季节便背起铺盖，自带干粮，上山打炮开路，干得热火朝天。有的村民则用自备资金在自己的田头宅地开始动手修建水池水窖了。然而就在村民们流血流汗苦干拼命干的一天又一天里，人人皆知的“天上掉下来的馅饼”却迟迟不见落到西北庄村百姓手里，而且不知到哪儿去了。使得已经全面铺开的水渠工程不得不放慢速度，最后到了无法再开工的地步。这时村民们才慢慢清醒过来，询问村干部到底是怎么回事？

村支书装糊涂，村长支支吾吾说不清。

“这人畜可以忍一忍，再不济就上几里外的地方驮点水回来喝，可地里的苗咋办？大伙知道今年可以把水管铺到村头，便都种了苗圃。你们咋骗到咱自己人的头上来啦？啊，不说清楚钱到哪儿去了，你们就别想睡囫囵觉！”村民们积怒成火，天天围着村长要他交代钱的去向，这可是他们的救命钱哪！

西北庄村村长人称“黑脸”，可他这“黑脸”不是秉公执法的包公黑脸，而是喜欢贪点小便宜的有点黑了心的“黑脸”。一向精明的“黑脸”村长这回可是尝到了贪小便宜的苦头了。村民天天到他家讨个说法，弄得他家都不敢回。收成时节，“黑脸”想回家把地里的粮给收了，结果村民们知道后，举着镰刀棍子来田头找他。“黑脸”顿时吓得脸色由黑变紫，从此他再没敢回过村。

村民们还上县里一次次闹，“黑脸”像只过街老鼠，见人就躲。可躲得了初一躲不过十五，“黑脸”理了理在这一年多变白的须发，忍不住泪水纵横。有一次他在街头听人说新来了一个纪委梁书记，跟“包青天”一样，啥难事他都能解决。“黑脸”想了一宿，第二天一早，从借居熟人的一间畜棚里走出来，耷拉着脑袋来到了梁雨润办公室，交代了经他之手的那 17 万元解决村民用水专款的去向——原来，在县计委收到省计委的拨款后，“黑脸”村长便和村支书到县城有关部门领款，第一笔 10 万元款当日拿到。可就在这时一位神秘角色——张某出现了，此人虽仅是夏县某单位的普通职工，但却很有背景，要不怎么会连西北庄村得到了省里一笔扶贫性质的拨款他都像饿狼嗅到腥味似的能知道得一清二楚。世上的事很怪，像夏县这样一个县乡两级公务员、教师等工作人员连工资都不能及时发放的贫困县，却有人把目光盯在了那些百姓的命根子钱上。“黑脸”拿到这笔特殊的拨款还没来得及出县城，那位张某便在“黑脸”村长从工商银行取款出大门的同时，十分热情地在一位“中间人”引见下，跟“黑脸”套上了近乎。

一顿狗肉加酒水，灌得“黑脸”成了连说话都不利索的大红脸。

“我说村长，你老说村里穷，其实还是你们的观念和意识跟不上。”张某知道到时候了，便把酒杯重重地放在了“黑脸”面前，一副城里人对乡下人不屑一顾的样儿。

“你小张错了，我黑脸天天也看电视广播，啥观念意识跟不上，是老天给我们赤贫的中条山人没留下一条致富之路，咱村上别说天天没酒喝，就是洗脸做饭的水也要像炒菜用油那么省巴着才行，你说咱们有啥办法？”

张某摇摇头，笑嘻嘻地朝“黑脸”挤挤眼：“No，No，我说你村长大人就是缺少观念和意识，你还不服？就凭你村在山旮旯那个地方想像城里人一样整天有肉有酒的吃喝当然不行嘛。可你们也有不少致富的门道，问题出在你这样的村长没有魄力上。”

“我没有魄力？”“黑脸”眼珠顿时瞪得溜圆。

“哎嘿，就是欠点火候。”

“哐——”“黑脸”借着酒劲，将杯子往桌上重重地放下，像真要赌一把似的询问张某：“你张老弟今天只要能说出一个可以铆钉的地方，我黑脸身为中条山上的一条汉子，敢拿出咱西北庄村一棵铁树供你！你只要能说出让我信的铆钉地方，我就敢！你说！”

张某狡黠地一笑，还是一副瞧不起人的样儿。

“黑脸”急了：“咋，就你城里人是好样的，我们山里人都是孬种？呸！老子的口袋里也不都是装黄土的！”“黑脸”重重地拍了拍那个装有10万元现金的手提包，颇有几分蔑视的眼神瞅了瞅张某，便只管大口大口往下灌酒。

张某心里乐开了花，脸上却做出一副极其敬佩的样儿，凑近了说道："我正要承包一个饭店，饭店的老板娘是我们夏县某某局长的婆姨……"

"黑脸"头一扭："说这事干啥？关我屁事！"

"嘻嘻，怎么没关？有关！而且是很重要的关系哩！"张某开始做圈套，"你大村长不是找不到致富路吗？我今天就给你引来一条致富路。嘻嘻，就看你大村长是不是真有这紧跟形势的观念和开拓意识了……"

"具体一点。""黑脸"不耐烦地。

"好。兄弟见你村长是明白人，我就长话短说。"张某终于掏出了引"黑脸"上套的钩，"你不会不知道在城里开个饭店就像在自己家设了个钱庄。我张某人把你黑脸大哥当作自家兄弟，所以愿意合股与你共同经营这家饭店，如何？"

"黑脸"晃晃头，自言自语道："我没醉糊涂吧？"

"玩笑，谁不知中条山上的汉子，个个都是海量！"

"你凭什么愿意跟我合股开饭店？我又没本钱入、入股嘛！"

"你，你黑脸大哥真会开玩笑。"张某笑得更欢，佯作摇头状，然后眯起双眼，直盯着"黑脸"，又用手轻轻地摸了摸那只装有10万元现金的小包，"这儿不是现成的嘛！"

"你想干什么？""黑脸"噌地离开座位，连人带包躲到远远的一边。

"哈哈哈……"张某和另外几个酒友哈哈大笑起来，连连数落"黑脸"真是个没见过大世面的人。"黑脸"顿时一脸窘状，喃喃道："这是村上的公款，全村人等着靠它解决吃水的事哩！碰不得，真的碰不得……"

张某等人朝"黑脸"又是一阵嘲讽之后，说："没有人让你不给村上修渠引水呀！我们是想帮你大村长干出点名堂来：能够将来既修了渠，又同时让村上致了富嘛！"

“具体点说。”“黑脸”不甘示弱。

“修渠引水的事你村长几十年生活在山上比我们有经验，可你有没有想一想：即使村民们有了水，就能致富了？不行，水仅仅能解决大伙儿不再到远处背水之苦，却并非一定能改变村上的根本面貌，尤其是在你任村长期间怕是难有致富的那一天。这不能单说是你黑脸大哥没本事，就是省长市长到你那个穷村也没法让大伙致富。可在城里开饭店就不一样了，你今天开张，当天晚上你就能在灯下一五一十地数个美！这叫投资短，见效快，世界上有名的富翁都是从开小饭店起家的，这方面你黑脸大哥要说经验还是差一截哩！你想想是不是这个理？”

“黑脸”的脑袋“开窍”了。他小心翼翼地试探道：“合股开饭店当然好，可咱这钱是村民们的救命钱，我不能让它冒任何风险。合股开饭店，如果好当然皆大欢喜，可是一旦亏了我这本不也泡汤了吗？使不得，使不得！”

“做生意嘛，肯定是高风险高效益嘛！”众人附和起来。只有张某阴着笑脸在琢磨“黑脸”的心思。

“我们各出一半股，你五万我五万，年终我保你利滚利地把本翻两倍以上。”张某扔出第一方案。“黑脸”思忖了一下，果断地摇摇头：“不干。”

“另外再给你个人1万元。”

“哼，我与西北庄村有什么可分的？还是一句话：不干。”

“你是怕有风险，赔了本？”

“当然。赔了本村民还不把我扒皮吃了？”“黑脸”夸张地做了一个动作。

“哈哈哈……”张某和其他几位酒友忍俊不禁，但那笑中明显带有轻蔑。

“那好，我可以保证你包赚不亏本。”张某说。

“咋个弄法？”这回“黑脸”感兴趣了。

“借你大哥的钱总可以了吧？”

“怎个借法？”

“一年还本，给你利息30%。二年还本，每年给利息50%。如何？”

“黑脸”咂咂嘴，有些动心了，但没有表态，反倒摇了摇头。

张某耐不住了：“你大哥真是个黑脸！行，再各加10%！”

“黑脸”一听，猛地端起桌上的杯子，一仰脖子：“一言为定！”

“痛快。一言为定！”

就这样，“黑脸”口袋里装的那10万元全村人的救命钱，连他自己还没摸热，便已少了一半。

“大哥，看你还算义气。现在我可以向你透露一个秘密：你知道原来县里准备给你们村多少款吗？”在酒桌前分手时，张某很神秘地将“黑脸”拉到一边，悄悄说。

“不是省里拨了17万嘛！”

“这我知道。可你知道县里本来想给你们村多少吗？”

“黑脸”有些紧张地摇摇头。

“也就四五万！知道吗，没有我从中给你周旋，你能拿得到现在这么多吗？哈哈哈，门儿都没有！”张某摆出一副深不可测的架式，凑在“黑脸”的耳边，“我想法让你们把后面还有的几万元款拿到手。大哥，兄弟没有让你亏着吧？”

“没，没有亏。”

“黑脸”自以为在张某身上没有做亏本的事。他想：村上的钱本来不会弄到那么多，现在有张某出力，等于为村上多赚了一笔引水款。自己呢，可以在全村人神不知鬼不觉的情况下，每年进腰包若干……这等如意算盘让他不由阵阵窃喜。“黑脸”哪知张某给他设的是个套，而且“黑脸”回村后又没有很好地管好剩余的钱，这里付个白条款，那儿应付个人情，到最后用于水渠之款所剩无几。村子里是热热闹闹的村民和一个已经全面铺开的工地，哪知“黑脸”背地里演了出见不得人的拆台戏。当村民火烧眉毛天天逼他要钱时，走投无路的他赶紧回过神来去找张某要款时，那费功费神儿使“黑脸”恼也不是怒也不是。到后来逼得紧时，张某干脆连个面都不照。“黑脸”找到饭店，饭店已经倒闭关门多日。

“我，我是回不了村啦。唉——”当“黑脸”明白过来时，早已晚矣。而他原本乌黑发亮的一头浓发，仿佛在一夜之间如雪尽染。

“梁书记啊，是我错了，你看在我的一头白发上，救救我吧！我都快有一年没敢回村了。呜呜……”那一天，梁雨润正在办公室阅读由祁家河乡西北庄村群众以集体名义写的一封状告村干部的信，“黑脸”一头闯了进来，见面就呜呜地大哭起来。

“这么说你就是西北庄村的‘黑脸’村长?！”梁雨润打量着眼前这位实际年龄只有40岁刚出头，而看上去却像五六十岁的老汉，强压下心头之火。

“是是，您瞧我都不像人样了。呜呜……”

“知道什么叫罪有应得吗?”

“知道……可我当时确实认为村上没啥致富路可走，所以想也来个‘借鸡下蛋’啥的，谁知上了人家的当。现在后悔也来不及了，只恨不得把那小子宰了！”

“你有没有想过自己在这中间就没有一点私心在作怪?你身为一名共产党员，一村之长，想过没有那钱是全村多少代人梦想能有水喝，能过上像一个人样的日子的命根子钱啊?！”梁雨润瞅着眼前这位恨铁不成钢的同龄人，不由又气又恨，“张某这样的专刮民财的骗子，该抓。可你这样拿农民的命根子钱随意转手想自己从中捞油水的人就不该受罚?都说你是‘黑脸’，要我看你的心都变黑了！”

“是是，梁书记您批评得对，现在我除了头发是白的外，全身都是黑的了，我对不起组织啊，呜呜……”

“黑脸”愈加悔恨，梁雨润的心头则愈加焦虑。因为据掌握的情况看，骗走这笔钱的张某不仅在整个骗取过程中使用的手段非常“法律化”，而且关键是在张某背后有人借手中的权力在一面批转省计委给西北庄村这笔特殊拨款的同时，又在暗中进行渔利。那个姓张的之所以能在西北庄村刚刚获得第一笔款项时，就那么直截了当地敢向“黑脸”伸手，是因为他借用那位领导的权势，迫使西北庄村“识相”与他张某“合作”，其实就是感激给批拨款的“某领导”的“礼尚往来”。再加上他们抓住了“黑脸”也有点“黑”的短处，故而合伙演了一出坑害连水都喝不上的山村农民的缺德戏。

“先把自己在整个事件过程中的所作所为交代清楚，关键是要挖挖心灵深处的脏东西，然后配合纪委和法院调查组把张某及他背后的那帮专门靠权术加骗术坑害农民们的家伙挖出来。”梁雨润对“黑脸”吩咐完后，立即召集纪委和法院的同志，突击追查张某，并又通过他的交代顺藤摸瓜，挖出了一个多年盘踞在县要害部门专发“贫困财”的蛀虫。“黑脸”和张某也受到了应有的处罚。

当“黑脸”在久别家乡之后重新回村时，看到包括自己家在内的家家户户村民有了从山下引来的“自来水”喝时，愧疚得无地自容。他听村民们说，梁雨润书记不仅帮他查清和追回了几万元的被骗款，而且在村子引水工程缺钱缺工时，甚至跑到自己的老家——百里之外的芮城去求人筹措钱款。三九寒冬里，梁书记带病上山，跟着村民们一起搬石筑渠，铺管垒池，屡次累倒在工地……

百姓的心是肉长的，看到梁雨润书记为了农民们的事，连命都要豁出来了，那份沉甸甸的情意将让他们一辈子也忘不掉！

# 第五章　将心比心才是真

自梁雨润任夏县纪委书记后，在他接待的那么多群众上访和举报中，除了那些重案要案外，多数是关系到群众切身利益的事，未必上得了纪委的办案议程，但他想，许多重案要案，最初有可能就是群众与干部，百姓与政府之间的普通矛盾而后来激化造成的。从这个意义上讲，作为纪委书记，完全有责任去化解这种矛盾。我们中国共产党在完成新民主主义革命之后，进入建设社会主义阶段的主要任务就是发展生产力，最大限度地满足人民对物质和文化的需求。而在这过程中，社会矛盾的主要方面就是群众与干部，百姓与政府之间在实现共同利益和目标的过程中所出现的种种问题。

2001 年下半年，中央纪委、监察部主办的《中国纪检监察报》对梁雨润的事迹进行了连篇报道，山西省纪委随之做出决定，在全省纪检监察干部队伍里开展向梁雨润学习的活动。在省纪委九次全会上，梁雨润还作了事迹介绍。当时有人在台下悄悄议论，说照梁雨润这么干，咱纪委不成“信访室”了嘛！

话传到梁雨润耳里，梁雨润笑笑说：“其实道理非常简单，纪委是抓党内纪律问题的，抓党内纪律问题的目的又是为什么呢？还不是要改变党的作风，实践我们党全心全意为人民服务和为中国最广大人民群众的根本利益服务的宗旨吗！群众上访，虽然不能说所有反映的问题都是正确的，但可以肯定大多数是可信的，即使少数反映的问题不正确不客观，但也能说明人民群众是因为相信我们的党才来找我们的党的。对这样的群众我们没有理由不理不睬。认真地倾听，深入地调查，一件一件地下功夫去解决上访群众反映的问题，这不仅是纪委工作的范畴，而且是主要的甚至是带根本性的工作问题。要解决好群众反映的问题，首先必须要对人民群众有感情，拿出真想解决问题的工作态度和方法来才行。”

梁雨润有一段话让我颇有感触，他说我们这些当干部的，当领导的，有时常常觉得老百姓反映的问题都是些鸡毛蒜皮的事。是呀，老百姓会有什么惊天动地的事？老百姓就是老百姓，他们只是为自己的生计，为自己的儿女，为自己那几亩承包地，为自己那块宅基地操心，你认为的鸡毛蒜皮的小事，在老百姓那里可是天塌下来的大事，处理不好，就有可能导致人家妻离子散，家破人亡啊！处理好了，老百姓心顺了他们就会拥护党、拥护国家、拥护社会主义，就会拿出全部干劲和热情来跟着党走。我们有些人整天喊着要为百姓服务，为百姓办事，可真到了群众向他们反映情况，希望解决问题时，他们又觉得那都是些鸡毛蒜皮的小事，根本不把其放在心上，或者即使去过问过问也是三心二意，没有用真心思。久而久之，群众的“鸡毛蒜皮”小事，成了一触即发的大事，成了恶性事件。那时他们又埋怨群众，甚至将群众推向对立面。群众能没意见？能不把你从台上拉下马才怪！

夏县这个地方不大，但它却是中华民族形成的真正历史发源地。大禹建立的夏朝，司马光写下的《资治通鉴》，几乎奠定了中国五千年文明历史的全部基石。后来从这个地方建立和缔造的文明慢慢扩散到九州大地，直至其他更宽广的地方，但夏县自己的光亮却渐渐变得黯淡了。

昔日的光亮黯淡其实属于可以理解的某种规律，因为蜡烛在照亮别人的时候常常消失了自我，这是一种美德，是符合自然界物质变化规律的。但夏县现在少了文明，却多了些咄咄怪事，而且有些怪事是人们连想都想不到的。

梁雨润来到这儿就赶上了不少这样的怪事。

是什么怪事都让梁雨润赶上了？还是夏县就爱出怪事？我认为，对于现今的中国农村问题，我们执政的共产党到了该认认真真、严严肃肃地对待的时候了。由梁雨润在夏县处理的一桩桩“怪事”，使我意识到这种在我看来是“怪事”的事，其实在农民和农村中看来已经见怪不怪了。原因只有一个：如今在中国的农村，这样的事太多，太普遍。

怪事盛行，那可不是件好事。

1998年7月24日，这是一个异常炎热的星期天。梁雨润像往常一样没有回运城市的家和妻子女儿团聚，而是在办公室埋头批阅文件。

“丁零零……”桌上的电话机突然响起。

“梁书记吧？不好了，又出大事了！”梁雨润拿起电话，一听是纪委副书记李俊峰打来的。

“快说老李，到底出什么事了？”

“胡张乡上晁村200多名群众将村长围在家里，快要出人命了！”

“什么时候发生的事？”梁雨润心头一紧。

“公安局的人说已经有三天时间了。”

“为什么拖到现在？”

“闹事的第一天公安局的同志就去了，可是村民们不听，还是把村长围住了不放，而且越闹人越多，现在快要失控了！”

“到底为什么事？”

“哎，肯定又是当村长的太恶了呗，群众积怨太深，反呗！”

“除公安局还有什么人在那儿？”

“检察院的也去了不少人，可群众还是不散。他们举着牌子，喊着口号，说不要公安局，不要检察院，就要纪检委。所以，检察院院长和公安局长连着给我打了三个求救电话了……”

“这样吧，老李，你辛苦一下，马上到上晁村去一趟，你见了群众，代表我告诉那里的村民们，请他们先从村长家撤出来，不要再围攻了。如果是要对村长的问题检举揭发，我们会马上派人去调查处理，不要搞过激行动，对大家都没有好处，也不利于解决问题。你把这个理跟村民们说清，一定要说清。”

“好的。”

“慢着！千万千万注意要告诫群众不要闹出人命来！”

纪委副书记李俊峰放下电话火速赶往上晁村，梁雨润则直奔县委书记那儿汇报自己对解决这一突发事件的打算。

“上晁村那位村长的问题由来已久。这是个有点背景的人物，但他再有背景，也不能拿群众生命财产不当回事，为非作歹嘛！该怎么处理，你只管行动，县委坚决支持！”县委书记态度十分明确。

“那好，明天我就派工作组进驻这个村调查。”梁雨润是个急性子，连夜把纪委常委们叫到办公室，随即研究了解决上晁村问题的方案。

上晁村到底为什么会激起如此严重的民愤？一调查，发现问题均出在这个村的村长身上。此人姓解，48岁，初中文化，1984年开始任村长。凭着当村长的时间长，这位素质本来就不高的村长，近几年间越发在村里横行霸道，说一不二。村务和经济情况从不向村民公开，而且常常以权谋私。村民的不满情绪日积月累。1996年夏季征粮时，村长以修路急需用钱为由，多次找到胡张乡粮站站长及县粮油总公司经理，提出将村里的一批粮食出售给粮站。乡粮站和县粮油总公司派人到上晁村看了粮食数量与质量，答应按国家保护价收购。但后来由于粮库紧张，无法过称入库。村长又多次找到乡粮站站长，说能否暂付一部分粮食款。乡粮站站长想了想，便让会计给了姓解的“上晁村粮食预售款”30000元。1997年1月，乡粮站有了调拨计划，到上晁村提粮时，却发现粮食有质量问题。乡粮站领导向解村长提出退款，解不退，说自己家里有粮食，质量尚好，可以抵此款。乡粮站见钱已被人家拿走，也觉得想不出更好的办法，便答应按解所说的办法办。但日后乡粮站与解多次交涉交粮事宜，解总推三拉四，说等来年村上打出质量好的粮食再上交。事情就这么拖下来了，至今未交粮。而这笔当初说是修路的钱他也从中做了许多手脚。

姓解的办事作风一向简单粗暴，当有村民对此有意见时，他便怒气冲天，找人将提意见的村民狠狠揍了一顿。村民们被激怒了，联名向上级告了他的状。可是状纸给了许多部门，村民们却从未见有人来查处和听听大家的意见，反而是县上的某领导多次来到解某的家“检查工作”。解某因为有人壮胆而更加狐假虎威。听说有人上县城和市里告他恶状，就在村委会的高音喇叭里指名道姓骂人。更有甚者，他举着菜刀站到举报和告他状的村民房前，口中狂叫谁要是与他解某过不去，“我他妈敢杀了你！”其嚣张气焰让村民们忍无可忍。1998年春开始，村民曾四次集体上访到县城和运城地委。但姓解的依仗着他与夏县某领导有着特殊关系，始终不曾伤过一根毫毛。

梁雨润派出的纪委工作组，核实了该村长的经济问题及作风粗暴横蛮问题，并根据群众的意见，按照党纪和村委会管理条例，向有关部门做出了建议对解留党察看一年、撤销村委会主任一职和归还所挪用的公款等处理意见。

原以为这样的处理可以使上晁村广大村民有个安家乐业的环境，哪知姓解的颇有些神通广大，在县纪委建议有关部门对其作出上述处分后，因某种原因却仍在其位。而解某不仅没有吸取以往的教训，反而更加把那些曾经告过他状的村民和党员视为眼中钉肉中刺。村民们无法接受这样的现实，他们再次联合起来，这回事情可就闹得更大了。

那一天梁雨润正在一个乡下搞蹲点调研，突然县委书记打电话对他说道：“老梁啊，省委刚刚来了急电，说我们的上晁村去了一百多名老百姓，打着旗子正在省委大门口集体请愿！省领导发怒了，说这不是给山西省的几千万人民丢人现眼嘛！现在围观的群众及各地记者都纷纷涌到了请愿现场。你马上回县城，省委和地委批示你和我们几个立即到省城去接人！咳，这个上晁村啊，这几天省里正在开人大、政协‘两会’，他们可真会给咱夏县丢脸嘛！”县委书记也被这一特发事件急得直想骂娘。

梁雨润一听这消息，心头也“咯噔”一下紧了起来：上晁村的事不是刚刚处理过嘛，怎么又闹到省城去了？他火速赶回县城，与其他几位县领导连夜赶往太原。

“老梁是必须去的，你不去恐怕我们几个去了还是带不回上访群众。去了如果不把群众带回来，我们的乌纱帽恐怕就会让省里给摘了。”几位领导一路给梁雨润戴高帽子，不过他们确实说了真心话。

那一夜七八个小时里，梁雨润丝毫没有合眼，他的压力其实也很大，因为他还没有弄清楚这个村的村民为啥在他已经处理了村长之后，却闹出了更大的乱子来了？

“你们是怎么搞的嘛？”当在省委接待室见到一百多名上晁村村民们时，梁雨润无法按捺心头的不快。

“梁书记，不是我们存心想把事情闹大，实在是像你这样难得的好书记、‘梁青天’在我们夏县也得不到公正，我们于心不忍啊！”村民中有人挥泪向梁雨润诉起冤来。

“慢慢说，到底你们为啥还要到太原来闹嘛。”梁雨润顾不得喝上一口水，蹲下身子一屁股坐在上访的村民中间。

“梁书记你不知道，那姓解的被撤职罢免后，乡里为什么还让他当村长？而且这回比以前更霸道了。我们实在受不了，又觉得人家在夏县也有靠山，你梁书记即使想帮我们也未必能帮得彻底，所以就上省城来让省里出面解决我们的事……”

梁雨润这回总算明白了事情真相，他气喘喘地弯下身子，往地板上一侧歪，然后直起腰，对一百多名集体请愿的村民说：“老少爷们，你们辛辛苦苦从夏县跑到太原来，我不能说你们来得一点没有道理。将心比心，我要站在你们的立场看解某的事，也许我也会向省里来反映情况。可是话又得说回来，你们图的不是为了解决问题嘛？你们想一想，真正要解决夏县的问题，靠谁？要我说还得我们夏县自己来解决。你们到省里，或者再往上到北京中央那儿告状请愿，这是会引起上级领导更加重视些，但省里就是真要下决心想帮助你们解决问题，还得要到咱夏县来。到了夏县才能找到你们上晁村的解某呀！他解某区区一个村长，省里怎么可能具体地管到他呢？就是再要撤他的职，处理他，总不能让省委下文件吧？还得由我们夏县这一级基层组织来定案，大家想想我说的是不是这个理？”

请愿的群众窃窃私语起来，很多人在点头。

“好，既然大家同意我说的，那么我再问你们，上次我们纪委会同检察院同志到你们村上最后是不是也动真格的，对解某的事进行了严肃处理？”梁雨润问。

“可解某凭他与某某领导的交情继续当村长，比以前更耀武扬威地骑到了我们头上。所以我们感到‘夏县没青天’，便跑到太原来了。”有人站出来说。

梁雨润笑了：“大家可能听说过，我到夏县任纪委书记后处理过一些比你们村这事更难的案子吧？而且也治了一批比解某问题更严重的司法腐败分子，那时我听群众称我是啥‘梁青天’？！有没有这事？啊哈！”

“有有。梁书记你在夏县处理恶霸的事我们都知道，老百姓都说你是咱夏县的青天。”众人争着说。

梁雨润又笑了：“是啊，你们知道我梁雨润这个人是怎样在办案的，可是现在却对我失去信心了是吧？”

“没有没有，梁书记你别误会，我们对你绝对信任！”

“那好——”梁雨润突然从地上直起身，大声对集体请愿的村民说，“既然大家还信任我，我在这儿说一句掏心窝的话：你们如果真想解决问题，现在就跟我回去，我梁雨润用人格和党性向你们保证，解某的事一定会坚决彻底地处理好！怎么样？”

“行。你梁书记的话我们信。只要你能彻底解决解某的事，我们再不会出来上访闹事了！”众村民情绪高涨。

“好。我们一言为定！”梁雨润伸出手。

“一言为定。”众村民纷纷将手伸了过来。

梁雨润的双手和村民们握在了一起。至此，这场历时一星期、消息传到中南海的夏县农民集体到省委门口请愿事件得以解决，当晚一百多名上晁村民跟着梁雨润一行平安地回到了夏县。梁雨润是个说话算数的人，尤其是上晁村这桩事，他更是不敢有半点怠慢。梁雨润寻思着这件事关键是县里某些领导的问题，他们与解某关系密切，所以当解某在前一两个月被梁雨润派去的工作组查处后，此领导一得知，便抓住解某所在乡的乡党委领导喜欢用像解某这类专横跋扈之辈管理农村事务的这一特点，竭力为解某说情。结果乡党委竟然无视县纪委做出的建议对解某留党察看一年的处分和撤销村长的决定，让其蒙混过关，依旧当着上晁村的村长。老百姓的眼睛是雪亮的，见某些领导如此掺沙子，不反才怪呢！

把问题分析透彻后，梁雨润在取得县委常委们的支持下，对与解某有牵连的几位县、乡领导干部进行了严肃的谈话，用党的纪律正告他们要好自为之。这样的旁敲侧击，果然起到作用。县委又重新成立调查组，针对群众所反映的解某的表现，在进一步调查核实的基础上，重新做出了对解某留党察看两年和撤销村长之职，并另加一条，罢免其县人大代表资格的决定后，县乡两级干部中就再不曾有人出面为解某说情了。

当解某又一次被组织更加严厉地处理的决定在上晁村宣布时，这个有着3000多人的大村的村民们欢呼跳跃，奔走相告，场面异常感人。

群众高兴了，姓解的不干了。一些在他任村长时得到过好处的本家也因此将在村里失去某种“特权”，他们串通一起，几次去县纪委围攻，企图制造事端。但均因梁雨润和纪委的同志凛然面对而没有得逞。但自认为在夏县也是个“场面上人物”的解某，极不服输。

一日晚上9时许，梁雨润独自在办公室批阅文件，门“哐当”一声被踢开了。梁雨润不由一惊，当他转身时，一脸怒气的解某已逼近而来。

“你来干什么？”梁雨润从椅子上站起来。

解某止住脚步：“来干什么你还不清楚？”

“具体地说。”梁雨润平静地问。

解某喘着粗气：“我今天来问问你梁雨润，你为什么要处分我？而且还那么重？”

“你应该先问问党纪国法，看该不该处分你。”

“你这是磨道里找驴蹄儿。你是纪委书记，你比我更清楚现在哪个干部没有问题？谁又能比我强多少？”

“我也告诉你一句话：只要我梁雨润还在夏县当纪委书记，谁有问题就处理谁！”

“我不信你能处理得完！”

“只要是群众检举和自我暴露出来的，我和纪委就决不会轻易放过一个！”

“可你现在偏偏为啥揪住我一个人不放？”解某没话找话，气急败坏地抡起拳头“乒——”的一声砸在了梁雨润的办公桌上，那台面上的玻璃板顿时碎成几块。

“姓解的，你放尊重点！我在这里告诉你：眼下你是留党察看的党员，你应该知道自己该做什么，不该做什么。”

“哼，这党员我，我不要了又怎么样？”解某尽管理屈词穷，却强直着脖子，两眼冒着火，在距梁雨润咫尺之地，号叫着。

“那你起码还应当做个守法的公民！难道你连这个都不想要了？”梁雨润用同样的目光直逼对方。此时屋子里静得出奇，只有两双不同的目光在无声对视，这样的情景大约对峙了两分钟。

最终，解某退却了，他的双眼黯然地低下，然后扔下一句“我算认识你这个人了”，便灰溜溜地离开了梁雨润的办公室。

在处理农村问题的过程中，梁雨润感触颇多，其中最多的莫过于一些干部由于自身的素质差，再加上有的干部在村里本身就是家族利益的代表人物，因而在处理日常事务中，不能秉公办事。有些村干部因为自己在本村长期担任干部，渐渐成了特权人物，把集体和党的利益变成了“以我为核心”的家族式领导。而正是由于他们的家族宗派意识重于群众意识，再加上个人私心严重，所以他们一旦有了些小权后，就不是在为村民们谋取利益，而是时不时地将利益的天平倾斜到自己或者倾斜到自己的家族利益之上。老百姓说得好呀，一个村上的人每天抬头不见低头见，你就是想从田头刨一勺土回家，也有人瞧见，别说你把利益的天平倾斜了30度。

不过堕落成“村霸”、“地霸”的乡村干部毕竟是少数。但那些工作简单化，处事粗暴无情，独断横行，村务不透明的干部却很普遍。且常常因为他们的这些缺点和毛病，往往遇到问题时，就站在群众的对立面，不仅不能成为老百姓所欢迎拥护的对象，反而让老百姓产生痛恨感。日久天长，使得广大农民对政府和党的信任发生了巨大动摇，这是当今农村现实中带根本性的一个严重问题。

梁雨润觉得扭转这样的局面，改造低素质的干部队伍，这是他作为一名党的纪检干部不能不管的紧迫任务。

裴介镇某村的事件就十分典型。

村长是个有30多年资历的老干部了，在这个村里他的声音就是“命令”，甚至就是“上级精神”——尽管群众常常议论他的“上级精神”中总是包含了他本人的诸多“主观色彩”，但他的一句话在村里能顶一万句，因此在村里具有绝对权威。更可怕的是他不允许群众在他面前说个“不”字。本来风平浪静的村庄，终于因他而矛盾激化。

1998年7月14日，梁雨润接连在夏县办完两件严重侵犯农民利益的案件，准备在全县召开反腐败公处大会。为了得到上级的支持，这天他带着准备在公处大会上宣布对一批违纪违法干部处理决定的材料，到运城市纪委汇报。市纪委信访室主任叫住了他：“梁书记，你来得正好。这回我们可以喘口气了，快快，有请你了！”

梁雨润不久前还在市政府机关工作，这些同志都比较熟悉，便问有啥好事想着我梁某？

“好事？哈哈，你想我们找你有好事吗？”市纪委信访室主任朝他摇摇头，唉声叹气道，“你们夏县的一大帮子人又围在市委机关大院门口闹事呢！领导们让尽快处理。我正犯愁哩！这下好了，听说你一到夏县就办了几个案，全夏县人都在说你是那儿的‘梁青天’。好啊‘梁青天’，这回我可要验证一下你这个‘梁青天’到底是真是假。”

“老伙计你千万别拿我开涮啊！”梁雨润苦笑道。

“但我想此事也非你莫属。本来我就准备给夏县那边打电话，火速请你赶来处理呢。这回省事了，你现场办公吧——我的梁书记，请——”

梁雨润被信访室主任“逮”住后，两人一起来到机关大院门口。果然那里聚集了一大堆农民，他们自报家门说是夏县裴介镇某村的农民。

“你们是来干什么的，乡亲们？为什么要从夏县跑到这儿来呀？”梁雨润大声对围在大院门口的农民群众说。

“夏县的领导们不管我们的事，我们是被迫来这儿找市委领导的。”有人说。

“不对，我是夏县纪委书记，可我却不知道你们到底为何到此地？我想听听大家说的！”梁雨润无奈地亮出自己的真实身份。

“啊，他就是新到我们夏县的梁书记？”

“对对，他就是！我见过他，真是他！”

“梁书记，我们向你反映也行，你一定要帮助我们农民出气呀！”

“对，梁书记，有些村干部现在太霸道了！凭什么他们想干什么就干什么，想要什么威风就要什么威风。我们无法过日子啦！”

梁雨润面对如此众多的上访群众，又是在他的顶头上司的地盘，感到必须讲点策略，不能将事态扩大。“大家既然这么信任我、支持我，希望我来管，那么你们听我一个建议如何？”

“行。梁书记你说吧！”众人说。

“我想大伙都是通情达理的。你们说解决问题是不是要靠一级一级政府和组织呀？对嘛，既然解决问题是这样，那你们说反映问题是不是也要一级一级来反映呀？这个道理没人反对吧？好，那我说，既然问题出在我们夏县那儿，大家不是冲着要解决问题出来的吗？我答应大家，今天是14号，16号我们全县要开反腐败公处大会。18号你们来找我，我们一起研究解决你们想要解决的问题如何？"

"行，梁书记，我们听你的安排！"

"谢谢大家。"梁雨润朝大家鞠了一躬，然后说，"我满足了你们的要求，但我也有一个要求：希望你们到时不要放弃自己地里的活都跑出来，派五个代表来找我就行。成不成？"

"成！"众人异口同声应道。

"好，一言为定。18号我在办公室等你们的代表！"

"一定去！走，可以回家啦——"

方才还怒气冲冲的49名裴介镇农民，顿时个个脸上挂出了宽慰的笑容，愉快地离开了市委机关大院门口。

16日，在梁雨润来夏县整一个月的日子里，夏县召开了一次近几年罕见的、声势浩大的"反腐败斗争公处大会"，会上宣布了对违纪违法人员的处理决定。

会议一结束，梁雨润就想着裴介镇那些到市委集体上访的农民。为了全面掌握情况，使解决问题时更有针对性，17日，梁雨润便来到裴介镇政府所在地。经过了解，梁雨润弄清了该村农民集体上访的基本情况。

这几年，由于农村实行种植调整，农民们基本上是自己认为什么效益好就种什么。经济类作物比例加大。但由于种种原因，种植业结构的调整还很不够，所以一些农民花了不少钱却未能获得预期的经济效益，收的部分没有抓到手，必须上缴的部分因为种植面积发生了变化而完不成。每年小麦收完后，西北黄土高原一带的公粮收缴任务是乡村两级干部头一件要做的事，同时也是这里的乡村干部们最头痛的事。上级的任务是死的，必须完成，且一级压一级，谁完不成任务谁的政绩就是零。公粮都催不上来，那乡村干部还有什么事可做？

这里的干部们戏言道：如今乡村干部最难当，计划生育咱不能干涉到人家的裤裆里，种田产粮咱不能在田头指手画脚，到头来只剩下酒桌上划拳猜数的能耐。

说牢骚话归牢骚，公粮的事乡村干部还是去不遗余力地催，但问题是以什么方式达到什么样的效果。

这个村是个五六千人的大村，夏县裴介镇是全县最大的镇，5万多人口；而裴介镇的这个村也是大村，村长资格老，当了30多年村长，平时说话能震十里方圆。催交公粮问题上，老村长有老村长的办法：谁敢不交，就搬他的家具牵他的牛羊。一句话，你们不能空着手回来！不能惯他们的毛病！

有老村长的话，参与催公粮的几个干部似乎胆子壮了不少，但事情并不像他们想得那么简单。比如有个叫李民权的农民，他说啥也不交。他不是家里有羊嘛？把羊给我牵到村委会来圈着，看他是交粮还是要羊！

到了李民权家，几个催粮的干部和镇派出所的警察便不管三七二十一，任凭他家老小哭天喊地，打开圈栏，牵了5只羊就走。

李民权气极了，骂村干部是强盗。村干部反骂他是刁民！

这两边对骂也骂不出个结果。村干部虽然牵了5只羊来，可真要说与交公粮的事扯平还挺麻烦的，先要把5只羊卖掉换回钱，有了钱数才能折合成多少粮食。李家更是气不打一处来，本来把粮田改成了苹果树园就没得过好收成，结果连几只本是当作“摇钱树”的羊也给人牵走了！可麻烦还在后头，村干部不是牵走了5只羊吗？其中有一只是母羊，它正喂育着两只没有出满月的小羊羔呢！母羊牵走了，三天过去，小羊羔饿得整天乱叫，最后死在了主人的跟前。李家急红了眼，吵到老村长那儿，说你凭什么抢走我的羊？你这是霸道，不讲理，哪像共产党干部做的事？

老村长在村里的威严是公认的，他自个儿特别注意在群众面前的尊严，于是叫来几个村干部把李民权赶到一边去，“你再闹我就敢把你抓起来！”老村长怒不可遏地斜了一眼向他示威的李民权。“你敢？你抢我家的羊，还想抓人？呸！你是土匪！”李民权也不是吃素的，直着脖子不认输。围观的群众越来越多，村上像李民权这样的群众不是一两个，而且李民权的景况与他们十分相似，村干部简单粗暴的方法使他们同样十分不满。

老百姓是什么？你可以将他们当作什么都不是的社会最底层的分子，但你不能不尊重他们作为人的基本尊严。今天的一些政府官员和干部们正是太不把他们当回事了，不讲感情，也不讲究方法。有道是“官逼民反”，当百姓认为他们的基本利益被无端侵犯到了极点的时候，不满和愤怒是必然的。

现在的基层干部工作也很难做，他们心中有怨气，认为自己在为政府和组织做事，却得不到群众支持，反而受到围攻，久而久之，官员和干部们把这种怨气发泄到百姓身上，使本来简单的问题激化了，对立了，并且时常将后果和责任推给群众。

其实，这样的官员和干部，他们忘了一个最基本的出发点，那就是：你为政府和组织在做事，那么政府和组织最终又是在为谁服务？我们中国共产党人的根本出发点就是为自己的百姓和人民利益服务。明白了这一点，一切与百姓发生的矛盾和冲突，便能迎刃而解。

裴介镇的这个村干部缺乏的正是对这一基本出发点的理解。他们很辛苦地在每年收公粮时，起早摸黑，甚至叫上了镇派出所的干警跟着到各家各户，催粮取物。但百姓不仅不支持配合，反而极为反感。这一年的矛盾激化就是在这种情况下诱发的。

当李民权的5只羊被村干部强行牵走后，村民们的情绪立即被激化起来了。有一位村民看到强行取走他家物品的干部和干警在离他家门口不远处狼吞虎咽地吃着喝着，顿时火冒三丈，搬起一块石头，气冲冲地跑到正在吃饭的干部和警察中间，“哐”地一下将一口装满饭的铁锅砸了个粉碎。

“你疯啦？”干部和警察没想到有人竟敢如此对待他们，一怒之下掏出手铐要铐那个村民。

这下热闹了。一边要铐人，一边嚷着警察要打人，上百人搅和在一起。最后谁也敌不过谁，一位警察手中的手铐在不注意时被李民权夺了过去。

“你拿走手铐干什么？”警察急了。

“我要上运城领导那儿去告你们！”李民权一边举着抢到手的手铐，一边跑步溜出了混乱的现场，直奔运城市。

“不像话，能这样对群众！不交公粮你们就可以用手铐铐群众，就可以拉走人家百姓家里的东西？谁让你们这么干的？知道吗，这是违法的！立即给我停止这种行动！”市委书记听后大发雷霆。警察走了。可上级要求村干部完成的催交公粮的任务没有结果，无奈村干部还得继续下去。“五只羊事件”就是在这样的背景下出现的。

“几只羊算什么事？我们是村干部，治不了这种事当村干部还有啥劲？”在17日这天，梁雨润与镇领导一起听取该村干部汇报情况时，明显感到这个村的干部存在着比较严重的脱离群众的问题，所以18日他在接待5名村民代表时着重请大家就村里存在的问题畅所欲言。

这回村民们像开了锅一般，你一言我一语，一直跟梁雨润谈了三个多小时。

他们集中反映的问题，既有干部催公粮时的粗暴方法和简单手段，还有不满干部对村务的长期不公开、工作作风及一些违纪问题。

像裴介镇这个村的干群关系长期处于紧张状态的问题，并非是件容易解决的事，弄不好反而会更加对立。梁雨润想，不能采取简单的处理方法，经过再三思考，他决定先派工作组进村调查了解清楚问题。

若干天后，梁雨润在听取工作组的情况汇报后，决定在裴介镇政府就该村的问题召开“当面锣，对面鼓”的“解决纠纷现场会”。

“梁书记，你可要小心哟，这村的干部和群众都不好惹，弄不好双方争执不下时会大打出手，到时你可就成了两边都要踩的烂柿子呀！”有人好心地劝道。

梁雨润不动声色地笑笑，说：“烂柿子的结果我并不是没考虑过，但像这样一个村的干群关系长期不融洽，再靠隔墙传话怕不仅仅是踩成烂柿子，而是早晚要被那垛倒下来的墙给压扁了。”事隔数年后，梁雨润对我说，当时他尽管嘴上对手下说得那么有信心，其实自己心里也没有底。将矛盾对立的双方弄在一起说事论事，实际上跟摆擂台差不多，搞不好就会砸锅。老百姓没啥怕的，你抢了我的东西，连饭都不让我吃，我还有啥可顾虑的呢？村干部也不是吃素的，你压急了他，一甩手不也是个老百姓嘛！所以说，梁雨润当时心里装的那根天平秆，就像搁在针尖尖儿上，稍稍要偏一点点儿，弄不好准会刺到哪一方的心肝上，这就难收拾了。一边是党的干部，一边是人民群众，你说到头来挨鞭的是谁？谁也不会，能挨鞭的当然只剩下一个人，那便是梁雨润，因为是他挑的这个头。

梁雨润不能不掂量这种结果，然而群众已经集体上访到市委大门口了，干部把公安人员的手铐都用上了，你当领导的能再不管不问？

“这个险我必须冒，再说我也相信我们的干群觉悟。”梁雨润说。

那天下着霏霏细雨，仿佛要给矛盾着的双方增加一点儿阴沉的气氛。再看看镇政府的会议大厅内，座无虚席。80余名党员和13位村民组组长，及村支委、乡政府干部全部到会，另外还有5名村民代表，加上县纪委人员等共计120余人。梁雨润和乡党委书记、县纪委负责同志等端坐在主席台上。

会场气氛严肃。矛盾双方眼睛盯着眼睛，等待着“开火”的机会。

“现在我宣布今天的会议纪律：一，谁要求发言，应先举手，经主席台上主持人同意后再发言。二，发言者和被提问者必须摆事实讲道理，蓄意争吵者将被劝出会场。三，凡对群众提出的问题，根据谁分管谁回答的原则，村干部必须一一回答，回答不了的由村长和支部书记回答。大家有没有意见？”梁雨润首先说道。

村民们第一次接受这样有条有理的安排，觉得挺新鲜，又合情合理。齐声回答：“没意见，蛮好。”“村干部们呢？”梁雨润又问。村干部们用目光交流了一下，说：“没意见。”

“好，会议现在开始……”

谁说农民水平低见识少？你不给人家提供平等的机会和说话条件嘛！没有给他们掏心里话的机会和这种平等的权利，他们能不跟你嚷嚷闹事嘛！会议开始后，村民代表一个接一个地对这些年来，村委会和村干部在计划生育、对外承包果园、宅基地审批、村务公开方面，提出了一串串责问。实话实说，事事有鼻子有眼，件件讲在点子上。倒是村干部在有些事上被问得不知所措，吞吞吐吐。

会议秩序比预想的要好，而且越开到后来气氛越融洽。即使像李民权这样被村干部牵走5只羊的“钉子户”也没有发蛮劲，讲粗话。

真正受教育的当然是村干部。他们在群众责问的一个个问题面前，不得不承认主要责任在自己身上。小官僚、有贪心、耍脾气、没把群众关心的事认真加以解决，从而使村民意见越积越多，直到怨声载道，集体上访……

“老村长，你还有啥要讲讲？”梁雨润见火候已到，便点名发言。

这是个关键人物，30 余年“官龄”的村长，不能说在一村之中称帝，也可称王了。

所有目光聚向老村长身上。会场上顿时静得连根针掉地的声音都能听得一清二楚。

老村长终于站立起来，那张黝黑色的脸涨得有些红。他说：“大伙的意见我都听了，虽说有些出入，但总体提在理儿上。我受到很大教育，这么多年来像这样的面对面论事论理，还是头一回。对过去的事，我负主要责任，我愿接受大伙批评，也甘愿接受组织处理。”

梁雨润的心头顿时松下一口气。再看看在场的群众代表和党员干部，他们的脸上都露出了笑容。“今天的会议达到预期目的。县镇两级将就你们村的情况会在最短的时间内向群众做出明确交代。不知大家现在有没有忘了一件什么大事？”梁雨润站起身问会场上的所有人。

会场又是一片寂静，大家面面相觑，脸上都是一片茫然。

“看看，看看表啊！都几点了呀？！你们难道不饿？”梁雨润突然大声问道。

可不，已经是下午 5 点多了！咳，整整开了 8 个多小时的会议！连饭都忘吃了！哈哈，哈哈哈！村民和干部们多年来一直没有在一起这么痛快地开怀大笑过。当他们一起走出会场时，天边一缕红霞正照射在丰收的田野上，呈现出无限美景。那个李民权在红霞下跑得最快，他要赶在今晚把那5只离家多日的羊牵回家好好乐一乐。

而梁雨润与镇领导则在忙碌着另一件重要的事：根据群众意见和事实，对原村长和村支部书记的问题进行了查处，重新由全体村民和党员选举出了新的支委和村委会，这个闹事多年的“上访村”终于在春风化雨中开始了新的一天。

说句实话，当中纪委的有关部门向我介绍梁雨润的事迹，看完《中国纪检监察报》的报道后，我一方面对梁雨润同志的事迹表示敬意，但同时内心却存几分怀疑。中纪委领导和报社给予梁雨润“百姓书记”这样一个崇高的称号。或许正是因为这种称号已经离我们了太久了，所以一旦出了这么一个真正的百姓书记，我反而觉得有些突兀。

原因其实并不复杂，正如有些群众说的，现在的干部不贪就是好干部了，而不贪又一心一意想着老百姓的事，并且充满感情地为最基层、最普通、最无“回报”价值的农民们着想，确实在我们的现实中不是太多，或者可以说确实太少了。

是否决定采写梁雨润，即使在看完中纪委的领导对他的评价及各媒体对他的各种报道之后，我仍然拿不定主意。但是后来通过夏县纪委，拿到了一盘一年多前梁雨润奉命调任运城市纪委副书记、离开夏县时数百名群众欢送他的录像带。这盘录像带使我产生了非采写他不可的念头。我没有亲身经历过那个像电影和小说里所表现的热烈场景。生活中的真实确实常常比艺术中的真实更能打动人。从那盘录像的拍摄质量看，摄像者显然是临时到现场仓促摄制的，但它仍然丝毫没有减弱其感人至深的场面效果。

梁雨润离开夏县赴运城市委任职的那一天的八九点钟，他和县委、县纪委的同志握手告别，正准备走出县委大院上车出发时，突然看到县委大院门口一下来了数百群众。那些群众见梁雨润一露面，便锣鼓鞭炮齐鸣，一幅幅写有“百姓的好书记”、“夏县人民想念您”等内容的横幅与标牌，高举如林。群众纷纷向梁雨润涌过来，与他又是握手又是争着照相。而梁雨润则一边一个劲地说着“你们怎么知道我要走嘛？”“你们村到这儿要几十里路，咋这么早就赶过来的呀？”一边不停地推辞着农民群众塞过来的红枣、鸡蛋和匾牌什么的。这时，不知哪个村的一位妇女突然挤过人群，拉着梁雨润的手，一个劲地哭着说：“梁书记您不能走，我们不让您走……”这时，我看到画面上众人纷纷在抹泪，跟着在高喊“梁书记我们不让您走！”“一定要再来！”我看到梁雨润一边点头一边回应大家说：“大家放心，我会经常来的！”说着说着，这位在老百姓心目中的“大干部”，也忍不住流出了眼泪。

这一情景叫人无比感动。

我在看这段录像时，也忍不住掉下了热泪。因为我知道这不是艺术创作，而是今天的人民群众在欢送自己无限热爱的一名干部。都说纪委干部是“铁包公”，而梁雨润到夏县 3 年间处理的重大案件不下 200 多个，在那些生与死的斗争考验面前，他所给人的印象是一位“包青天”形象，即使是在为群众解决困难时，他也常以惩恶扬善的严肃面孔出现，而此刻的他，竟然哭得像孩子般的纯朴，热泪淌湿了他的胸襟，他也不去理会，似乎完全忘了自己领导者的形象了。

我看到这时的画面上有一群特别显眼的群众，他们数人扛着一幅巨大的镜框正朝梁雨润走来，后面是一队穿着鲜艳服装的农村妇女。当他们来到梁雨润面前时，一位村长模样的汉子先是代表全村人说了一番热情洋溢的话，然后赠上那幅巨大的镜框。接着那队穿着鲜艳服装的妇女们开始边唱边跳。一看便知这是农民们自编自演的节目。舞姿几乎都是二三十年前我们经常看到的那种样式，曲调也是那个时代的，但她们一招一式的认真演出，将整个场面推向了高潮。我当时记下了她们唱的小曲内容：

各位领导你们好，听我来把歌儿唱，今天不把别的唱，专表咱的梁书记。

梁书记呀心向民，哪里不平哪里去，秉公执法攻难关，夏县人民的梁青天。

苦事难事他都办，为了百姓天不怕。

师村打井有争端，梁书记坐镇解难题。

清水长流葡萄地，致富日子万年青。

做官的要像梁书记，祖国江山更美丽。

……

后来我知道，这既不是明星唱的，也不是作家写的歌词，是夏县裴介镇师村的一位近50岁的大婶写的。她不仅写了这首歌，而且拉着几位同样年龄的村嫂们编演了这出名为《梁书记是咱百姓的好书记》的歌舞。

因为这出令我感动无比的节目的原因，所以到夏县后我提出一定要到那个师村看一看，看看那里的村民为什么要用如此隆重的形式来歌颂梁雨润。

那天到师村后，我提出还想亲眼看一看村嫂们的那出《梁书记是咱百姓的好书记》的歌舞时，不想村嫂们欣然答应，并在不到20分钟的时间里就专门为我进行了一次“专场”演出。4位平均年龄40多岁的妇女，有板有眼地在我这个北京来的客人面前边歌边舞，一点没有做作，自始至终，表演得认认真真，使我感慨万千。

我知道在今天的农村，除了四五十岁的人和还在上小学中学的孩子以外，是不太可能再有年轻一点的人了。年轻人不是在外打工，就是在外读书。留在村里以种田为生的多数是些上了年纪的人。他们不会唱流行歌曲，也不会跳现代太空舞之类的东西，他们会的依旧是二三十年前他们年轻时的那些歌与舞。这些其实在他们身上也早已遗忘的东西，如果不是特别原因，我想农民们是绝对不会重新将这些连他们自己都感到过时的东西拿出来的。

但师村的村民们竟然将这些落伍的“看家本领”在今天拿出来，实在是他们认为在尽自己的所能做一件必须要做的事。他们是在完成全村人的一个重托，这个重托显然是为了还一个心愿，一个无法让他们忘却的心愿。

这个心愿就是对梁雨润书记的一片崇敬和热爱。

我们的人民就是这么好，当他们认为你在为他们的根本利益服务时，他们可以甚至不惜生命地支持你、爱戴你。这便是我们中国共产党人过去几十年里与人民群众唇齿相依，血肉相连的关系。

师村农民对梁雨润的那份浓烈感情，是与他们如今飘香四方的葡萄园的兴旺相关的。

这个有几千人的大村，有一群不甘贫穷的庄稼人。早在七八十年代，他们在党的政策指引下，便开始向贫穷的日子宣战。然而在黄土上挥洒汗珠换金子，并不是件容易的事。问题的关键是这儿水源匮乏，加上人畜饮水需求量越来越大，原有的地下水也在一降再降。如果想在干裂的土地上有所作为，离了水的可能性几乎是零。20多年来，师村人倾全力，将井越打越深，然而几乎每一口300米以内的深井，都是无水可见，留给村民的只是沉重的债务和雪上加霜的日子。

20世纪90年代以来，师村附近一带的农民开始种植葡萄园，特殊的土质，加上充足的水源使周围一些农民富了起来，师村人更是如坐针毡。恰在这时本村第一村民组的许氏兄弟，在外做工赚了钱后便回到村里，出资10余万元打了一口320米的深井。因为此井是属于许氏自家出钱打的井，别人要用水，得以每小时30元的价格来买水灌田。人家许氏兄弟以井卖水，合理合法。师村广大村民不用又不行，用了许家的井水又心疼，一个字——贵！

1998年末，该村第五、第六组村民们商议：集资打口深井，以结束到许氏那儿买水的历史。两个组的村民踊跃响应，有钱的没钱的都在筹措着一份打井的款项，一份耕作葡萄园的成本。时间就是来年的收成。大伙儿集资十几万元，便请来打井专业施工队，开始轰轰烈烈地打起井来。可是刚一动工，许氏兄弟跑过来大喊小叫地让停下来。

“你们在这儿打井是违法的！马上给我停工！”许氏兄弟说。

“违法？你许家可以有井，我们几百户村民就不能也有口井？咋，非得花钱到你们家买水？”五、六组村民回答说。

“政府文件明文规定，凡用于灌溉的深井不能在500米以内有两口井出现。你们的井点违反水法。必须停工！”许氏兄弟理直气壮。

想打井的这几百户村民急了：打井队已请来，每天干不干都是500元的工钱，有合同在，这是其一。其二，来年开春将至，几百亩刚刚备好的葡萄苗圃更是一笔大成本，不打井没有水不是全白费了？不行，赶快想法子。

村民跑到镇里、县里问到底是不是“水法”有这么个规定？

“是有这一说。”镇里、县里水利部门的干部回答说。

六组村民不信：这地是咱全村百姓的，你许家能打井，我们几百户人家集体组织起来的反倒不能打井了，这是哪门道理？

打！土地爷留下的地下水，我们凭什么不能要？打井的机器又隆隆响起。

“他们这是成心！狗日的穷疯了想抢我们的金饭碗呀！”许氏

兄弟朝本组的爷们娘们挥手道，“想今年种葡萄园发财的，你们就跟我把五、六组正在动工的井架给砸了！我给你们每户降 2 元的水费！”

有好处嘛！走，砸了他们的井架！许氏家族和本组的村民，举着铁棍和扁担，浩浩荡荡出动了。正在施工的打井队见这阵势吓得丢下手中的活计只管奔命。

“砸呀！砸——”这还不容易，稀里哗啦，不用几分钟，整个工地便一片狼藉。

六组的村民闻讯赶到时，许氏兄弟和一组的村民早已“胜利”而归。“天哪，他们咋这么狠呀，还让不让我们活啦？呜呜……”妇女们心疼地拾起散落一地的断管残料，心疼地痛哭起来。“太欺负人了！兔崽子们，我们跟他们拼啦！”一些年轻力壮的爷们感到从未有过的耻辱，挽起胳膊，大步流星地朝许家和第一村民组居住的地方冲去。

“不能蛮干，打架会出人命的呀！你们不能去！快回来——”师村干部及时赶到，横说竖说才把几十位五、六组的爷们拉了回来。

村干部像求菩萨似的安抚好五、六组村民后，立即电告镇政府领导，请求前来解决。

镇政府不敢怠慢，又电告县水利部门。领导和专家火速赶来，经过实地察看，认为五、六组村民选的井位确实不符合水法条例规定，于是动员村民重新选点。

第五、六组的村民们不干，说：“我们是自己集资打的井，换了地方打不出水，谁给钱？还有，今年马上开春用水，耽误了这一年收成，又谁来赔我们？”

有人悄悄把打井队请了回来，然后又连夜动工。可这打井的活儿没法躲着藏着，这边刚刚恢复打井，那边许家和一组村民们就知道了。他们操着杀猪刀和铁棒，再次向打井工地冲去。

机器声重新轰鸣的工地上，五、六组村民这回早有准备，几十个全副武装的青壮年手持木棍和钢钎，严阵以待。

“停工，马上停下！”

“凭什么？打出水来前我们坚决不停！”

“不停就砸！”

“你们敢——”

于是红了眼的双方村民步步紧逼，先是嘴仗，继而手仗，随即是铁具大战。

“打啊！”

“拼啊！”

尘土飞扬的田野上，顿时一片“叮叮咣咣”的碰撞声和“爹啊妈呀”的哭叫声……

“公安局的人来啦！”

“救命啊！快来救命啊——

正在双方大打出手之时，公安干警闻讯赶来，并在领导的指挥下，迅速将械斗双方隔离开来。然而双方发现谁也没有赢得半点胜利，许氏兄弟和所带领的第一组村民流血的流血，倒地的倒地；开工打井的第五、六组村民辛辛苦苦重整的工地又成一片废墟。

“再不能打了！好端端的师村，几世几代都是相亲和睦的村民咋到我们这一代就全给毁了呀？我求求你们了，求求你们不要对打了，这解决不了问题啊！”村长、村支书在那一段时间里简直不知如何是好，一面是上级要求他们必须保证不能出事，特别不能打架械斗出人命，另一面是要确保不能在双方未协调好的时候再开工打井。可是现在谁听他们的话？

“不打井可以，你们让许家免费供我们井水浇地。”五、六组村民说。

“免费供水给他们？你说的？哼，想什么美事了？你给他们付钱？”许家说。

村干部没辙了，只得又跑镇里、县里去求领导出面解决。

领导不能不来，但来了又能解决什么问题呢？一边坚持要继续打井，一边坚决不让。这阵子真是苦煞了村干部。上面的领导拍拍屁股走了，在临走时扔下一句话让村干部一分钟都不敢合眼：天大的事都可以不干，唯独不能出一条人命！这不等于一道杀身成仁的命令吗？

但是，急红了眼的对峙双方，早已视水井重于生命。为了捍卫各自的水井权利，他们已经做出了决不后退的选择。

“队、队长，再这样下去真要……要出人命了！赶快想法子呀！”一日，村民代表李引兰跌跌撞撞找到六组组长李学党，连说话都在浑身发抖。

“走，咱们找上面去！”

李学党和李引兰从这一天开始，几乎天天往镇上、县上跑。两人在这一段时间里的经历可以独立地写成一本书。李引兰 40 多岁，一副当年郭凤莲式的“铁姑娘”形象，她是村里的“妇女队长”——虽然现在这个职务在新型的农村基层组织里已经没有了专门“编制”，但李引兰在本村的姐妹们中依然享有这样的威望。在我采访她的时候，这位“铁姑娘”竟然声泪俱下地说她活了几十年什么苦都吃过，但从来没有吃过跑“衙门”之苦——

“那会儿村里人像盼星星盼月亮似的等着能早点开工打井，庄稼地里大伙儿种的葡萄娇气，最怕没水，我们黄土高原的土质干燥，老天爷又连眼泪样的水滴都不落下，村民们急得火烧眉毛，白天黑夜想的就是给苗儿浇水，可是打井的事又僵在那儿，这就像要大伙儿命似的。碰上这样的大事，大伙儿就找到李学党队长，合计着咋来解决这件难事。我们村民受毛主席教育多少年了，不是不明理上面的法规政策，可现在事情变化了，许家兄弟他们有钱打了井，然后霸着一方天地，你要用水人家说多少价就是多少价，你没法儿子。

“本来大伙儿心里就有气，说这跟解放前的地主有啥区别？现在叫啥市场经济，人家先投入了，就先得益，咱没啥说的。可我们也得吃饭呀！没水咱这儿的黄土咋整出苗苗儿？人家用《水法》来挡我们打井，咱没法，就只能找上级来说话。你可不知道，现在找人办事难啊，难得真像我们女人生孩子似的。你别笑，真的。那些天里，我对李队长说，你就别再拉着我往县上跑了，我宁可忍受生个娃的苦痛，也不愿吃这找衙门的苦。为了打不打井的事，村上的人已经被逼到没路可走的地步，咱们村民们传统呀，总觉得政府办事可靠，能解决下面的事。政府是我们农民们的依靠呀！不靠政府我们还能靠谁？这么着，我和李队长受大伙儿之托，就往镇上、县上跑，开始往镇上跑，后来觉得镇政府解决不了我们的事，便往县城跑。

“你知道现在农民的日子本来就不好过，大伙儿给我们凑钱上城里找领导说事，不易啊！我跟李队长又舍不得花大伙儿的血汗钱，就尽量省着钱不花。咱农村人，在家说啥也饿不死人，实在不行上地里挖一把草也能对付一阵。可在城里不行，弄口水你都得花钱，一瓶矿泉水就得两三块。有一次我拿着空矿泉水瓶，看到一个户外水龙头，便上前灌了一瓶。你知道人家说啥？说我咋连乞丐都不如，人家是来讨饭的，说我咋连水都要讨呀，而且不知打个招呼。我当时被说得真想掘个洞钻钻，人家可没说错呀！到了晚上我们就更难了，再便宜的旅店也要一二十块钱，我们住不起，就找那些旮旯角落缩一夜。李队长李大哥人家是汉子，又是党员，觉悟高，怕被夜里巡逻的派出所干警找麻烦，整宿整宿地不敢合眼，又离我八丈远的。我知道他心里在想啥，他是怕那些夜巡的警察把我们当不干正经事的一男一女给抓了。

“他这么做，我就更不好独自呼呼睡嘛！这深更半夜的在街头巷尾像夜游神似的，让别人看着可疑，我们自个儿也觉得咋整都别扭。可没有办法，我和李队长知道家里的村民们都急到要跟人家拼命的份上了，还有啥苦啥罪受不了？不瞒你作家同志，我和李队长两人在县上跑了 30 多天，你猜我们连车费和吃饭等费用共花了多少钱？ 153 块！而且我一笔笔还都有账的呢！你想想我跟李队长在那些天里是过的啥日子！咱是庄稼人出身，吃苦受累扛得住，可就是想不通现今找当官的办事为啥这么难？

“在那些天里，我跟李队长天天往县里的几个部门跑，我不知道那些当官的和吃着皇粮的干部为啥对我们农民的事那么不上心。有一次我们听说一位领导在办公室，就专门去堵在他的门口。那天是星期四，我们在他的办公室刚露面还没说话，人家就先把我们嘴边的话堵了回来，说他有会要开，得马上走。我们说有急事，用不了几分钟请领导听一听情况。人家领导就开始不耐烦了，挥挥手，说等下午再说。我们只好等下午。可到下午上班时，这位领导倒是回来了，但他已经连话都说不清了，而且是被几位助手扶着进屋的。我们以为领导出什么事了，凑近一看，原来他喝醉了。

“没办法，我们就待在门口等他酒醒。这领导中午也不知喝了多少酒，一觉醒来时已经到了下班时间。见他摇晃着从办公室走到厕所，我和李队长像松了口气似的以为他该有时间听说我们的事了吧。哪知这领导真是架子大，李队长只开口说了句‘我们村……’三个字，他就连连摆手说他的头还糊涂着呢，你们村的事找你们村干部去管。我指指李队长说他就是村里干部，可李队长解决不了那件事。这领导一听就提高了嗓门，一脸怒气地冲我说：‘你们自己村上的事村干部管不了，找我们有啥用？回去回去吧，没看已经到下班时间？’说着他就收拾桌上的皮包，站起身赶着我们走出他办公室。我和李队长还想堵住他听听我们想说的话，这时一位秘书模样的人过来，拉拉那领导的衣袖，轻声说着啥‘晚上已经在某某宾馆安排好了’一类的话。那领导听后立即点点头，夹着皮包连头都不回就钻进了汽车。我和李队长猜想人家准是又去哪个宾馆吃香喝辣的了。

“可人家是领导呀，吃香喝辣的也算是工作不是？我和李队长寻思着你领导晚上吃香喝辣的咱不好挡，但你第二天总该还要上班吧？头天你有应酬，后一天也总该上班办公了吧？这么着我就又和李队长露宿了一夜街头，等着天明见那领导。不怕你笑话，我活这么大一向能吃能睡，白天干再多活，晚上也能呼呼大睡。可没有想到为了村上打井的事，我居然在城里求见领导的那几个夜里困得眼皮打架也睡不着觉。想想村里的人都在等着我和李队长来县上找领导解决问题的那焦急劲儿，我的心就像在火里烤一样。因为等着第二天要见那领导，我和李队长就在人家的机关大门口的一个墙角下缩缩身子又露宿一夜。我们俩谁也睡不着，他在旁不停叹气，我就抬头数天上的星星，那夜真长啊！长得我都觉得一夜就能把我的头发等白了。我盯着天上的星星数啊数，后来觉得浑身发冷，也不知什么时候觉得一缕晨光照在脸上。我打了一个冷战，醒了，看看大街上还是没有一个人，却发现有一缕银白色的丝儿挡在我脸上，我用手一扯，丝儿断了。我定神一看，啊呀大叫了一声！把旁边的李队长吓了一跳，他忙问我啥事？我拿着手中的银色丝丝儿朝他伤心地大哭起来，说队长你看我的头发咋一夜就白了呀？

“李队长也愣了，说是啊，以前没见你头上有那么多白发呀！看我越哭越伤心，李队长就逗我，说他还是队长，等队上的井打成后，就冲着你这次上县城跑出的一根根白头发，给你家多灌一小时的水咋样？我听了他的话，哭也不是笑也不是。后来我们总算等到那领导上班的时间。我就是不明白为啥急出人命的事，一到了上面，一到了那些大官那儿就啥也不是了，还不如人家吃饭喝酒重要？我和李队长想，头天你领导应酬了一天，喝得酩酊大醉，也算可以理解，现在不都这样嘛！可第二天你总该像模像样办些公做点事吧？人家偏不！一见到我和李队长，就嚷嚷起来，说你们怎么赖着不走啊？说你们就是有急事也得按程序办啊！我就问啥叫程序呀？那领导便斜了我一眼，说：‘连程序都不懂你们就瞎嚷嚷要我办事办事？咋办？全县几十万人都像你们这么着找我，我给谁办？又不给谁办？’李队长就赶紧过来赔不是，说我们是按程序来见您领导的，来找您领导也是你们办公室的秘书指点的。那领导一听就更火了，说：‘啥指点的，明明是你们两个死缠着秘书非要见我不可！而且擅自闯入我的办公室，要都像你们俩，我还怎么个工作？’

“他这么一说，我和李队长当时还真的像是自己做错了什么大事似的，一个劲地向人家赔不是。等我们反应过来该向那领导‘汇报汇报’村里的情况时，却发现人家领导不知跑哪儿去了。再问隔壁的人，都说不知道。当我和李队长急得团团转时，有个模样蛮像好心人的过来劝我们说，今天是星期五了，估计你们不会再见得到领导了，要不你们星期一再来。我一听就拍腿大哭起来，心想转来转去还要等几天，这不天都要塌下来了吗？我越想越觉得心里好冤枉啊，越想心里越觉委屈，哭得上气不接下气。更可气的是我这么委屈，人家那些干部们却在一旁窃窃私语说这个女人一定是神经病。你说说，我们当农民的在人家眼里咋就这么不值钱嘛？啊？我看看那些机关的大门上都写着‘为人民服务’的标语，可真轮到他们该为人民服务时，咋就这么个德行呀？我想不通……”

李引兰抹着泪水，两眼直盯着我，希望获得答案。

我无法避开她的目光，但我只能向这位农民摇头。因为我知道这是个看起来并不复杂但实际上极其复杂的现实痼疾。

这时李学党接过了话茬。

“有一点我始终不明白，为什么过去我们党的一些好作风到了现在就不被一些党员干部尤其是那些本该为人民办事的人所看重呢？我今年快50的人了，党龄也不算短了，在村里算是老党员了。我是村民组长，全国最小最底层的官儿了吧？当然在官场上谁也不会把我们当成事，可在村里不一样，村民们啥事都会让我出面，啥儿女老人们的婚丧嫁娶，夫妻之间的吵架拌嘴，邻里间的纠纷争执，没有不找我来出主意想办法的。这几年大伙儿看到别的地方致富了，自己还在啃馍馍，心里着急啊！

“你说我们这些村干部能不火烧眉毛吗？这两年村民们学着邻村种植葡萄，主意也是我和其他几个村干部出的，全村人家家户户都拿出了压箱子底的本钱，有几户还把孩子上学的学费都凑在了买葡萄苗上，孩子只好辍学在家待着。大伙儿为了啥？还不是为了能有口有滋味的饭吃嘛！可好，葡萄苗种上了，却没有水。没有水的葡萄园就像放在石板上的鱼儿一样。这能不让大伙儿急得要拼命嘛！许氏兄弟在前几年用打工挣来的钱打了口商品井，说实在的人家也不易，几十万元投进去了自然希望能收回本钱有赚头嘛。可问题是村上多数人家连买葡萄苗都是借来的钱，他水井浇灌费那么贵，谁吃得消？所以大伙儿凑钱要重新打口井。农民哪懂多少法嘛！心想别人能在地里打井，他是个人的，我们集体合起来反倒不能在同一块地上打井了？

“这个理任凭乡干部、县领导说啥也没用，村民们的理由很简单：他许家打井想赚钱，我们几百户合起来打口井是为了全村脱贫致富，于情于理他许家兄弟都是欠妥的。可我们这些当干部的要比大伙儿明白些，许家兄弟不让大伙儿在《水法》规定的区域内再打口井，并非无理呀！但村民们人多势众，而且涉及的利益是大伙儿的，几百户人家，其中当然也包括我们这些干部家的责任田。后来为了在打与不让打这口井的问题上，双方闹起来了，谁也说服不了谁。乡里、县里的有关部门来做工作就是做不通。在这种情况下，矛盾双方只能自己起来解决。没有其他办法，只有靠动武，看谁本领大，势力大。闹到这个份上我们这些平时谁也不放在眼里的芝麻官成了香饽饽了。

“而且每一次向上面汇报情况时，领导们左一个右一个地叮咛说：‘啥事都好说，千万别出人命！你们村干部都是党员吧？要用党性来保证不能让村里闹出人命来！’我知道上面对我们这样的农村小干部是很少用这么严厉的话来命令的，抬出党性来让我们作保证，这也算是最后一张可以约束我们的王牌了。你说我们还有啥可说的？一边是村民的利益，一边是组织的要求。那些日子里，我真的不知道自己该站在哪一边。我就跑到县法院请人来帮助解决纠纷。人家法院还真派了一名庭长，是个女的。咱夏县从上到下穷，法院的庭长下乡调解，连辆车都派不出来，我们就给她租了一辆私人开的摩托。早接晚送，人家是女同志嘛，家里还有老人小孩。可这位庭长在村上待了一个多月，还是没有解决问题，该吵的吵，该打的打。最后这位女庭长含着眼泪对我说：‘李队长，我实在没有办法了，你让我回城吧！’我看人家也没有办法，让她走吧。女庭长刚走，村民们和许氏兄弟又打起来了，两边都急红了眼，手里都操着铁铲木棍什么的，那些家伙一动手就会血流成河。我没有辙，左劝右劝谁也不听招呼，最后只好站在对峙的双方中间‘扑通’跪了下去，求他们看在我这个当年的老生产队长面上，别动手。我说你们要动手的话，先打烂我的脑袋，再从我身上踩过。说完这话我就趴倒在地上，一动不动，像个死人笔直地躺在那儿——那天我是准备就这么死了。

“心想只有这样死了才对得起大家，也对得起自己的党员身份，其他的我想凭我这能耐也拿不出来，只有这把几十年被太阳晒硬棒的老骨头了。也许在大伙儿面前我李学党还从来没有这么求过人，大伙儿真的慢慢放下了手中的家伙。但我这一跪并没有解决打井的问题呀！要知道解决打井的问题单靠我的一跪是不成的，所以后来我和村民推荐的李引兰一起上县里找领导出面解决问题。刚才引兰说了不少我们在县城求见领导时的那些事，说起来确实挺寒心的。我也弄不明白现在有些干部和领导咋对我们农民的事那么麻木不仁？引兰她一个女人家受不了人家的冷眼，急得只好跪下求人听一听我们想说的话。可我没有跪，因为想到自己是一名党员，我知道站在我面前的那些人他们也大多数是党员。正是因为这一点我始终没有在这些人面前屈尊过一次。我觉得如果我向他们下跪了，是我对自己一个共产党员这个神圣身份的一种玷污。因为我觉得那些在人民需要的时候，将自己高高挂起，漠不关心的共产党干部，他们不配共产党员这个崇高的身份。我宁可屈尊跪在村民面前，也不愿跪在同是共产党员身份的那些干部和领导面前。真的，我也是一个农民，但我觉得如果自己那样做了的话，我会一辈子伤心的，除非我把共产党员的牌子从身上摘下来。”

李学党这位铁骨铮铮的硬汉子，说到此处眼里噙满了泪水。

“在县城求人的那几天里，我真的灰心极了，想不到平时报纸上、电视上天天在念叨的要关心农民利益的话，原来只是在一些人嘴里说说而已。那天和引兰眼看又见不到那位领导的冷面孔后，我就决定回村并做了最后的打算：我给自己买好一口棺材，你们大伙儿不是为了打井要拼命嘛？我是一个村干部，又是一名党员，上面让我管好大伙儿不让出一条人命。可我知道井打不成，地里的葡萄苗又在一天天干死，靠我一个党员一个芝麻官是拦不住大伙儿的，怎么办？我想到时他们动手时我就站在对峙的双方中间，让他们从我身上踩过，铁铲和木棍先往我头上砸，直到他们砸得手里没劲为止……何作家，我说的全是真心话，当时我确实只有这一条路可以选。但我想不到后来出现了梁书记，他真是救了我们全村的人，也救了我李学党……”

师村后来的故事里便又是梁雨润当了主角。

那一天，梁雨润记得很清楚，是 2000 年 3 月 10 日这一天，他正在邻近的一个乡跟县长在检查工作。“嘟嘟——”县长的手机突然响起。

“喂，什么事？”

“不好啦，县长。你快想办法吧，又要出大事了！”

“别语无伦次的，到底什么事嘛？”县长听得有些烦。

“裴介镇的师村要出大事啦！已经有几百人聚集在一起正要向运城走呢！”

“去运城干啥？集体上访？！”

“可能是比集体上访更严重的事……”

“等等，我想一想，你别关机啊！”县长一脸灰色，在田头愤愤地说了一句，“这天下什么时候太平嘛！”

这一切梁雨润全都看在眼里，他急切地问：“县长，出什么事了？”

县长的目光与梁雨润的双眼碰在一起时，发亮了：“对对，老梁，你赶快去一趟师村。那边又闹上了，几百人哩！”

“为什么事嘛？”

“不知道。但肯定是难事，而且又是非你办不可的事！”县长将一只手重重地放在梁雨润的肩上，他把全部期待都放在了这位好同事身上。

梁雨润哪敢耽误，立即驱车前往。一路上，他又通知裴介镇的党委王书记。

约 30 多分钟，梁雨润出现在师村村口。

这时，师村村口那边，黑压压地聚集了一大群村民，他们敲着锣鼓，打着横七竖八的标语和横幅，正往停靠在路边的几辆大卡车上挤。再看看前面的几辆卡车上，几口涂着黑漆的棺材放在那儿特别叫人心悸。

“乡亲们，你们这是干啥呀？”梁雨润的车子还没停稳，他的双脚就已经踩在了地上。

“上运城！找市委书记去！看他们还管不管我们农民的死活了！”有人过来冲梁雨润吆喝着让他让道。因为他们多数还不认识他梁雨润是谁。

“有什么问题可以向我反映嘛！用不着赶那么远到运城去啊！”梁雨润伸开双臂，拦在车队前面。“你是谁？夏县的领导根本不管我们，他们也没有本事解决得了我们的事，你快让道！”有人在车上嚷嚷起来。

“对不起大家了，是我们知道得晚了些。现在我可以代表县委向大家保证：你们师村的事今天我们一定能把它解决好。如果解决不了，你们就朝我梁雨润脸上吐唾沫！”

“啊，你就是梁书记啊！”师村的群众先是一惊，既而欣喜地向他围了过来，“梁书记，早听说你是个专办好事的‘百姓书记’。你来了就好！”

“梁书记来了我们就有希望啦！”

“就凭他刚才那句话，我们信！”

顿时，正准备向运城进军的上访群众，纷纷转过车头，跟着梁雨润回到了村里。

“要解决问题，就得有解决问题的方法。”梁雨润面对数百名多日来为了打井一事，已被拖得疲惫不堪和愤愤至极的村民们，高喊道，“现在请你们选出几位代表，随我一起同许氏兄弟商量解决的方法，其余的你们好好回家休息休息，等待我们的消息！”

梁雨润在基本了解情况后的第一个思路是，希望许氏兄弟将他们原来的商品井能够让出来，成为全村共用的公共井，所需的前期投入甚至包括现在的井价可以商量出一个数目来，如果是这样的话，既可以消除双方争执，又可以立即进行全村葡萄地和其他农田的春灌。

但已经有几年稳定收入的许氏兄弟不愿就这样放弃对原来那口商品井的拥有权。

“你们打井时花了10多万元，村里可以将这笔费用一分不少地归还给你们，同时你们还可享受一些特别的浇灌优惠价格，这不是挺好的嘛！”梁雨润苦口婆心地做工作。

“不行。那井是我们全家的心血，现在刚刚开始有些回报就卖出去了，我们不干。”许氏方面不让步。

“那你们愿意接受多少价钱才肯放弃对井的所有权？”梁雨润继续询问。

“不瞒你梁书记，现在就是100万元，我们也不卖那口井，因为它是我们致富的全部寄托，我们不能放弃……”

“明白了。”梁雨润点点头，知道许氏兄弟已经不想走这步棋，“那么是否考虑另一种情况：你们允许第五、第六村民组打口新井，并且由他们向你们补偿因为新井的开发而影响了老井的那部分出水量的收益差价？”

许氏兄弟对这个第二方案仍表示不接受：“在500米范围内再打一口井肯定会严重影响老井的出水量，而且也不符合《水法》规定，所以我们不同意！”

“从道理上讲你们许家可以不接受上面的两个方案，不过多少年来你们与第五、第六村民组的父老乡亲一直在同一村的土地上劳作耕耘，应该相互体谅才是。”梁雨润仍不放弃耐心做思想工作。然而在利益面前，许氏兄弟坚决不放弃对老井的一切权利。

“谈判”的时间过了一个又一个小时。眼看“友好协商”又要落空，第五、第六小组的村民开始骚动，他们已经做好了充分准备——一旦梁雨润书记也解决不了问题，一是坚决集体上访到运城市委去，二是即使跟许家拼个你死我活，也要在已经开工的地点打井。

梁雨润非常清楚地意识到自己今天来到师村所面临的是一遍难以迈过的沼泽地，要不为何几级干部和领导都躲在一边不愿沾这档子事儿。

面前的矛盾几乎是不可逾越的：许氏兄弟仗着《水法》的支持，在利益面前寸步不让；第五、第六组村民眼巴巴地看着地里的葡萄苗在枯萎死亡，此井非打不可。怎么办？这真是难坏了梁雨润。因为这既非反腐倡廉的正义决战，也非同明火执仗的亡命之徒的生死较量，这是一件普通的人民内部矛盾，一件农民之间的利益纠纷，然而如果不妥善解决好，一旦几百人之间动起手来，其结果绝非是小事！梁雨润从未感到自己的肩上有过如此沉重的压力。他不由得走出村委会的小办公室，独自大步流星地走到宽阔的田野中间，他要亲自在两井现场看一看可以选择的第三种方案。

3 月的黄河边，原野上仍然刮着阵阵寒风。可梁雨润只觉全身汗水淋淋。几百位村民上千双眼睛，此刻都在盯着他那时而移动，时而停下的身影。

梁雨润太明白身后的那一双双眼睛里此刻在流露和等待着什么。突然，他折过身来，又大步回到谈判桌前。

“如果把你们新选的井位挪到村东，我们也来个‘东水西调’如何？”他向第五、第六村民组的代表们发问。

这是一个全新的想法。村民代表们立即议论开了：可以倒是可以，但那得多花十几万元吧？再说，多花那么多钱假如打不出水咋办？是啊，村民现在凑的钱都快连老婆卖出去了，再集资怕是没招了。

梁雨润一听这些话，脸色顿时变了：是啊，村民们哪儿弄这么多钱来？真的将井位移到东边打不出水咋办？那时候村民们手中的铁铲和木棍可能不再是冲着许氏兄弟了，而是冲我梁雨润的头上来了！

是啊，这可怎么办？村民代表们将所有的目光聚集到了梁雨润身上，会议室门口此时早已挤满了一双双企盼的目光，它们同样集中到了他身上。

梁雨润感到浑身发热。突然，村民们见他又一次做了个习惯动作——将大手往桌子上一拍："这'东水西调'所需要的钱，我负责解决！"

"真的？"

"我梁雨润说话什么时候放过空炮？"梁雨润的脸又绯红起来，两眼瞪得溜圆。

"太好了！太好了！这下总算找到解决的办法了！"

村民们一齐欢呼起来。当大伙儿将这一拯救几百村民的喜讯奔走相告时，谁也没有注意他们的梁雨润书记则一头靠在椅子上久久没能动弹一下。

天不等人，时不等苗。村民们有了梁雨润的话，当下就开始移动井位，重新在村东的一片宽阔的地域上寻找井位。

"就这儿吧，看这里的风水还不错，能打出水来！"

"不行，我们不能随便定井位，万一打不出水谁负责任？"

"新井位让梁书记定最好。"

村民们已经吃尽了打不出水的苦，过去为打井，村上不知白白花了多少冤枉钱！那一口口枯井，让多少村民流干了泪水，尝尽了甘苦！而今日此井又意义非同一般，毫不夸张地说，它真是紧连着全村上下几百人的命根儿。道理非常简单，再打不出水，钱又没了，回头再跟许家兄弟争执，只有以命换水一条路可走！大伙儿能不提着胆儿议事？

村民们便又一声高一声低地叫着“梁书记、梁书记”，将他拉到了他们认为可能有水的新井址，让他定夺这系着全村人命运的一铁铲。

梁雨润缓缓地接过一位村民递来的铁铲，手中微微发颤——虽然这一动作谁都没有看出，但他自己能感觉得到。他明白只要自己的铁铲下土，就意味着自己的命运（包括政治的）会如此不经意地全都押在了师村这块土地上……眼前一片宽阔的田野，初春的微风吹拂着地面上那些正萌发着嫩芽的小草，梁雨润轻轻地蹲下身子，他仿佛感觉那些露绿的嫩芽在向他微笑。瞬间，他站起身，举起铁铲，用力地在地上一夯，说：“就这儿！”

“好——立即开工！”李学党队长大手一挥，众村民马上甩开膀子干开了，他们又说又笑，师村上空顿时洋溢起一团团欢快和希望的景象。

“梁书记，您吃口饭吧！”这时，一位村民端来一碗热腾腾的白米饭，那上面叠着两个荷包蛋。“哟，可不，光忙着让梁书记为咱操心，连饭都没让梁书记吃一口！”李学党有些不好意思地朝梁雨润歉意地笑笑。

此时已近夜间10点，师村东头的田野上正挑灯夜战，操劳了十几个小时的梁雨润这才感到肚子在咕咕叫着。但他怎么也吃不下，碗中的饭没拨拉几口，便放了下来，然后对李队长说：“明天不是正好星期六嘛？你一早到县城来找我，五点钟吧，尽量早些。”

“咋这么早？啥急事？”李队长有些不明白。

“钱！跟我一起去要打井的钱呀！”这回梁雨润的口气里听出

了急躁。

李队长和身旁的一群村民听后，眼里顿时涌出了泪珠儿。

梁雨润是纪委书记，不掌管任何财权。纪委又是个党组织机关，除了日常开支没有其他经费。再说夏县是个贫困县，即使是县财政局长的口袋里也常常是空荡荡的，连教师的工资都往往要拖几个月才能发下去。到哪儿给师村弄十几万元钱呀？梁雨润清楚是自己把师村的难题揽到了自己头上，可回过神再想想自己向全体师村村民们许下的承诺，搅得他梁雨润自个儿一夜没合眼。能不急嘛！村民们已经在新址上开工打井了，每天就得靠几百上千元钱支撑着才能往下一米一米地钻进。假如停停打打，费用就更大了。可钱从哪儿来呢？

真是愁坏了这位纪委书记。自己的纪委工作不能耽搁，师村打井的经费也不能延误了。无奈，梁雨润只好用周末时间，带着师村李学党队长外出找熟人乞求。而这回从来就讨厌看着别人提着烟酒串门送礼的纪委书记，也不得不同样提着烟酒等礼物，像孙子似的在那些熟悉的和不熟悉的领导面前、财神爷面前笑脸“献媚”起来。

李学党是跟梁雨润一起出去要钱的，他向我介绍起当时梁雨润为了他们村打井的那十几万元钱到处求人的情景：“你想，给我们村上要的钱都是只给不还的，谁能白白送你？梁书记在我们农民眼里是个不小的领导了，可没法子，为了能要到钱，他只好在那些管钱财的人面前低三下四的。

“我们两人到省城太原求人期间，为了给村上省点费用，他和我一起住几块钱的地下室招待所，连馆子他都不肯进。而一进那些机关大楼，他又不得不装出很体面的样子。我们是来向人家讨钱的，只好迁就着人家的时间，看着人家的脸色行事。有时梁书记和我在别人的办公楼一等就是几个小时，看到那情景我心里真过意不去，几次说梁书记，咱们回去吧，你心尽了，钱要不到我向村民们说明白。可他梁书记说啥也不干，说农民现在日子不好过，刚刚有点希望种上了葡萄，我们怎么能看着他们地里的葡萄苗儿干死呢？正是梁书记对咱农民的一片诚意感动了上帝，所以他前前后后总共为我们村筹集了整整 16 万元，满足了打井的所需。预期的钱是要到了，但梁书记的心并没有放下，因为假如钱都花出去了，井里打不出水不就等于竹篮子打水嘛！我清清楚楚记得打井的那些日子里，梁书记不管每一天工作有多忙，不是顺道到现场看一看进展情况，就是用手机给我打来电话询问。

“有一天刮起少见的沙尘暴， 5 米开外的人见不到影子。我正招呼着工地上的人躲一躲，梁书记却出现在我们面前，浑身上下像个土人似的，我便说梁书记你咋这时候来了？他说他是怕刮这么大的沙尘暴，工地上会出什么事故，所以才从几十里外的地方赶来了。我们全村人无不为他的精神所感动。那段时间也真让人提心吊胆的。以往我们不管打什么样的井，一般到一定的深度，怎么着中间总会零零星星地见得到一点水，唯独这口井从第一米一直打到 300 来米一星点儿水的影子都没见着，你说谁不着急呀？村民们天天围在井台边瞅着，祈求着。你想，既然动工了，有没有水，钱是一样花的呀！梁书记其实比我更着急，一来他知道地里的苗不等人，二来说实话他也知道如果这口井再打不出水来，他再向人磕头要钱就更不容易了！所以梁书记和我们一样，越到后来越着急，恨不得像孙悟空一样缩了身子往井洞里钻下去看个究竟。或许是老天爷也被感动了，打到 363 米时终于出水了，而且是口旺井，每小时流量达 50 吨！

“这下可把全村人乐坏了！出水那天，村里的人都围在了井口处，那情景真叫人热泪盈眶。我们村里有位老人是参加过抗日战争、解放战争和抗美援朝的老共产党员，他已经有好长时间没有走出家门了，那天他从家里走了出来，在井口前，他手捧一掬哗哗流着的清泉，笑咪咪地对我说：共产党为人民服务的根本出发点还在！他还想活上几十年。老前辈这样的话已经多少年没有说了，我当时心里真的很激动，自然特别地感谢梁书记。后来村上的人一定要搞个新井灌溉仪式，说一为庆贺村上打井成功，二要谢谢梁书记。村民们纷纷自觉行动起来，大伙儿们像过节一样欢天喜地，尤其是妇女们，她们已经有二三十年没集体排过舞蹈唱过歌了，这回她们在李引兰带领下，自编自演了好几个节目，等着在庆祝仪式上专门献给梁书记。可当我们一切准备就绪，向梁书记提出邀请时，他一听就表示不同意这么做。他说，眼下浇苗要紧，说啥就是不来出席我们的仪式。村民们不干了，说你梁书记一天不来，我们就一天不开灌。最后逼得他没法，只好来了……”

关于后来的开灌仪式和村民们自编自演的节目，我在日后的采访中看了当时师村请人拍下的录像，也看了李引兰她们的现场表演。正如我前面所言，虽然村民们准备的仪式和排演的节目，无法与电视上的节目相比，但我仍然认为它是我多少年来所看到过的一场最动人的精彩节目了。

那是当代农民发自内心深处对我们党和党的干部的一种最高的赞誉，因此它比任何明星们搔首弄姿的表演不知要强出多少倍！

梁雨润在夏县当纪委书记的近 3 年里，从没有接受过别人的恩惠，包括由他主持处理过的几百起纠错纠冤案件的那些受益者送的任何钱物。但师村乡亲们自编自演的节目，他接纳了，并像我一样珍藏着这盘录像带——这具有特殊意义的录像带，就放在他办公室的书架上。他说这是他在夏县留下的最美好的记忆。

我想也是。对一个共产党人来说，还有什么比这更令人羡慕和荣耀的财富呢！

# 结束语　生活没有尾声

关于梁雨润的故事，还有很多，如果不是惜纸，还可以再写出如此多的文字，但我想结束本文，免得让读者们感到疲倦。只是在采写完他的事迹后，我觉得有不少心头的感慨非说不可。因为这不仅仅是一个文字多少的问题，而是关涉到我们党千秋执政大业和根基能否岿然不动的大事。有个道理大家兴许都知道：和平时期，我们党在领导人民建设社会主义的过程中，有无数与战争年代完全不同的事需要去做，这中间最重要的当然是领导我们这个农业大国实现从贫穷中脱离出来，朝现代化的目标前进的任务。简单地说，就是推动社会发展，即生产力的发展。然而这样的问题，对一个执政党而言，其实并不是什么新鲜事，因为任何一个成为了统治者的执政党，其执政后的基本任务几乎都负有这样共同的责任，离开了这一点，也就无所谓执政了。但为谁而执政，为谁而推动社会生产力的发展，推动的社会生产力又是为谁服务和为谁谋利益，这是共产党执政者与其他执政者的区别所在。中国共产党人在以前的几十年间，能够取信于民，能够取得推动社会进步的动力，就在于实现了为人民利益而奋斗的宗旨与目标。然而今天在一些地方、一些地区的人民中间为什么对我们的为官者有那么多微词，那么多过激的行为，问题就出在一些为官者忘却了自己为官到底应该为谁谋利益？怎样为人民群众谋利益？

人民和百姓是最少讲大道理的，但他们是最懂得基本道理的。那就是你说得再好听，唱得再优美，你只要不是在为他们服务和谋利益，这样的官和政府他们就不欢迎，他们就不满意。

现在有不少干部，他们对百姓的疾苦了解甚少，或者知道了也不愿多去费心。正如梁雨润所说，也许你会为老百姓、特别是农民们办一百件好事实事，解决他们百个千个难题，但也未必比得上认识一个管用的领导，因为一个“管用”的领导一句话可以使你飞黄腾达。再有些干部整天浮在水面上，搞那些“形象工程”，而对群众真正期望的实事则不问不闻。还有一种干部看起来他们的工作毫无可挑剔之处，他们有章有法，循规蹈矩，貌似忠于职守，把自己的职能搞得井井有条，而当那些百姓寻路无门的难题愁事找到他们时，则面孔一板，或者佯作同情之状地说一声“此事不属于我们管”而一推了之。这样的官当得四处逢源，八面玲珑，到头来，该评先进的照常“先进”，该升官晋级的照样升官晋级。而老百姓的事该怎么着还是怎么着，细细看一看本文主人公梁雨润遇见的那么多闻所未闻的奇事怪事或者平常事，哪一个不是因为我们的一级级领导和干部们你推我推，最后让农民们有冤无处申，很难找着一个管用的部门，针头般的纠纷也酿成了你死我活的悲剧，那些原本不应激化的矛盾更是落得不可收拾的地步。怨谁？当然得怨那些拿了国家俸禄，头顶戴着共产党招牌而不为民办事，整天只知明哲保身，事不关己、高高挂起的官僚衙役。可眼下问题的严重性还不出在此处，要命的是：你好心好意去为老百姓办了实事，做了好事，却反被那些不干事的人用冠冕堂皇的理由视为“超越职能，不该多管”的不好行为。本文的主人公梁雨润就遇到了这样的“待遇”。自他的事迹在百姓中广为传颂后，从中央到地方的报纸都进行了宣传，他还被邀请到各地讲演自己学习“三个代表”重要思想的经验体会。有一次在同行的纪委干部会议上，梁雨润作了学习汇报后，马上就有人在台下窃窃私语起来：这老梁确实不简单，可咱纪委干部要都像他这么干，不就成了信访办工作人员了吗？咱是办案的，老百姓有那么多事咱能管得过来吗？

带着同样的疑虑，我不止一次问我的主人公。这也正是梁雨润这几年在基层为农民办事中思考最多的一个问题，他这样向我掏出心窝窝里久积的话：我们党在夺取政权时期，与百姓是鱼水关系，只要人民需要，不管谁都会去做，甚至不惜牺牲生命。新中国成立了，党成了执政者，人民群众成为被执政者。而执政者随着各式各样的体制机制的建立，关系错综复杂，条条框框，形如蛛网，似乎成为缺了谁都不行，可常常又缺了谁都没关系的局面。久而久之，官僚主义、形式主义泛滥成风，遇事推诿扯皮成了家常便饭，论功行赏时则你争我夺，好不热烈。这样的结果，倒霉的则是那些需要真正解决难题和难事的人民群众，他们举冤无入门处，下跪求不到神仙，最后只得冲天骂娘，揭竿而起。梁雨润说到此处，感触颇深道：我这样职务的干部在农村和基层也算是个"大官"了，天天会遇到各式各样农民群众的事，按照体制条块分工，百姓的事都是你可管可不管的事，假如你认真负责地去过问和处理了，天大的难事也可能就迎刃而解了。相反你躲着避着，谁也说不出你什么，可针尖儿的小事可能酿出了巨大冤情，人间悲剧。梁雨润说他因此常想着这样一个问题：老百姓特别是农民们的事会有多大？有多难办？说白了，无非是些土地纠纷，邻里矛盾，对干部作风和司法不公等问题看不惯，比起我们一些干部关心的职位升迁，妻儿工作安排，孩子上学问题要简单得多。为什么我们的干部对自己的事处理得那么投入，那么游刃有余，而到为群众办事时就那么讲究"分工"，能推就推，即使火烧眉毛的事也麻木不仁？说到底，就是没有把人民群众的事当作自己的事看待，对人民群众缺乏基本感情。

是的，梁雨润的话其实替我回答了广大读者追觅他本人为农民群众办了那么多好事难事的"内在动因"。在夏县的日子是梁雨润参加工作30多年里的短暂一站，然而他在百姓心目中所树起的共产党干部形象的那座丰碑已经牢牢地根植在晋南大地上。今天我们再到夏县这个昔日的“国家级贫困县”走一走，你就会发现这儿的农民们早已不再愁眉苦脸，他们的心境变得阳光灿烂。这里不仅村风村情起了质的变化，更重要的是农民们的致富门路更加宽广。其中最惹人耀眼的要算几乎家家户户都引以为豪的“蔬菜大棚”了。说来叫人不敢相信，如今让夏县农民走出贫困奔小康的好似仙女散花般的遍地“蔬菜大棚”，竟然与梁雨润这个纪委书记有关，而且农民们这样说：“论功，梁书记头一份。”

这不由引起我的好奇。

农民们告诉我，在1999年前，夏县这个远近闻名的蔬菜基地上从没有过能“四季生钱”的“大棚蔬菜”，因而随着市场经济的激烈竞争，昔日曾有过的蔬菜基地美名的夏县最终还是戴上了“国家级贫困县”的帽子。1999年开春，夏县县委常委（扩大）会议上，身为纪委书记的梁雨润阴差阳错地被指定为抓全县日光温室蔬菜棚建设的负责人。对这份“兼职”，梁雨润不敢轻视，他利用“主业”纪委工作的间隙，跑了一趟山东取经，回来就大刀阔斧干了起来。现今已是夏县农业开发委主任的吕全印，当时在禹王乡当党委书记，老吕一谈到梁雨润抓蔬菜棚的事大为感慨，话匣子像倒了个似的往下滑——

“这老梁，他抓蔬菜棚建设，就像抓案子似的那么雷厉风行。我记得清楚，那天早晨也就五点来钟，我还在梦中，突然他打电话来，说他已经到了我的乡党委办公楼门外。我问他有什么急事起这么早？他说你快起来，我们一起看哪个地方能适合搞蔬菜大棚。我被他逼得没办法，只好钻出热被窝，跟他到了一块荒丘上察看地形地貌。当我们认定那儿的土质和地势能建蔬菜大棚后，老梁挥动镢头就带头干了起来。可建一个大棚就得7000来元，全县推广1万亩这样的日光温室大棚，就得7000万元。咱夏县是贫困县，哪来这么多钱？看我们有些心灰意懒，老梁便说：‘这还不好办？上边要一点，银行贷一点，群众拿一点，不就齐了？’说归说，可真正想筹到钱在我们这样的贫困县可是比登山还要难十倍的事。那阵子，可苦了老梁，他一面忙着纪委主抓的抽一百个人，办一百件群众急需解决的大案的‘双百会战’，一面心系蔬菜大棚建设。我听说仅为了到省里向有关部门‘磕头要钱’，他老梁就不下好几回日夜兼程风雨无阻地去过太原城。一部分钱筹到了，试验大棚也建起了一批，可老天不作美，那年夏季暴风雨特频繁。有一个星期日，老梁他办完县里的事晚上9点刚返回到老家芮城，突然暴雨交加。老梁还没同年迈的父母说上一句话，就令司机把车往回开。从芮城到夏县有三四个小时的山路行程，当老梁一身水一身泥地冒雨赶到大棚基地时，菜农们感动极了，说梁书记你咋这个时候到蔬菜棚来了，都12点了呀！老梁说：‘下这么大雨我担心棚子会不会塌嘛！’老梁就是用这种精神使全县仅仅用了一年时间，就发展和推广了十几万亩这样的日光温室蔬菜大棚。如今我们夏县的农民们已经将经营大棚蔬菜当作致富的一条重要途径，占农业总收入的30%以上。”

夏县蔬菜大棚的发展，给农民们所带去的丰收与致富的喜悦，使我看到了什么是共产党干部的“分内事”，什么是群众真正的根本利益。

我因此把这样的一件事放进本文，作为对梁雨润事迹介绍的最后补充，是因为期望所有共产党干部们都能深思一个同样的问题：你是否也应该用自己的热情和干劲，真心实意地、不带任何功利目的地去做些服务于人民群众根本利益的好事，实事？！

# 为了弱者的尊严

# 第一章　十二年等待入土为安

当今社会上有一个怪现象：只要一出问题，就有人会扼腕叹息是“制度问题”。似乎所有的责任与他的工作态度和工作质量好坏毫无关系，一切都是“制度惹的祸”。

真的是这样吗?

大同煤焦集团某矿职工家属刘金莲始终弄不明白，她那花儿一般的女儿为何突然自杀了，这消息如晴天霹雳。但最令她无法明白的是，在女儿自杀后的十几年里，她以一位母亲的真挚感情去追问女儿的死因时，问题竟然变得如此复杂——

刘金莲的女儿名叫张喜荣，死亡时年仅 24 岁。她生前与附近一煤矿上的男青年张某恋爱，并于 1991 年 9 月到民政部门领取了结婚证。因相处后感觉两人性格和感情很不和谐，张喜荣一直不愿过门到张某家生活，始终在自己母亲刘金莲家居住。1992 年 6 月 27 日中午前，张某来到刘金莲家，说有事找张喜荣，于是张喜荣向母亲告别后随张某到了张某姨妈家。不知何故，两个人下午又分开了，张喜荣独自留在张某的姨妈家，张某则外出了……晚上 6 时半左右，邻居刘某回家后闻到屋里有股刺鼻的煤气味，经查找，发现是四层张某的姨妈家发生了煤气泄漏，急忙给张某打电话。张某赶回来，见门反锁着便一脚踢开，直奔厨房，关掉煤气阀门。再转身寻找留在屋里的张喜荣，竟然看见张喜荣在煤气管上上吊了。“喜荣！喜荣——”张某惊恐万分地边喊边将张喜荣从煤气管上抱下……这时，张某的姨妈及其姐妹等人闻讯赶来，几个人慌忙将张喜荣送往医院，经医生检查，张喜荣早已死亡。

以上情节是事后张某向公安人员描述的。

刘金莲第二天一早才知道女儿出事了。当她赶到医院时，任凭她怎样哭天喊地，女儿冰冷的身子直挺挺地躺在那儿，再也不可能回应一声“妈妈”了……

女儿死得突然，死得叫母亲刘金莲无法接受。“前一天离家的时候还好端端的，今儿个咋就没有了……我的荣荣你死得好冤！死得好惨啊！”刘金莲抱着已经僵硬的女儿尸体，几度昏死。

刘金莲对“女婿”张某早就不满意，如今女儿不明不白地“自杀”，能这么简单地了事吗？“她不会自杀的！”这是母亲的第一个直接反应。

于是在对方提出火化时，刘金莲坚决反对：“是你们杀了我女儿！你们是凶手！”

刘金莲一边流着悲痛的泪水，一边强烈要求公安部门做调查，并且制止对方火化张喜荣的尸体。

医院只得把张喜荣的尸体暂时安置在医院的太平间冰柜里……十几天后，一份由当地矿区公安分局出具的关于张喜荣之死的调查报告送到了刘金莲一家手里：

> ……经大同市公安局法医对张喜荣尸体进行第一次解剖认定：
>
> 1. 死者尸体呈鲜红色，血液中含有CO，属40%的轻度中毒。
> 2. 死者颈部索沟有表皮剥脱皮下出血反应。
> 3. 死者张喜荣系生前缢死。

“不！我女儿不会自杀的！她凭啥要自杀？她刚刚拿下了大专函授考试……她好好活着，荣荣不会自杀的！绝对不会……”刘金莲拿到“调查报告”的一刹那，还没有说完话就又昏死过去。

当她醒来的第一个反应是：找懂行的人来看这份“调查报告”

里的问题。“懂行的人”很快告诉她：这份“调查报告”里的结论有“技术问题”，“CO 中毒的典型临床表现是面呈桃红色！他杀可能非常大”。

本来就认定是那个不怀好意的“女婿”杀了自己女儿的刘金莲更坚信女儿是被人害死的。她找到矿区公安分局追问，公安分局的人告诉她：我们的鉴定就是这个样，你女儿上吊自缢的事实不容置疑。

“这不是事实！你们在胡说！”朴实的农家妇女刘金莲一听公安部门的答复就跳起来。她是女儿的母亲，比谁都了解女儿的心：早在两年前，女儿曾与一直纠缠自己的“男友”张某出现矛盾，后来发展到闹翻要分手的地步。但张某死活缠着张喜荣不肯撒手，甚至到后来想用结婚证死死拴住张喜荣，以为这样可以使张喜荣回心转意。但之后的日子张喜荣不仅没有改变与张某分手的主意，而且一直居住在自己的娘家。在“上吊自缢”的几个月前还将张某送她的彩礼全部退还，准备同张某彻底断绝关系。

“荣荣对这桩婚事早就不满意，早就不想理那人了。可那姓张的厚着脸皮死活不放过荣荣……”刘金莲过去为了女儿的脸面，从不愿对外人说这样的事，可现在女儿没了，她再也不想隐瞒什么了。

刘金莲一家的状况令人同情。就在女儿“自缢”前一年，刘金莲的丈夫已在一次矿难事故中身亡，留下她和两个未成年的儿子。女儿荣荣是唯一可以与她一起支撑这个破碎的家的亲人，这也使得女儿经常会把埋在心头的所有委屈无一遗漏地诉说给母亲听。

“我了解孩子，她绝不会自杀的！她凭什么要自杀？她要是有三长两短的想法能不告诉我当妈的？”刘金莲认定如果不是张某迫害或动手杀害她的女儿，不可能有现在的这个悲剧。

在刘金莲的坚持下，放置在医院太平间冰柜内的张喜荣尸体被第二次拉出来做尸检。时间是1992年10月13日。

此次医检的结论依旧：张喜荣“系生前自缢”。根据刘金莲的要求，大同矿区公安分局刑警队做出了判断张喜荣上吊自杀的“四条理由”：

1. 根据法医对尸体解剖，张喜荣尸体没有被钝器所伤，尸体完好无损；

2. 张喜荣上吊现场是在四楼中门，现场没有发现其他可疑情况，凉台完好无损。家中正常；

3. 张喜荣上吊现场的门是邻居12号的袁宝生用脚踢开的。门是从里面用锁子给挂住的，袁宝生能证明当时踢开门看见了现场；

4. 有大同市公安局法医对尸体进行解剖得出死因，张喜荣系生前缢死。

两次尸检，结论无异。照理，刘金莲应该就此罢休。但刘金莲没有，她反而坚信自己的女儿之死是“他杀”。因为从自己所了解和掌握的情况看，以下几个关键疑点无法让她信服女儿不是他杀：

一是公安部门始终未给出死者的死亡时间。而这一点，刘金莲认为“非常关键”，因为如果女儿死在6月27日下午4点前，极有可能是被人残害后再伪装成煤气泄漏，并将其挂在煤气管上伪造成上吊自杀现场。

二是即使张喜荣与张某吵架，也不至于想不开竟然自杀在张某的姨妈家。

三是张喜荣死在张某姨妈家的厨房内，其空间十分狭窄，死者如上吊后踢开凳子，造成不了凳子“四脚朝天”状，而公安人员告知当时张喜荣自杀现场的凳子是“四脚朝天”的。

四是死者牙关紧咬，舌头未吐，脚尖未垂，这与上吊自杀的特征不符。

刘金莲作为母亲，除了对上面这些事实存在疑问之外，还因两件事更加确信女儿是被人害死的。那是女儿死后不到一个月的7月25日这一天，刘金莲依然像往常一样来到医院的停尸间看望早已冷冰冰躺在冰柜里的女儿，太平间的一位师傅很神秘地告诉她：张家（与张喜荣订婚的张某家）说了，今晚要来取张喜荣的尸体，你知道不知道这事？刘金莲一听大惊：他们想干什么？分明是想灭尸掩罪？刘金莲快速看了一眼女儿的尸体后，立即返身找到办案的公安部门负责人报告了此事。人家一听，满不在乎地告诉她：他们偷走尸体有什么用？别管他！说着忙其他事去了。刘金莲着急啊，女儿不明不白这样死了，现在事情还没弄个明白，假如尸体被人偷走毁了，不更成了无头案嘛！刘金莲心急如焚，带着几个亲戚，当晚守候在太平间。上半夜，刘金莲等轮流看守，却未见“贼”来。又过数小时，将近清晨时，只听门外“突突突”地响起几辆机动车的声音。刘金莲等出去张望，一看果真是张家的人，共八条汉子，三辆机动车。“你们想干什么？”刘金莲怒喝一声，顺手操起一根铁棒，直冲过去。来者见势不妙，发动马达，掉头就跑。事后刘金莲对医院和负责办案的公安部门警告说：如果有人敢偷走她女儿的尸体，她刘金莲就跟谁拼命！

母亲誓死保护已去天国的女儿的遗体，让一些人再不敢贸然行事。新的尸检报告不能让刘金莲信服，停尸间又有一个令她更不能容忍的“意外事件”发生了：那天她再上停尸间看望女儿，双脚刚踏进停尸间，只见眼前团团热雾笼罩……冷库里怎么会冒热气呀？刘金莲正迷惑不解地往里走时，她被近在咫尺的一个“怪物”吓得大叫一声：啊——这是谁呀？躺在地上的是个赤条条的、四肢蜷曲着的、没有气息的男人……

“是老刘啊，对不起对不起，我马上把他拉开……”这时停尸间的李老头过来一边给刘金莲赔不是，一边赶紧动手将躺在地上的一具男尸拉走。

刘金莲的心依然怦怦直跳。停尸间里见死人本不会让她惊吓，问题是她没有想到那男尸会横放在进门的地上，换谁都会在没有半点防备的情况下吓出一身冷汗。这事人家工作人员赔了不是也就算了，可当刘金莲走到安放女儿尸体的冷柜时，不由火冒三丈：热腾腾的气流下，女儿的尸柜竟然敞开在外……

“老李，这是咋弄的？这么热的气儿，我女儿的尸体不全完了吗？”刘金莲愤怒地责问看守的李老头。

“哎哟，真是怪了，你女儿的冷柜怎么会敞着嘛！我马上关上！”惊慌失措的李老头赶忙将张喜荣的尸体冷柜往里合上，又一副真诚的样儿直向刘金莲赔礼道歉。

“之后我女儿的尸体就开始腐烂，没有多少时间就根本不成样儿了……”刘金莲事后极度伤心地说。年纪轻轻的女儿突然死亡，并被告知是“上吊自缢”，刘金莲本已心存疑点多多，如今又连续出现尸体被人企图抢劫和“意外”腐烂之祸，这样的打击无疑是毁灭性的。

“尸体腐烂了，死因咋个查清呀？”悲恸欲绝的刘金莲这回上了省城，她心想，省城的医检专家一定比大同的要“技术高、心眼好”。可省城太大，从没出过远门的刘金莲发现省城太原城市比大同大出好几圈，想找一个说得明白又能听她申诉的人其实比在大同要难得多。最后没有办法，刘金莲打听到省委的地址后，便在隔日的大清早，穿着一身孝服，见到有武警站岗的省委大门后，便双腿“扑通”跪在地上，一声“我女儿死得惨”的悲号，立即引来满街围观者。

“大娘，快起来！这儿不能闹！”刘金莲还没反应过来，就被几个穿制服的警察拉起来送上了一辆警车。

“我女儿死得冤枉，你们为什么不让我喊冤？”刘金莲责问押送她的公安人员。人家板着脸告诉她：省委门前吵闹是违法的，有事可以找主管部门。

谁管我女儿的事啊？刘金莲抹着眼泪问，顺手将备好的“冤状”递给公安人员看。

你不是想请法医吗？应该上省公安厅嘛！

于是刘金莲费了大半天时间终于找到那个威严的省公安厅办公地。两眼一抹黑的贫民老妇能引起当局注意的只有哭跪和叫冤。

山西省公安厅的领导对刘金莲申诉女儿冤死一事不能说不重视。他们立即派出专家赴大同市，会同当地法医一起对张喜荣的尸体作尸检。时间是1993年元旦刚过的日子。

“他们来后，又对我女儿开膛破肚，剐走好几个脏器……”刘金莲说到此处，老泪纵横。平心而论，眼睁睁看着已经面目全非的女儿尸体，刘金莲怎么能忍心任人扯动女儿哪怕是一根头发？可为了弄清其死因，刘金莲一忍再忍，这种悲怆欲绝的经历，普天下的母亲恐怕都难以承受。

“荣儿啊，你死得不明不白，又要受这样的苦，妈对不住你啊……”当省城的法医提着女儿的脏器离开停尸间时，刘金莲伏在冰冷的尸柜上，几度哭死过去。

在期待中的那些日子里，刘金莲几乎每天都要上停尸间看望一次女儿，可每当她看一眼女儿那不成样的尸体时，作为母亲的她，不是悲恸得昏死过去，就是难过得直恶心。“……到1995年后，女儿的尸体腐烂得实在不像样了，我看后常常做噩梦，所以打那以后就不再去停尸间探望了。”刘金莲对我说此话时，双手捂着心口，眉宇间堆起无限痛楚。

1993年1月11日，一份签有山西省公安厅副主任法医武某大名的《张喜荣死因复核鉴定》出台。这份鉴定共有4页纸，后附张喜荣自杀现场示意图1张，现场及尸体照片50张，无论从法医的水平还是材料的专业性上，都可以说是相当专业的。鉴定显示：在尸检之前，大同市公安局的一名副处长会同省市和矿区公安分局的侦查、技术干部对张喜荣一案重新做了全面调查访问，并对现场进行了勘验和复核。首先征求了张喜荣亲属意见，查证了有关张喜荣死亡前后的基本情况，走访了原始现场的发现人，认真审查了现场有关证据并在现场反复试验，仔细审查了尸体原始资料等等，从“基本案情”“尸体上具备吊死征象”“现场为自杀现场”和“有自杀原因”四个方面最后得出结论——张喜荣因对婚姻不满，吸入煤气后自缢死亡。

那天，4页纸的“鉴定”如千斤铁石，从刘金莲的手中滑下，落在地上……

手捧女儿遗照的她，脑子一片空白。“之后的十几天里，我成了一个白痴，脑子空空的，啥事都不知道。”刘金莲说。

不行，荣儿不是这样死的！荣儿不能白白死去！刘金莲始终不信公安部门所做的她女儿“自缢死亡”结论。她认为公安部门有人“私通一气，包庇罪犯”，为了“洗清沉冤，查明真相”，体弱多病的刘金莲怀着悲愤与一丝希望，从此开始了长达十几年的上访之路……

那些没有尊严、饥寒无常的漫长岁月是怎么过来的，刘金莲说可以写三大本书。“过去我是一个家庭妇女，不认得字，后来为了弄清女儿死因，我学会了写状子、给领导写信……”我无法相信一个孤苦伶仃的老妇会有如此顽强的意志和毅力。这也使我想起了本文主人公梁雨润对我说的一句话：如果我们的干部都能拿出上访人员百分之一的精神来解决老百姓的问题，我们这个国家就不会再有多少上访人员了，我们这个社会就会变得和谐得多。

身为母亲的刘金莲，对公安部门给出的死因结论无法认可，所以她认定女儿死得冤屈。一把屎一把尿拉扯大的儿女一旦出现这样的不幸，相信天下的父母都会与刘金莲一样，必定追问个明白。因为儿女的生命在父母心头重如泰山。

连续三次尸检，看着女儿长久地躺在冰冷的太平间尸柜里一天天腐烂的凄惨情景，换了谁都会感到撕心裂肺……而盖着矿区公安局、市公安局、省公安厅大红印章的一份份法医鉴定书，犹如大山压在刘金莲的心头，令她窒息难忍。

“女儿死得不明不白，我做母亲的哪能咽下这口气？！”刘金莲对天发誓：就是倾家荡产，也要找出“凶手”。

“去吧，只要你能找到弄得明白荣荣咋死的专家，我们就是闭了眼、蹬了腿，也会在家里等你回来。”在刘金莲第一次准备离家上京城时，年已 80 多的公婆挽着两个刚过 10 岁的孙儿对儿媳说。

“妈，我会照顾好弟弟的，你去吧，早点回来……”大儿子抹着眼泪，给母亲的衣袋里放进两个煮熟的鸡蛋。

第一次进京，刘金莲走出火车站出口后就迷了路，本来到公安部的路没几站地，她却转悠了大半天，花了十几元公交车费、跑了足足几十里路才在天安门国旗下降时摸到了公安部大门……北京的“官”办事就是不一样，“大娘您放心，我们马上责成山西省有关部门一定帮您把事情弄明白！”

刘金莲听了这样的答复，心头涌起欣慰和感激。“哎，我听同志您的话！”在火车站给公婆和两个儿子买了几样“北京小吃”后，她便回到了大同老家，静静等待结果。五天、十天……一个月、两个月过去了，省里咋一点动静也没有？刘金莲担心起来，便再次跑到省城去问，人家一脸不高兴地告诉她：你女儿的死因结论清清楚楚，你还有啥冤嘛！

咋没有冤？北京的领导都同情我，你们咋就不听中央的话？刘金莲气愤地责问省里的干部。

人家有修养没发火，倒是脸上堆着讥讽的笑容说：中央的话我们当然要听，可实际情况我们也要如实汇报。你女儿的事，我们已经做了三次尸检，结论都是一致的，你再跑也没有用。说完，人家转身给了刘金莲一个背影。

刘金莲火了，咋，我一个小百姓你们就可以这样欺负我？我不信这个邪，再上北京申冤！

再次来到北京。再次找到那个说“一定帮您把事情弄明白”的“官”。这回这个“官”有些为难地耸耸肩，说：你们省里说已经做过几次尸检了，结论都是一个样。这事看来难度不小……

同志啊，你一定帮大娘看看还有啥法子，大娘我给你磕头了……刘金莲说到这儿，双腿“扑通”就跪倒在地。

大娘您千万别这样！别这样……那“官”赶紧扶起刘金莲，然后好心地对她说：如果大娘还是怀疑你女儿死得冤，恐怕得找更好的尸检专家帮助重新做一次尸检。

“只要能为我女儿申冤，我就是一辈子去讨饭也心甘情愿。”刘金莲说。

“请大专家可不是容易的事，你能请得动吗？”那“官”紧锁眉头说。

刘金莲说：“同志你给指条路就行。”

“恐怕得找你们省里主要领导。”

“啥是主要领导？”

“就是省长、省委书记呗！”

噢。刘金莲点点头。当日，她回到太原，来到省委大门口。再次穿着一身白色孝服，双膝下跪在大门口，嘴里哭喊着“冤——”警察和信访局的人过来一看，说：怎么又是你啊！

刘金莲不理会，说：“我女儿的事一直没给解决，当然我还要来嘛！我要找省委书记……”

“省委书记那么忙，你怎么不体谅领导的难处？”人家这样对她说。

“我不管，反正今天见不着他，我就天天在这儿等他！”刘金莲干脆一屁股坐在地上。

“不行，这是省委办公的地方，你不能这样随便坐在大门口挡道！”几个公安人员便将刘金莲抬起来就走。

刘金莲被强行劝离省委大门口。她不服，你不让我找省委领导，我就偏要找他不可。你一次把我拉走，我就来第二次、第三次，看你们拿我怎么样！

省委、省政府大门口的执勤公安人员吃的就是维持省委、省政府治安的饭，其中最主要的一项任务便是劝说和制止那些上访人员和滋事闹事者。你刘金莲来一次，我就劝你走开一次，你来十次，我们就劝走你十次。你赖着不听话，我就依法对你采取措施。

刘金莲心想：你是人民的政府，你们能不为百姓办事、不为百姓着想吗？你说我闹事，我就是闹事！我不闹，你们就不给我解决问题。你们把我的问题解决了，我就不闹了！你们要不给百姓办事，我就天天上省委大门口来闹，看谁能熬过谁！

从此，刘金莲和省委省政府大门口的公安人员及信访人员展开了“拉锯战”——刘金莲隔三岔五地鸣冤递状子，公安人员及信访局工作人员就隔三岔五地将其拉走送回大同去，惹急了就让刘金莲在“小号”里蹲几天；而每蹲一次，刘金莲上省委、省政府闹得便更凶，直到彼此都精疲力竭，心平气和地坐下来再深谈一次……

公安和信访人员：“大娘你就别闹了，我们想法再把你的问题向领导反映一下好吗？”

刘金莲：“你们要向领导反映上去了，他们出面来解决我的事，我就不会再闹了。”

又一位某部门的领导出来询问刘金莲咋回事。于是刘金莲从头到尾又得将女儿的事倒出来重复陈述一遍……时至 1995 年初，省委办公厅领导出面了解刘金莲的事，并责成省检察院来处理这件事——因为刘金莲现在的申诉是公安部门（包括省公安厅在内）的专家们不能对她女儿的死因做出“公正结论”。

1995 年 3 月 14 日至 19 日，省检察院派法医会同公安等部门原调查人员再次对张喜荣死因进行勘察与座谈，并于当月 25 日邀请省医学院、省公安厅、太原市公安局等单位的教授、专家进行分析讨论。省检察院在重新审核原法医结论基础上，独立对张喜荣的尸体进行了勘察，结论是：尸体已高度腐烂，呈霉尸变，软组织结构不能辨认，已失去检验条件。“因此对刘金莲申诉中提出的疑点，也难以做出有针对性的答复。”

“这回大娘你该信服了吧？”有人将省人民检察院（95）晋检技字第 2 号文件拿给刘金莲，希望她从此息诉罢访。刘金莲悲切而又意外地沉默了，并于当夜离开了省城……

“什么？她又跑北京闹去啦？”不几日，省信访局接到北京打来的电话，说刘金莲又在北京敏感的地方“闹事”，让山西火速派人领回。

这个刘金莲，她到底有完没完？山西方面有人大为光火。

就是没完！当初我女儿尸体好端端时，如果你们公安部门查个水落石出，我就不会闹到这个样！现在你们说我女儿的尸体腐烂了，无法尸检了，你们不负责谁负责？谁还我死去的女儿？刘金莲“哇”的一声凄惨的哭喊，让心肠再硬的人都感到毛骨发冷。

刘金莲还在闹，到省城、到北京，找所有她认为需要找到的领导……

终于有一天，省委书记亲自出面将刘金莲等在北京挂上大名的“山西上访五大嫂”请到办公室，一一询问她们的申诉请求。

“老刘啊，还有你们几个……你们听我说一句：既然你们的事我们山西公安、检察方面的专家拿不出令你们信服的结论，那我就去请国内最好的专家来给你们把案子弄明白！老刘你们说这样可以吗？”

“行！有您书记这话，我们这些年吃的苦和流的眼泪算没白费……”刘金莲握着省委书记温暖的手，热泪盈眶。

北京的专家很快来了，据说省里为了请这些顶级专家来给刘金莲女儿死因等案件做复检，花费了好几十万元钱。

仅凭这一点，再说党和政府不为老百姓办事实在没有道理了！

可是，如盼星星、盼月亮般的刘金莲，在接到北京来的专家们给出的女儿死因最终结论意见书时，她的眼泪彻底地干涸了——从调查和尸体检查来看，没有证据表明张喜荣不是上吊自缢。

那是一个异常黑暗的长夜，心里装着千言万语、眼眶里盈着江河般泪水的刘金莲又一次来到太平间，一整夜伏在装着女儿尸体的冰柜上，却没有说出一句话，没有流出一滴泪……

“老刘，你也算是个明白人，为了你的申诉，上上下下这么多年没有少操心，事到如此，你也该死了这份心吧？”又是一个风雨交加的日子，山西省信访局的工作人员将刘金莲从北京接到太原，非常诚恳地对面无表情的她这样说。

刘金莲摇摇头，不紧不慢、不高不低地说：只要不给我个明白，我上访的心不会死。

“唉，我们真的拿你没有办法！”省信访局的工作人员无可奈何地摇摇头。

之后，似乎真的没有人再管刘金莲的事了。每一次她出现在省城或被从京城接回太原后，便不再有人前去过问或接手她的申诉了。

“我们没法管了！再做一百次也是原先的结论，再说她女儿的尸体已经根本不可能做尸检了。老刘她不服可以理解，但我们办案也得有事实和科学依据嘛！”省里、市里接手刘金莲申诉的工作人员给不出新的意见，刘金莲每一次“闹事”只能得到这样的答复。

而与此相应，刘金莲在每一次“闹事”后由于得不到新的答复，又义无反顾地继续她的上访申诉之路，她内心的不服与不屈被超顽强的精神支撑着，又是一年、两年……当刘金莲再次从京城回到家时，已经有了儿子的儿子对她说：“妈，这么多年了，你为姐的事跑断了腿、吃尽了苦，姐姐在九泉之下也可以瞑目了，你就别再跑了好吗？我们是老百姓，即使上天入地，怕也换不得百分之百的心愿。你说是不是？”

“是啊，妈，有时间留在家里跟我们一起过几天安稳日子吧。再说您老的身体也不好……”儿媳也对婆婆这样说。

刘金莲摇摇头，说：妈是老了，该走的地方，该找的人也都找遍了，可妈还是不信，天底下为啥没一个人能把堵在我心里的事给疏通了？为这，妈我还要跑……

这一天，刘金莲准备再次上京城申诉，出门就见大路上站了许多警察，本是车水马龙的公路上也不再见车辆行驶，行人也极为稀少，除了路边少数空着手的行人外，所有身上带着物品的人全部被警察劝阻在原地不准上路。刘金莲一打听，说是有中央大官到这儿来了。

大官？会是谁？大官来了？太好了！刘金莲下意识地摸了摸她揣在怀里的一叠“状子”，心生一计：千万逮住这机会，直接向中央大领导递状子！

可咋能碰得上中央领导呀？刘金莲左右前后瞅了几眼，到处是戒备森严的警察。“喂，你怎么在这儿？”突然，一位省公安厅干部见到了刘金莲，万分紧张地朝她挥挥手：“快走快走！”

“咋啦？我走路还犯法？”刘金莲佯装生气。

“哎哟，老刘你就走吧，别自己找不自在啊！这儿不是你申诉的地方，快走快走吧！”那公安干部好说歹说地劝刘金莲离公路远一点。

刘金莲心头暗思：看来今天肯定有大领导来了大同。那我更不能放弃这个机会！你公安人员不是看得严嘛！好，看我小百姓有啥办法……

公安人员可以封路封道，但却不能封沟封埂，更何况你大领导来，总不能让老百姓连正常出门走路也不让吧？刘金莲正是利用了这样的空当，佯装若无其事地空着手，行走在警察身后的马路牙子上，并边走边寻思中央领导会从哪儿出现……

大同……咱大同有什么地方值得领导去的呢？嗯，可能中央领导会到石窟去参观！刘金莲没有学过侦查，更不是间谍出身，但为了查清女儿的死因，今天却神算得分毫不差。

刘金莲看准从石窟风景区下来的一段必经山路拐弯口，准备等候中央领导的车队途经。前后也就十几分钟时间，突然看见远处一个由七八辆车子组成的车队飞驰而来……快快，中央领导会在第几辆呢？刘金莲站在两名警察身后，看着转眼就要驶过跟前的车队，脑子飞快地想着……第一辆是警车，第二辆一般可能是本地领导坐着的，第三辆？第三辆应该是中央领导坐的……

“嗖——”第一辆警车过去。

“嗖——”第二辆车子又过去。

第三辆仅距十来米了！说时迟，那时快，刚才还显得木愣地站在马路茬子上的刘金莲，突然从背她而站的两位警察中间穿过，随后又飞步走到公路中央，“扑通”向迎面驶来的车子跪下，只见她神速地从怀里掏出一叠“状纸”朝飞来的车子撒去……

刘金莲这一连串动作，其实仅在一两秒钟内完成，那些训练有素的现场公安人员都不曾料到，一个看上去非常木讷的农妇会做出这等惊天之举！

不偏不倚，不快不慢，刘金莲跪的地方和抛出的“状纸”正巧对着第三辆车子的正前方……现场所有的安全人员全都傻了眼！眼看一场谁也担当不起的意外就要出现，只见迎面飞驶而来的第三辆车在距刘金莲咫尺之间时突然一个急拐，随后箭似的从她身边飞过……那速度如风一般，比箭更快。

紧随之后的几辆车做了同样的急拐弯，以同样的如风如箭般的速度，“嗖嗖”地飞驰而过，等刘金莲回头看去，连个车队的影子都没见着……

“你刘金莲也太猖狂了！这下你可闯大祸了！”刘金莲还没有回过神，一群公安警察已经气愤至极地将她拉到了一辆密封的警车上。

“你们想咋着我？我向领导反映情况又没犯法！”刘金莲不知天高地厚，依然嘴硬道。

“你、你还没有犯法？你这回是犯王法了！”押她的一名公安人员气得脸都歪了，“你知道刚才你拦了谁的车吗？”

刘金莲白了对方一眼，嘀咕道：我知道他是谁？

“他就是……”公安人员差一点把“某某某”三个字说出口。

这么大的事，这么严重的当路拦挡中央领导的行为，让山西人大跌面子，尤其是公安方面也确实不好交代。于是刘金莲被当作“精神有问题”的“特殊犯人”，当天被押送到山西省某女子监狱。

“我没有精神病！我只是想查清女儿的死因！我没有精神病！我冤啊——”刘金莲拼命喊冤。

“大娘，别着急，到底是怎么回事，你给我们慢慢说清楚好吗？”在现实的我国司法办案中，确实有人会以种种理由将那些其实并不真正犯有罪行的人关押在监狱之中，但同样坚持实事求是的司法人员能够认真负责，不随便冤枉好人。刘金莲这回遇到的正是这样的好司法干部。于是她在向司法人员陈述自己的不幸之后，很快被释放出来了。

刘金莲长期上访和挡拦中央领导车子的事，震动了山西省，再次引起省委主要领导的高度重视，立即责成有关部门认真复查，讲明情况，但结果仍不能令刘金莲满意。

刘金莲还要跑，跑得矿区和市里、省里的干部和领导们一听说刘金莲的事就恨不得赶紧躲得远远的。不管吧，上面一个又一个“批示”“责令”，让具体办事的干部们实在顶不住。唉，刘老太真把我们害苦了！没有什么高招，躲她远远的是最好的招数。

躲得了吗？这不，北京方面又来急电催山西派人去领回刘金莲。在地方领导干部中有这样一句话，叫作 GDP 低一点其实不影响升迁，可要是到北京闹事的人多一个弄不好就会丢乌纱帽。刘金莲一闹就是十几年，恨她恼她的干部不是一个两个。可人家是普普通通的小百姓，你拿她怎么着？关起来？判刑？关三天两天还行，可若判她刑，弄不好她会闹出比上次拦中央领导的车更大的事来，咋办？

头痛！头痛啊！

刘金莲的事让山西上上下下的相关部门头痛了十几年。那个亲自批准花钱请顶级专家为刘金莲等案子重审的省委书记，也已离任多年了，后几任省委书记也多次过问此事，可刘金莲的上访依然不停……

啥叫“老大难”？刘金莲的事算是最好的例证了！

谁能出来把这样的事解决了？

2004 年 4 月，我们的主人公梁雨润由中共运城市纪委常务副书记奉命调任山西省政府信访局副局长。此前他被中央电视台评为 2003 年度“感动中国十大人物”之一，与航天英雄杨利伟、抗非典人物钟南山同台领奖。中共中央纪委还专门向全党做出向梁雨润同志学习的决定。“百姓书记”梁雨润的美名传遍神州大地。

梁雨润来省里当信访局副局长，这消息在山西的上访人员中传开了……于是，那些怀着大大小小冤情的百姓突然间全都跑到了省信访局。

“怎么会有这么多人啊?！”梁雨润正式上班的第一天，信访局接待大厅被挤得水泄不通！

“我们要找梁局长！”“梁书记是当代包公！我们就找他！”百姓一边拥挤，一边高喊着。

梁雨润过去当纪委书记，虽然整天也是处理各种案件，接待信访也是日常事务，但一上班开启大门就见这么多人来找他解决问题还是头一回。梁雨润事后曾经不止一次对我说过：“真是想不到，想不到有那么多群众来上访反映问题……”

“最见不得群众流眼泪”的梁雨润，当天在接待一处处长魏晓勤、副处长薛建军、接待员刘辉、王英、杨文晖、王喻卿的陪同下接待了 84 名来访者，第二天来的人更多了。在后来的几天内，他天天在接访一线，每天从早到晚，忙得连上厕所的时间都被占用了。这一周他一共接待了 538 名上访者。他的“三天之内我给你答复”“十天之内保证给你解决”“不出二十天我负责给你回音”……一句句掷地有声的承诺，仿佛一场场春雨降落在久旱的荒原上。有些群众看着梁雨润现场办公的雷厉风行作风，甚至情不自禁地喊出了“共产党万岁”的口号。

本文后叙的许多故事的主人公，都是在梁雨润刚上任的那几天里认识他的，并在他的帮助下解决了多年未解的冤情和积恨。

刘会莲是个例外，她与梁雨润认识比别人晚一些时间。梁雨润到省信访局任职时，刘金莲跑到了北京，后来又被省里的人接回山西，之后她才听说省里来了个肯为百姓解决难事的好干部梁雨润。刘金莲自己说过，起初别人传这话时她根本不信，心想我的事多少大领导出面都没有解决，你一个信访局的副局长能解决得了？但既然别人都在传梁雨润是“包公”，是专门为百姓办实事的好干部，不妨找找他呗！

2004 年 10 月 28 日这一天，刘金莲来到省信访局。正好梁雨润在接访，她把状子递给他。正在梁雨润看刘金莲的上诉材料时，接待处的一名接待员走过来，说梁局长您到办公室接个电话，省委有事找你。

梁雨润对刘金莲客气地说了声“你稍等”，便随那个接待员上了楼。

“梁局长，您知道刘金莲的事吗？”接待员在楼梯上悄悄问梁雨润。

“不知道。材料还没看完……”梁雨润说。

“这个人的事您千万别去碰！”

“为啥？”

“很多领导都没有解决她的事，你想想看有多难！”接待员眼睛瞪得圆圆的，示意这位新任的“名人”上司千万不可砸在这事上。

梁雨润笑笑，止步道：“电话是假的吧？”

接待员不好意思地说：“是。可我看你不了解情况，所以提醒您一下，像刘金莲这样的人，您跟她说话一定要留有余地，否则就被动了……”

梁雨润沉思片刻，没有说话，然后重新下楼。

看完材料，梁雨润用充满同情的目光扫了一眼坐在自己面前的满头白发的刘金莲，神情异常凝重。他轻轻地长叹一声后，说：“老刘啊，你的事拖了十几年，我们该一起把它解决了！”

“梁局长，我是想解决啊！可、可没人理我，哇呜……”不曾想到，一进门表情始终冷漠的刘金莲会突然如此凄怆地号哭起来，哭得几度背过气，令在场的人无不心生同情。

"今天是 10 月 28 日，我了解一下情况。老刘，我梁雨润在两个月内把你的事情办妥，也好让你 12 年没有落土的女儿有个归宿！好不好啊老刘？"梁雨润拍着胸脯对刘金莲说。

"嗯……"满脸老泪纵横的刘金莲哽咽着向梁雨润直点头。

日落之时，省信访局接待厅的大门"哐"的一声关上了，可工作人员们都没有走，他们在暗暗地为新任副局长梁雨润捏把汗。"梁局长，刘金莲的案子全省闻名，在北京也是挂上号的硬案，你两个月里真能解决得了？"有人过来问梁雨润。

"我也不知道。"梁雨润的话让在场的人感到意外。梁雨润看着大家的表情，语气有些沉重地说："老实说，像刘金莲这样的硬案，两个月内能不能解决，我心里也没有底。可她的事拖得太久了，12 年哪！她刘金莲不知跑了多少回省城、多少回北京！我们中间谁有她的毅力能跑那么久？再说，我们信访局、省政府、省委，还有大同市和矿区，这么多年里为她一个人的事不知耗费了多少精力财力！我听刘金莲说，光为她女儿做尸检就有六七次，估计花的钱就有几十万……"

"她女儿的尸体至今还在医院的太平间里放着，听医院说，光停尸费就该有 20 多万了！"有人插话道。

"是啊，这么一桩事，国家花了大钱，我们这些信访人员年年因此挨批评，她当事人又吃尽苦头，我们再不想法早点给她解决了，还要等多少年呢？"梁雨润说这话时，有些激动。

"喂，是大同市委吗？我是省信访局梁雨润啊……"吃过晚饭，梁雨润拨通了大同市一名领导的电话，他与这位领导同志在电话里谈了近两个小时……

"好的梁局长，我一定把你的意见向市委常委会做个专题汇报。"对方最后这样说。

放下电话，梁雨润又翻开笔记本，拨通另一个手机："是大同矿区信访局的老张吗？”

“对对，噢，是梁局长……”

“老张啊，我过几天上你们矿上去一次……对，就为刘金莲的事。”梁雨润说。

“哎呀，她的事……梁局长，我说句您可能不爱听的话：这人太难缠了！这么多年了，我们不是不想给她解决，可她就是往死牛角里钻……每年市里、矿上光为了把她从省里、北京接回来花的人力财力就不计其数！梁局长我跟您说句实话：我们这儿谁都不愿沾她这件事，谁要沾她这事，好像谁就跟她过不去似的。没办法……”

“难度肯定有的。可老张你想想，她刘金莲觉得自己的女儿死因没搞清楚，是怀疑我们公安部门有人有意包庇案情，我们要是一直不把她心头的死结给解开，她就一辈子会跟政府拧着劲，造成对立是不是？”

“对对，梁局长您分析得太对了！她就这么认为的，所以她十几年不停地上访……”

“老张，你说我们的信访工作不就是为了化解群众对政府的一些误解和不满吗？”

“这个我懂。”

“对呀，既然这样，在政府与人民群众之间出现一些具体的矛盾和误会时，包括我们信访部门的工作人员在内的所有公务员，就都有责任去耐心地协调……”

“梁局长啊，您来信访部门时间不长，可能不太了解刘金莲这样的人，她们都是些老上访户啊！一心想着政府应该如何对待她们，就是不想自己应该如何为政府想一想！”

梁雨润听到这儿轻声一笑，说：“老张你只说对了一半。其实在政府和群众发生一些问题时，作为政府首先应该想一想哪些地方工作没有做好、没有做到家，然后再从群众的利益、群众的感情角度去考虑一下，再解决问题时双方都能够真心实意地退一步……那样，恐怕群众就不会非要上省政府、上北京，去拦你车、挡你道、呼着难听的口号骂你，是不是？”

“梁局长，您的观点确实独到。好，我一定配合您把这边的工作做好！”矿区的老张怀着敬佩之心，最后终于爽朗地答道。

两个月的时间过得非常快，梁雨润的承诺能不能兑现？这不仅在“老上访户”刘金莲心里悬着一个念想，就连与梁雨润朝夕相处的省信访局工作人员，也时常暗暗为新任副局长捏把冷汗。梁雨润是谁？他不仅仅是山西省新任的省信访局副局长，更是全国人民熟知的大名人，共产党员先进性教育中树立的典型，他的牛皮吹崩了，受影响的可不单单是山西省信访局啊！

同事们的担忧不是没有根据的。

那么梁雨润在这些日子里干了些什么呢？梁雨润太忙了，自打他担任省信访局副局长开始接待来信来访的群众后，很多人都知道“梁局长能办事、办实事”，于是乎省内新出现的问题和那些积压了多少年的陈年旧事全都跑来让他解决……梁雨润因此忙得不可开交。

现在群众的智商都很高，有了事知道只有找领导、找大领导才能解决。可大领导都很忙，想找也不容易找到。后来那些想找大领导的群众知道有一条捷径：上他办公地的大门口和广场上去闹，在这儿一闹就有人来管。闹大了，大领导就会出面。正是因为这个，几乎全国各省市区的政府与党委大门口，都会时不时地聚集一些需要解决各式各样问题的上访群众。信访部门和公安部门为了保障领导们的正常办公，就承担了维持党政办事机关门前的治安和接待来访群众的工作。

梁雨润上任省信访局副局长不久，省委一位负责同志就送给他一个美称：省信访局一号接待员。

何谓“省信访局一号接待员”？笔者采访梁雨润时，特意为此专门询问他。

梁雨润笑笑，没有正面回答，只说：“我是信访局副局长，分工负责群众来访接待工作。到省里上访的群众一般都是先跑到省委省政府的大门口，所以我想自己接待群众的最重要岗位应该在那里。因此，从周一至周五的早晨，我一般都在那里。明天一早你跟我去看看？”

“好。”我欣然答应。

我采访他的第二天早晨是2006年的8月21日，这天正好是周一。

山西省委大院门口，早上7点半左右。我来此地时，只见这儿已聚集了不少上访人员，其中有人举起十分醒目的白色横幅，还有几个“冤”字赫然跃入人们的视野……现场乱哄哄一片。

梁雨润出现了。他神情凝重地四周环视一遍后，径直走向上访人群，开口便问：你们是哪儿来的？有什么事？

有认得他的人在悄悄说“是梁局长来了”，但多数人并不认识他，似乎并不把他当回事。

梁雨润不在乎，依然一边询问那些上访的人，一边吆喝着让那些举着标语的人把横幅和标语收起来。“你们有啥问题就反映问题。这样做是不对的啊！”梁雨润嘴里说着，双手卷着那幅长长的横幅……

有人冲着梁雨润嚷嚷道：“我们是来找省委张书记的！”

梁雨润：“找张书记干什么呀？”

群众：“反映我们的问题。”

梁雨润：“什么问题？”

群众：“是……”

梁雨润："好，那你们就不用闹了，跟我走吧！"

群众："你是谁啊？"

梁雨润："我是省委信访局的梁雨润。"

群众："不行，我们要找张书记！"

梁雨润："我是张书记派来接待和帮助你们的。有什么事我可以帮助你们解决……"

群众："你？你解决得了吗？"

梁雨润："为什么我就不能解决？"

群众："因为你不是张书记。"

梁雨润："我确实不是张书记，但是张书记专门安排我来接待你们。张书记忙得很，他把你们的事交给我们来办。我保证把你们的事办好，你们相信不相信？相信的，就跟我走！"

刚才还是嚷嚷不休的人群你看我、我看你的一下冷了场。但也有人冲梁雨润大声嚷嚷道："我们的事非要找省委领导才能解决！跟你走有什么用？"

闹事的和围观的，以及包括我在内的现场所有人，都在看着梁雨润，看他如何回答。

梁雨润并不困窘，他对那个向他发难的人反问道："你是单单想见张书记，还是真想解决问题？"

那人脱口而出："当然是想解决问题喽！"

梁雨润："那好，你就可以跟我走！"

那人："你真能解决得了我们的事？"

梁雨润轻轻一笑："只要你们的事是合情的，在理的，我梁雨润当着这么多人的面可以向你拍胸脯！"梁雨润真的伸开巴掌朝自己胸口拍了两下。

现场立即有人高喊：好！好好！

那人仍怀疑道："梁、梁局长，我不是不信你，可现在下面有的官太黑了，我怕你真解决不了！”

梁雨润脸一板：“你这话我不爱听！下面是有些干部不像话，那也不过是个别人，总不会像你说的黑暗到连太阳都见不到吧！还是那句话，只要你们的事是合情的、在理的，我梁雨润尽全力帮助解决。”

“好！有梁局长您这样的话，我信您！走！我们跟您走！”

“走喽——”于是，一个颇为壮观的情景出现了：上百人组成的特殊队伍，像一群寻食的小鸡随老母鸡似的跟在了梁雨润的后面，向远在两站路之外的省信访局走去……

“哈哈哈，老梁真行！他只要一出现，这里多么乱哄哄的场面都能平静下来！”现场的一位公安干警乐呵呵地对我说，“他是老母鸡带小鸡，我们这儿离不了他……”

梁雨润作为我笔下宣传过的一名全党先进典型，他能在短短的时间里在新岗位上有如此声望，令我欣慰。但我知道，过去他是一名纪委书记，处理一些与群众相关的案件时，官员们比较买他的账。现在他是一位无权无势的信访干部，还有人能像过去一样买他账吗？他梁雨润还能处理关乎百姓命运和利益的难事吗？

这个巨大的问号一直悬在我心头……

这样的问号同样悬在梁雨润的同事心头。

2004 年 12 月 12 日。省委副秘书长、省信访局局长柴甫鼎接到梁雨润从大同打来的一个手机电话：刘金莲的事解决了，今天她存放在太平间 12 年的女儿尸体也入土了！

真的啊？！柴秘书长觉得很突然，不过才两个月的时间啊！

关于梁雨润如何才用了不到两个月的时间把一个拖了十几年的“死结”解开的，一直是梁雨润的同事们感到十分神秘、十分不可思议的事。采访时，我就此事直接问了梁雨润本人。

“其实并不复杂。我还是一句老话：人要将心比心，啥死结都容易解开！”梁雨润在我的一再追问下，道出了真相——

自了解刘金莲的案情后，梁雨润其实一直在同有关方面进行协商和沟通，在取得大同市委、市政府及矿区党委的支持后，梁雨润便利用周末与周日，两次带上接待员王英、王瑜卿专程从太原来到大同市刘金莲的家里，探望和了解刘金莲一家的生活状况。特别是第二次，梁雨润把刘金莲一家几口人都叫在一起，让刘金莲讲自己这十几年来到处上访受的苦难和委屈，又让她儿子、儿媳讲母亲外出时家里人的担忧及给全家带来的经济负担……

“太苦了！那真不是人过的日子！”

“这么多年里，只要妈在外一天，我们就过不上一天安稳日子……”

话匣子刚刚打开，刘金莲和儿子、儿媳便已经泣不成声。

“是啊，哪家摊上这样的事都是不幸的。可老刘你们想一想：哪个人、哪一家能保一辈子不出点事？出了事谁最倒霉？肯定是自己和自己家里的人！有些事情摊到你身上时，想推也是推不开的。可假如我们换一种心态去对待它，可能结果就大不一样。老刘，就拿你女儿的事来说，如果我是你，摊上这样的不幸，心情肯定是一样的，不把女儿的死因弄明白，死不瞑目！”梁雨润把最后四个字说得重重的，并且有意停顿一下，看了看刘金莲及她的家人。

此刻的刘金莲，怀抱女儿遗像，恸哭得双肩在不停地颤抖着、抽动着：“是、是啊梁局长……”

之后的将近半个小时里，梁雨润由着刘金莲恸哭而没有言语一声。借着刘金莲儿子倒水之际，梁雨润顺手将一只茶杯递给刘金莲，对她说：“老刘，你今年也有60岁了吧？60岁是啥岁数？是该享清福的日子了呀！可老刘你呢？要说你不幸确实也不幸，丈夫工伤走了，女儿花季时也走了……可你两个儿子挺争气！看看，儿媳利利索索，漂漂亮亮，你孙儿也这么大了！老刘你其实也是很幸福的哟！来来，娃儿，给你奶奶剥个香蕉吃……”梁雨润说到这儿，一手将一旁玩耍的刘金莲的孙儿拉过来，让那小娃儿将一只剥好的香蕉塞到刘金莲的手里。

那一刻，梁雨润看到刘金莲的眼里流露出几许温情。“老刘啊，十几年了，你不要再跑了……我这个人是实在人，说一句你老可能不太爱听的话，其实你仔细想想也一定是这样：再跑也没用！啥也解决不了！”梁雨润说到这儿，停了停，接着说：“就算老刘你的理一千个对，可你也拿不出证据证明你女儿是被别人害死的呀！我看过你的材料，你也仅仅是怀疑！你手里也没有确凿的证据嘛！你不是要把你认为的凶手抓到手吗？可你拿得出让人信服的证据吗？你女儿的尸体早已腐烂得不成样了，你老刘要是认定你能找得到证据来证明是哪个凶手杀害了你女儿的话，我梁雨润站在你这一边，愿意陪着你查一辈子！但我有个前提：你老刘必须有百分之百的把握！我现在问你：你有没有这个把握？”

“我……”刘金莲似乎不曾想到，她上访了十几年，责问了别人十几年，却并没有想过自己也有被别人问住的地方。

说到此处，梁雨润话锋一转，道：“老刘，我再问你：你是真心想对这样基本没有希望的事再没完没了地跑下去呢？还是想好好跟政府谈谈，共同找出个妥善处理好这事的办法？”

“要是有合适的办法，我当然不想再跑了，跑了也没有用……”从没在外人面前低过头的刘金莲第一次说话变得弱声弱气。

“好，老刘有你这话，我现在就去找大同市委和矿区领导。”梁雨润的作风着实令刘金莲感动，同时也使大同市领导和矿区有关部门的同志十分敬佩。之后是梁雨润在刘金莲和当地政府与单位之间的来回周旋，不断协商。

2004 年 12 月 10 日这一天，梁雨润将大同市委、市政法委和矿区等相关方面的11位负责人及刘金莲本人等一起请到矿区宾馆三楼会议室，几方开诚布公地谈了各自的想法和意见。由于梁雨润已经提前将各方的思想工作做得比较到位，因此这样一件拖了12年之久，令中央和山西省领导同志都深感头痛的事得到了圆满的解决：大同市和矿区考虑到刘金莲12年因不断申诉而造成家庭经济困难的实际情况，同意给予刘金莲一家救济10万元。刘金莲也当场表示从此不再为女儿一事进行上访和申诉，好好在家安度晚年，帮助子女做些力所能及的事。

“好，不管怎么说，老刘这十几年不容易，我们虽然也做了大量工作，但也不是没有失误的地方。在这里，我代表各有关部门，向老刘及你家人鞠三个躬，赔个不是……”协商会结束之前，梁雨润站起身，当众向刘金莲及家人深深地鞠躬三次。

“哎哟梁局长，千万别、别……”刘金莲见此情景，赶忙起身握住梁雨润的手，热泪如注。

刘金莲一事，起因和过程复杂而痛苦，时间又拖得漫长而艰难，但最后的结局则简单而和谐。

12月12日，存放在太平间近4500天的张喜荣尸体终于从冷柜里取出，在母亲刘金莲和几位亲人的护送下，按照当地风俗入土在矿区的一个山冈上。那一天，北风挟着飘落的茫茫雪花，一座新坟很快被掩盖在银色世界里……

两年后的2006年夏季，我来到刘金莲家看望了这位历尽沧桑的老妇，见她正在家里与上学回来的孙儿玩耍。谈起女儿和往事，老人家已经不再那么凄凄切切，生活似乎已经进入正常轨道。临走时她留给我一句话：当官的能真心实意为百姓办事比什么都重要。共产党的干部，要是都像梁雨润，百姓一定少吃很多苦，少了许多怨气。

这是一个没有什么文化的普通百姓的话，它却一直在我脑海里浮现，因为这句话在现实生活中特别意味深长……

如今，在老百姓中盛传着讽刺那些当官不为民、办事不负责的段子，这是因为现实生活中那些令人尴尬和愤慨的事大量存在。长治市民张淑萍就遇到过这样的事。

16年前——也就是1990年11月2日下午，张淑萍已经出嫁的女儿李雯突然服毒身亡。事后张淑萍被告知，是女儿与女婿冯振平因为吵架一时想不开服毒自杀。李雯与丈夫已有一个孩子，小夫妻结婚的时候感情基础差，后来因为性格不合等原因常常争吵。这回出大事了！张淑萍得知情况后，赶往医院时女儿已经一命归西……张淑萍对女儿的死始终怀疑是他杀，这个凶手“肯定是女婿冯振平”。可是公安部门在对张雯服毒现场勘察并在后来进行尸检得出的结论，都认定是自杀而非他杀。

张淑萍不服，于是状告公安局“错误结论”“包庇罪犯”。这事与刘金莲的事非常相近，而张淑萍告状的时间比刘金莲还要早两年。张淑萍与刘金莲一样成为后来让省委书记亲自接待的有名的“山西告状五大嫂”之一。张淑萍觉得自己最“冤”的地方是，女儿死后公安局的现场勘察太粗糙，尸体停放在医院后没多少时间又被“凶手”送火葬场焚化了，这激起了作为母亲的张淑萍更多怀疑和愤慨。告状便因此而开始……

“我是一个普普通通的小百姓，如果不是因为女儿的事，我也不知道这世界上竟然还有那么多让人心酸和愤怒的事，真是干部不管事，苦死老百姓啊！”张淑萍在向我陈述自己长达15年的“上访之路”时，悲切地说。

过去在社会上总有一种对上访人员的不公正看法，认为他们是社会的“不安定因素”，他们甚至因为言行有些过激而常常被看作是“攻击政府、破坏社会秩序”的坏人。其实当你真正进入这些特殊群体时，不难发现他们几乎百分之九十九是生活在最艰难、最底层、最无助的弱势群体，他们中绝大多数是非常善良、对党和政府抱有深厚感情和期望的公民。可是，他们在上访过程中经历的苦难与艰辛，几乎难以想象。张淑萍也不例外。

案发最初，张淑萍与刘金莲的情况差不多，只是看见女儿突然死亡，悲痛之余就想到了好端端的女儿为啥要寻短见呢？再以普通的百姓眼光看看死者及现场的情况，发现了不少疑点。这与公安部门的勘察和验尸结论完全不一样，这就产生了矛盾。这种矛盾原来是死者家属之间的，后来就转变成死者父母与公安部门之间的矛盾与对立了。一边通过现场勘察和尸体检验认定死者是自杀的，一边是亲属凭自己猜测的种种疑点坚持认为有“杀人凶手”，对峙就是这样引起和开始的。作为执法的公安部门，是政府的一个职能部门，自然有自己的一套解释和做法。可老百姓也有自己的一套行为和主张方式，他认为你政府做错了，我有权让你说清楚，如果你不说，或者说不清楚，我就告你。这之间谁是谁非，其实有时很难说得清，但政府和政府工作人员如何对待百姓提出的问题与要求，则关系到一个执政党和政府的形象与素质。人民的政府人民来找你，这本是天经地义的事，但由于我们的一些公务员和职能部门不能心系人民，对百姓的疾苦麻木不仁，无动于衷，或者根本就不办实事，故而这样的矛盾便尖锐和对立起来。

上访和长期上访现象，以及闹事和极端事件的出现，多数因此而产生。

张淑萍说，自己刚开始并没有会想到自己的事竟然一闹闹了整整 15 年，差点连老命都搭进去。“我是觉得公安部门对我女儿的死调查得不清楚，做的结论不能让我信服。失去了女儿，我做母亲的能不心痛吗？我就要求政府公安部门把我女儿的死因弄明白，可他们一直坚持自己的调查结论不改变。等我后来再找他们就再没有人理会我了。我只好往上面跑，没想到一跑就是15年……这15年中上上下下的干部、大大小小的领导见过不少。大机关的大干部事多，不可能一竿子插到底来帮我们小百姓办事，可气的是那些不大不小的干部，他们就是不办真事、不办实事，心里没有百姓，反而对我们有事找他们挺烦、挺记恨的。他如果有点理，他就是敞着门的凶神恶煞；如果他没理，他就是闭门不见人的老佛爷……”

15年的“告状”岁月，张淑萍说可以把眼泪积成几大缸。“我死过几回，但死不可怕。可怕的是，你心中有冤无处申，好不容易找到一处可以申诉的地方，最后却没人理你……”张淑萍闹了15年，最后她遇见了梁雨润。时间是2005年1月，山西省召开“两会”期间，张淑萍知道开“两会”时，领导会比平时更关心她们的事，所以她上省人大会议的现场去闹。

“一号接待员”梁雨润这时的工作岗位搬到了“两会”现场，他是那种哪里形势紧急哪里就用得上他的人。

第一次见到梁雨润，张淑萍就暗暗有些吃惊，因为她15年中还是第一次碰到一位领导干部敢用这样的口气回答她：“你什么时候找我都行！你的事我负责给你处理好！处理不好，处理不公，你可以往我脸上吐唾沫！”当时梁雨润这位省信访局负责人正在“两会”现场负责接待工作，没有多少空暇时间，便约张淑萍过了春节上信访局。

正月初八是春节后上班的第一天，张淑萍如约而至。梁雨润在认真听完这位“老上访”的诉说后，深情地问她：现在要解决你的问题，你老张有啥想法？张淑萍提出三点：一是想见见当时的办案人，“15年来我一直没有这样的机会，我想听听他们是怎么对我女儿的死因下结论的”；二是要回女儿的骨灰。女儿火化后，因为母亲怀疑女儿是女婿害死的，所以女婿冯振平赌气将妻子尸体火化后的骨灰藏了起来，不让张淑萍等亲人见到；三是要求政府赔偿40万元。对后一条，张淑萍的理由是："我上访15年，九死一生，身体严重损坏，家庭经济陷入极端困难，这些都是一些官员不干事所造成的。"

"不赔40万，我的事不了结！"谈到这事，张淑萍也没有在梁雨润面前客气。

梁雨润能够成为人们拥戴的"百姓书记"，也因为他是个见难题不回避的干部，所以在张淑萍说话时，就这样实实在在地回答她：百姓与人民政府之间的事没有解决不了的，只要我们都有真心实意地解决事情的愿望。"你的事，两个月内解决！"梁雨润还是这个作风。

"当时梁局长说这话时，我心里还不太相信。但说实话，我已经很感动了……"张淑萍在我采访时说。2005年2月27日下午，梁雨润带着助手王英，从太原出发直奔张淑萍所在的长治市。那天是星期日，他们下榻在长治市宾馆。晚上7点半到的，梁雨润进房间后的第一件事就是通知当地信访局负责人来一起商量如何解决张淑萍这事。

"她的事解决不了！"当地信访局负责人给梁雨润泼了盆冷水。

"为什么？"梁雨润问。

"15年了，她闹够了，我们也烦透了……"

"就这原因？"

"但不全是。她提出要40万赔偿，天文数字！谁赔她？"

"这就要看我们到底有没有真心帮助她一起解决问题的诚意……"

"嘿，你梁局长可能行。"对方有些嘲讽地给了梁雨润一句不敬的回答。

"你们就没一点解决她的问题的信心了？"梁雨润没有理会这

些，反问道。

“基本没有。”

“那好，这个事我亲自来办。一会儿我就去张淑萍家，你们当地的干部就不用去了……”

“祝梁局长马到成功！”

有人对自己分内的事没有干好不以为意，却又不太相信别人会把事情干好。梁雨润心里清楚这层含义意味着什么。

送别当地官员，梁雨润立即带着司机，摸黑找到住在市郊的张淑萍家。省信访局副局长登门造访，让张淑萍一家甚为感动。一番寒暄后，梁雨润直奔主题，恳切地对张淑萍和她家人说：“我这次从太原来，就是一件事：解决老张你的事，不解决我就不回省城！”

时年七十有二的张淑萍眼里立即闪着泪花：“梁局长，你大老远来，我一定配合你的工作……我先代表全家谢谢你！”

“老张啊，你这话说反了，应该是我们要谢谢您老人家。如果不是我们的工作没做好，你也不会吃那么多苦！ 15 年哪，你光跑省城、跑北京就不下百次吧？这中间的苦，只有你和你家人才知道……老张啊，俗话说，人活七十古来稀，您老今年已过七十了，跟我母亲年纪不相上下。儿女们对老人都有一个愿望：希望你们上了年岁后能享享清福。可你这十几年，不仅没有享到啥清福，反而吃了那么多的苦。我不忍心，你儿子、老伴更不忍心！梁雨润说到这儿，转头问张淑萍的老伴和她儿子是不是这样，他们都真真切切地点点头。”

“老张啊，从你反映的材料来看，我们也得实事求是。对你的问题，应当说各级领导还是很重视的，省委书记亲自出面接见过你，也请北京专家来重新给你女儿做过尸检，但结论仍然是当时长治公安局的意见。再说你女儿的尸体也早已火化了，这个案基本上属于铁案了，再跑也不可能有啥结果。我梁雨润说的是不是实话，你老张和全家人掂量掂量是不是这个理？再说老张你上访这些年中，仅一次急病住院，自己和政府就都花费了不少钱。现在你年岁大了，家里老伴也得有人服侍照顾，你们二老再有个三长两短，你们的儿子、儿媳也担当不起呀！所以说，我们一起来把事情处理好了，就别再到处跑了……”梁雨润一口气讲了近三个小时。

张淑萍老太太终于被感化了，说：要是梁局长你能把我上次说的三个条件处理好了，我就再不给政府和领导添麻烦，老老实实在家安心过日子了。

好，有你这话，我就有信心把事情处理好，现在我马上回宾馆去跟你们市里协商。梁雨润起身道别，最后真诚地对张淑萍说：老张，解决问题需要几方面都实事求是些，你提出的 40 万赔偿数字，我希望你考虑考虑，长治是个老工业基地，下岗工人也很多，政府有政府的难处。

我会的。张淑萍表示理解。

回到宾馆，梁雨润辗转难眠。他刚才已同长治市委领导通了电话，市里对他来解决张淑萍的问题十分欢迎。

“那好，明天我们就开协商会。”梁雨润说。

“行。”

放下电话，梁雨润心里仍然没有多少底：一是张淑萍到底想要多少钱，政府能给多少，这是个大悬念，最难谈的可能就在这一点上；二是当年办案的公安人员能不能向张淑萍当面认个错，这直接影响到抱怨了 15 年的张淑萍和她家人对事情处理能否转变态度；第三点相对好处理些，是骨灰盒的寻找与安放问题……

梁雨润一夜未眠。

第二天 8 点半准时开会。与会的有长治市委常委、政法委书记王云亭，市政法委副书记田志明——这位副书记就是当时张淑萍女儿之死的主要办案人。他现在已是市政法委领导，位高职显，能不能对一个普通百姓的陈年旧事处以一种平和之心？梁雨润心头七上八下没把握。另一个当时的办案人现在也不是一般人物，他已经是长治城区公安局的巡警队长，铁杆人物。其他几位职务也不一般：市公安局副局长李江华、市信访局局长晋旭平。张淑萍这边是她和儿子来了。

会议双方相视而坐。梁雨润主持并做了开场白，之后是张淑萍申诉。

那是一段令人声泪俱下的陈述。

接下来是当年办案人员说话。梁雨润的一颗心再度悬起……

先站起说话的是现任长治市政法委副书记田志明。老田的脸色极其凝重，两眼直盯张淑萍，然后开口道：老张啊，这件事已经过去15年了，可我没有想到我们当年办案由于粗心，存在的一些疑点，让你老人家吃了那么多苦……我在这里向你和你的家人道歉！说着，这位市政法委副书记向张淑萍深深地鞠躬……

“要道歉的还有我……”这时，另一位当年的办案人霍桂平也站起来向张淑萍鞠躬……

这是梁雨润没有想到的！他顿时欣慰地对张淑萍说：“老张，你看看，田书记他们向你赔礼道歉了！鼓掌——”

张淑萍一时愣在那里不知所措。

“妈，田书记他们向你认错了！”儿子在提醒母亲。

这回张淑萍终于醒悟过来，只见她鼻孔一掀，“哇”地大哭起来……那哭声震得满楼摇动，那哭声延续了近一个多小时……

主持会议的梁雨润没有去制止，市委领导也没有去制止，他们只是静坐在那儿默默地与张淑萍一起流泪和叹息。官员们的流泪和叹息，既是一种同情，更是一种内疚。

官员们的几番真诚的致歉，使整个协调会的气氛发生了意想不到的好转。“好，当年办案人对自己过去工作中存在的问题作检讨，当事人也宽宏大量地谅解了他们。现在我们一起来商量一下第二个问题：对张淑萍这些年来因申诉造成的身体健康和家庭困难给予一定的救济问题……”梁雨润因势利导地重开议题，“当事人张淑萍原先提出 40 万元，这个数目显然太高了。老张你再重新实事求是地说个数……”

张淑萍抹了抹眼泪，说：“看在市里领导和刚才两位办案人的认错态度，我只要 15 万了！”

梁雨润转头问王云亭书记：“怎么样？”

对方面显难色，说：“长治市的财政情况并不太好，现在转制的国有企业还有几万人的安置问题没有解决。老张一户就提出 15 万元困难补偿，政府很难解决。”

张淑萍立即抬高声音回应：“我这个数是少说了！”

“政府确实给不出嘛！”

“那你们说我这 15 年上访造成的精神损失和经济损失值多少钱？”

“话不能这么说……”

“好了好了。这事我们再协商……”梁雨润忙打断双方的对峙，一把将王书记拉出会议室，然后问他：“市里到底能够给多少？”

“6 万，6 万是我跟书记和市长打过招呼的。”老王同志这样回答。

“能不能再往上升点？这事你们要从另一个角度去考虑：张淑萍的问题扯了十几年了，你们市里过去为她没少花钱，光将她从北京和省城接来接去的路费和帮她看病钱就花了有几十万了吧？她的问题不解决，花的钱肯定还会没完没了，这笔账你们算过没有？再说，她的事老解决不了，对长治也有负面影响！”梁雨润细说慢讲地耐心做工作……

老王总算点头："那好，我先作下主，8万元！不能再多了！"

"好，我跟她说去。"梁雨润立即返回会议室，对张淑萍和她的儿子说："你们也要体谅政府的难处，往下再降降！"

张淑萍看看儿子，又回头看看梁雨润，抿抿嘴，说："10万，10万不能再少了。"

还有两万差距。梁雨润长叹一声："好，我们再开会协商。"

以市委常委、政法委书记为领头的长治市方面的同志重新回到座位后，梁雨润站在与会人员中间，左右看了看，情深意切地说："我梁雨润到长治来办案还是第一次，你们双方都很给我面子。其实作为省信访局负责人之一，每天要处理的信访案不计其数，弄到省里的每件案子办起来难度都很大，但我们还得去办。今天我想请你们长治方面的同志和老张再给我梁雨润一个面子……"

"老王同志，你代表市委、市政府再咬咬牙多给老张1万元！怎么样？"梁雨润探下身子，恳请常委同志。

"哎哟梁局长，你这、这……"老王的脸一下红了，"好好，9万、9万！"

梁雨润大乐，转头又弯下腰杆，问张淑萍："老张，你给不给我梁雨润一个面子呀？"

这回轮到72岁的张淑萍老人家脸红了："给，你梁局长大老远的跑来为咱老百姓办实事，我听你的……"

"哈哈哈，好，9万元搞定！张淑萍同志保证从此不再上访！长治市政府给予她全家9万元救助经济困难……来，我们一起鼓掌祝贺拖了15年的事情有了一个圆满的结果！"

"鼓掌——"掌声响彻大楼。

"最后还有一件事：由公安局李江华副局长负责帮助张淑萍同

志找回女儿的骨灰盒，你们要同死者生前的丈夫协商好，将骨灰盒放在两家亲属都可以吊唁的地方！”

“没问题。三天之内办妥！”

“好！老张，你还有什么问题？”梁雨润最后亲切地问张淑萍。

“没有了！谢谢梁局长，谢谢政府……”张淑萍早已泪流满面，这回她的泪水是温暖的。

# 第二章　谁来恢复我的“村籍”

农民王成志等 7 户村民突然被宣布开除“村籍”，呼天喊地无人应答，直至走投无路。多年后他们感慨万千道：要让百姓不受难，最重要的是掌权的人千万不能踢皮球。

有人曾经戏言，这个社会里最不怕别人挤压的是农民，“大不了回家种地当农民”，这话是许多在官场上不得志者的一句豪言。是啊，农民与世无争，只要守着一亩三分地，不会像城里人和有工作岗位的人那样怕这怕那，大不了你住你的洋房别墅，你当你的高官享你的厚禄，我挥舞锄头镰刀，你总不能开除我的“球籍”吧?

农民生活在最底层，没有比这更卑微的阶层了。但闻喜县乔庄村的王成志、赵立保、宋宝才、宋天才、许金生、温正奎等 7 户农民没有想到，这个世上竟然还有人将他们当农民的权利都要给剥夺了！

事情发生在十多年前的 1994 年 7 月的一天，王成志和赵立保等 7 户村民突然接到几名本村的“群众代表”送来的一纸“文件”告知：

根据中共中央《关于建立社会主义市场经济体制若干问题的决定》和《当前农业和农村经济发展的若干政策措施》及晋政发〔1994〕18 号文件有关规定和县委、县政府文件精神，现有耕地承包期再延续三十年不变（精神）。因全体村民提出对外来户应缴纳土地股份金，所以经村委会研究决定，特定以下三条：

一、对外来户宅基地，应立即交纳每分地500元；

二、对外来户的所分得口粮地，一级地每亩交纳3000元，二级地每亩交纳1000元；

三、期限1995年元月15日。超过期限，则收回一切口粮地，承包田无权承包。

乔庄村委会

1994年7月9日

"这、这没有了承包地，我们还吃什么呀？"

"连宅基地都得交钱，我们不等于被开除村籍了吗？"

"天下哪有这王法！"

王成志、赵立保等7户农民如被当头打了一闷棍。

"我们咋是'外来户'嘛？"老实巴交的赵立保拿着这份村委会的《决定书》来到王成志家时，差点背过气去。

"我是'外来户'？当年如果没有我这'外来户'，乔庄村能有今天的富裕日子吗？"赵立保说着说着，不由老泪纵横起来，"20多年前，是乔庄村看我会做砖窑活儿，才同意我一家7口人迁到这儿。那时他们就欺负我，做1000块砖才给我36个工分，是别人的几分之一。乔庄村现在发达了，他们还这样欺负我……我跟他们拼了！"愤愤难平的赵立保，操起王成志院子里的一根木棍，就要去找村干部拼个死活。

"你别乱来！"王成志一把抓住赵立保的胳膊，说，"你冤，我比你还不知冤多少倍呢！"

同样气得浑身发抖的王成志举着右手，指指天，又指指地："我、我们王家欠天欠地啦？1960年我父亲好端端地带着我们在县城里工作，1962年城里工作的职工要压缩编制，我父亲响应号召，带头报名从县城带着我们全家到了这乔庄村落户。国家的一个号召，我们全家几代人一下子从吃皇粮的居民户口变成了面朝黄土背朝天的土农民，几十年把所有的汗水洒在这片地上……我们做梦都想回城里，可没有人理会咱。现在倒好，农民也不让当了，他们还想把我们开到哪儿去呀？”

一会儿，许金生一家哭哭啼啼也跑到王成志家来了。许的妻子张口就号啕大哭起来：“他们怎么能这样对待我们呢？我孩子他爸倒插门上我家时，我还是村里的基干民兵副连长呢！他们太欺负人了啊！呜……”

“走，咱们去找乡政府评理去！”性情一向温和的王成志实在压不住心头的愤怒了，一挥手，7户“外来户”跟在他后面，朝当时管辖他们乔庄村的下阳乡所在地进发。

他们见到的第一位领导是乡党委书记。乡党委书记一听，十分惊诧：“这么大的事情，我可解决不了！”

“你是乡党委一把手，你解决不了我们还找谁呀？”王成志他们没有料到“领导”竟然会这样对待他们的事。

“那你先评评理，我们到底是不是乔庄村的正式村民，还是不该有土地、不该有宅基地的‘外来户’？”

“‘外来户’？谁说你们是‘外来户’？”

“村干部说的呗！他们就是凭这一条才要我们交钱买承包地、买宅基地的！”

“这咋说的，要说你们是‘外来户’，那我也算是‘外来户’了！乡党委书记对这一点有些不平：照他们的理论，我们所有从外乡来到这儿当干部或者嫁到这儿的人，都得出钱买地买宅基地才能生活在这儿？不像话！

乡党委书记虽然生气，却又摇摇头，无奈地说：“你们最好还是找县里去，找职能部门才可能解决这类事。”说完，借口“还要办其他的事”就甩手走了。

王成志等十几户农民面面相觑，望着乡党委书记远去的身影，只好掉头上了县城。好在乔庄村离县城不远，于是他们就来到县政府，正好碰上一位副县长。副县长一听，说：这可不是小事，我原来在平陆县就处理过这样的事。但我是新来这儿上任的干部，你们要好好找一找其他了解情况的领导。说完，匆匆向王成志他们挥挥手，“我还有事。不过我支持你们！”

赵立保见此情景，不知所措地问王成志：这咋办嘛？

王成志在这批“外来户”中算是个文化人，所以成为天然的拿主意的“临时头儿”。王成志皱起眉头，说：“那就照他说的，我们再找了解这类情况的领导吧！”

谁了解情况呀？王成志他们打听到，分管农村工作的县委副书记管他们的事。

副书记还算热情，说：“我把县委农工部长叫来，他具体处理这样的事。”

农工部长来了，听完王成志等农民的反映，脸上颇为生气。稍许定定神后，态度尚算热情地对王成志他们说：“这事政策性很强，涉及好多单位，你们还是让县里主要领导出面解决。”

县里主要领导是谁？王成志等有些不明白了，问：“你们不都是县领导吗？你们不都是县里的这个‘长’那个‘书记’的吗？”

部长笑了：“县里的主要领导是指县委书记和县长，他们是主事人。”

原来是这样！

王成志等又跑了几个来回，总算打听到了县委书记和县长的办公室。见了面，县委书记、县长比较客气，说：“我们都是新上任的，你们先回去，等我们把情况了解一下再作处理。”

有书记、县长这句话，王成志率一群“外来户”欣然而归。

回村没几天，村干部通知召开村民大会。王成志等闻讯前去参加会议，他们几户“外来户”坐在一起，小心翼翼地窃窃私语着：“是不是‘上面’有话了？”

“有可能。要不你看村主任脸色那么难看。”

“嘻嘻，活该，谁让他们缺德！天底下有这样欺负人的吗？”

赵立保等抿住嘴偷笑着……

“赵立保、王成志、宋保才、温正奎……你们别得意得太早了！大伙听着：就是他们这些外来户，占了我们村里的地、占了我们祖上传下来的宅基、抢了我们大伙儿的钱袋子，要不我们的日子会比现在更加富裕！可他们不知好歹，背底里放暗箭，想告倒和搞臭搞乱我们乔庄村！我们绝不能饶了他们！”台上，村主任手中扬着几页纸在气急败坏地怒吼着，“这就是他们给上面写的告状信！看清楚了，这就是他们想搞乱乔庄的证据！”

方才心头存有一丝欣喜的王成志、赵立保等目瞪口呆地瞅着台上的村主任，不知怎么回事。

我们只去县里反映情况，没人写过告状信呀！王成志听着听着，耐不住心头之不平，站起身来责问村主任：“我王成志做事一是一,二是二，你们想收我们的承包地、收我们宅基地是没有政策和理由的，我们通过正常渠道向上级反映情况没有违法。可我王成志没有背地里写过这样的信，更不可能有我的签名！”

“你王成志没签名也是闹事的领头人！我饶不了你！”村主任恼羞成怒，“上次的村委会做出的决定不改变，谁想闹就闹吧！散会！”

满心以为通过向上级反映情况能最终纠正村委会错误决定的王成志他们，无论如何也想不到事情竟然朝着与他们愿望完全相反的方向发展——

又一次村民大会召开了。王成志等十几家所谓的“外来户”，没人通知他们去开会。赵立保媳妇王良珍是从一个要好的邻居那儿知道的："这回是分地的抓阄会，谁不去就没地分了！"王良珍一听，放下正在冲洗的衣服，三步并作两步地直奔会场。哪知到了会场，一群村民哄起来："外来户"不准来开会!

王良珍急了："谁是外来户？凭什么不让我们参加分地？你们这是在违法！"

"我就是违法！看你有啥能耐！"一位村干部直着脖子，揪住王良珍的胳膊就将她往门外拉，随即又跟上几个村民将王良珍连拖带搡地推出了门外，然后将大门"哐当"一声紧闭起来。

"开门！开门！我要分地——"寡不敌众的王良珍举着拳头猛烈地敲击着村委会大门，但根本无人搭理她。后来她又跑到大门旁村委会传达室的玻璃窗口，当她刚要砸玻璃窗时，一张凶恶的脸对着她厉声吓唬道："你今天要敢砸玻璃，老子今天就敢撕烂你这张脸！"

无助的王良珍"哇"的一声，倒在了墙根……

傍晚，受辱的王良珍回到家，向丈夫和全家人哭诉了白天发生的那一幕。丈夫赵立保满腔怒火，冲出院门，想找村主任评理去。哪知他刚跨出家门，一辆桑塔纳轿车"嘎"的一声正好不偏不倚地停在了他的跟前。车门打开，下来的正是村主任。

"你们……"愤怒的赵立保刚吐出两个字，却被眼珠瞪得溜溜圆的村主任伸过来的一只拳头顶在他鼻梁上："怎么着？想打架？那就出去打！"说完，这村主任回到车上，一溜烟消失在夜幕之中……

"这还有没有王法了？"老实巴交的庄稼汉赵立保做梦也想不到自己几十年前举家落户到乔庄村之后的今天，竟然成了无立足之地的"黑户"人家!

"看样子，村上真的要我们流离失所了！"

"要不我们迁到外村算了！"

“凭什么我们迁走？我爹我娘、我爷我奶、我家祖祖辈辈的人都是在乔庄村，我们哪儿也不去！”一个媳妇怒嗔着倒插门的老实丈夫，气不打一处来。

“迁不得！我们在乔庄几十年了，人家还把我们当外来户，要是到新的一个地方，那我们不更成外来户了吗？”

“唉，胳膊拧不过大腿，人家人多势众，要不我们按他们说的，交钱换安宁算了。”

“这……”

夜幕下，几户胆小怕事的“外来户”聚集在一起，唉声叹气地商议着。之后的几天里，有10户被村委会定为“外来户”的村民拗不过村干部的横蛮“决定”，如数交钱换回了“村籍”。

“我们绝不干！今天如果交了钱，过几天他们再提个啥理由，再加码让我们交这交那，最后有一天我们交不起钱时，还不是照样任人宰割？难道让我们子子孙孙永远当黑户吗？”王成志等剩余没交钱的7户村民坚决不干，他们发誓要讨个公理。

“去吧！不交钱就别想在村里待着！”有人放言冲这7户人家这样说。

更让王成志他们无法接受的是，自改革开放后，实行农民土地承包政策的乔庄村，在80年代初就留下了相当一部分的土地资源和集体财产没有分给村民，一直作为全体村民共同享受的福利分红待遇。村里因此常有收入进账后分些东西给全体村民，往常隔三岔五每家每户都分到电影票，也不时分些苹果什么的，可现在王成志他们这7户再也享受不到这种待遇了！更令王成志他们无法接受的是，村里过去外租的23亩地，有80多万收入，每个村民都享受2000元的分红，但自王成志等7户被划为不交钱的“外来户”后，他们失去了一切原本应该享受的基本权利。

“这就是他们的目的！想挤走我们，然后他们分得更多！”王成志看透了村干部的意图，于是招来另6户所谓的“外来户”商议对策。

“王成志他想挑头闹事？那好，先收拾他全家！”村主任放出的话不是吓唬人的。之后的几天里，不分白天黑夜，王成志宅基前后总有人影在那儿晃动，吓得家人苦苦乞求王成志“赶紧躲吧”！

一身正气的王成志看在家人的面上，无奈挥泪独自离开了家乡，到远在百里之外的城里打工……一晃就是两年。

1996年，家人捎信说原村主任下台了，王成志这才悄悄回到久别的家乡。他一回来，就听赵立保说，他们另几家“黑户”在这两年中从来就没有断过上访。“开始是我们几个大老爷们出去，后来是婆姨们跟着跑……”赵立保对自己的妻子和许晋保、宋宝才的婆姨们颇为满意。王成志这才知道，赵立保和许家宋家的3个婆姨在他走的这两年中，几乎天天拿着村上的那份决定书，跑到县城找有关领导，要求讨个公正，可婆姨们跑断了腿、磨破了嘴皮，最后绕来绕去还是只接回了一句话：这事要解决还得找你们村里。

3个婆姨如同跌进五里雾中，除了一头雾水之外，弄不明白到底天底下还有没有人来管她们家的事了。

打工两年中吃尽流浪苦头的王成志这回再也不想离家远行去闯江湖了，他对赵立保等几户村民说，我们现在只有一条路：找县里来帮助解决！

乔庄村离县城只有三里路。在王成志等农民看来，他们这样的种地农民，县官就是他们要找的最大的官了，县官们不解决他们的事，他们只有死路一条！

认定这理儿的王成志等7户村民，从此开始了举家上访之路。

农民们没有别的本事，而且他们已经变得“聪明”了。几年来想找各级领导把他们的问题解决，可结果绕了多少圈，几乎找遍了乡上、县上的所有主要领导之后，竟然什么问题也没有解决。现在他们只能“耍赖”了：7户人家，老老少少，20多口人，天天轮流到县委办公楼里，堵住走廊和办公室……见了领导，他们就递状纸反映他们已经不知说了多少遍的“村籍”问题。领导们烦了，他们不烦；领导们上班，他们在走廊里和办公室门口等着；领导不接见，他们就等，耐着心一天又一天地等着；领导偶尔过来说两句，他们就赶紧把肚里的话倒出来；领导不愿听了，他们就等着下一次再说；领导下班了，他们就把床单、席子往走廊的水泥地上一铺，男男女女、老老少少席地而睡。饿了，啃几口从自己家里带来的干馍馍；渴了，到领导干部们办公的楼道厕所内接一碗凉水……如此十天八天过去后，他们以为该有人出来管管他们的事了。后来真有人出来管他们了，一看是戴大盖帽的警察。警察说“你们这是干什么？这是县领导办公的地方，你们不能影响领导们正常办公！”王成志他们就问：“他们这些领导办公干什么？”警察说了：“这还用问，是工作呗！”王成志他们又问：“领导们一天到晚为谁工作？”警察们便说：“当然是为人民工作、为人民服务嘛！”王成志一听，问得更认真了：“既然领导们工作是为人民服务，咋人民有了问题他们就不来解决呀？”于是警察们反过来问：“你们到底啥问题嘛？王成志他们就一五一十地告诉警察们，他们都是乔庄村的农民，现在村里要开除他们的‘村籍’。”警察们笑了起来：“天底下谁不知道农民是最底层的人了，竟然有人要把你们的村籍都开除！那你们这些人咋个活法？”王成志他们就说：“可不是，如果还有路能活，我们马上就回家！可现在村里干部要把我们承包的地收回去，还要把我们的宅基地都要收回去，我们哪有家呀？”警察们一听生气了：“太不像话！整个儿是欺负人嘛！你们找领导，找领导帮你们解决！”王成志等7户庄稼人的男男女女就立即号啕大哭起来，说：“我们找了领导好几年了，可没有一个领导真正出来帮助我们解决问题，所以我们才出此下策，举家跑到县领导办公的地方来堵他们，希望他们早点给我们解决问题……”这回警察软了下来，摆摆手，说：“我们不抓你们了，你们也太不容易了。”好心的警察留了句“睡在地上当心得病”后，便走了。

王成志等二十几号老老少少又重新睡在走廊内，开始了新一夜和新一天的等待……

说来也好笑，就在王成志他们躺在走廊几个月的时间里，那些干部们也够有耐心的，他们走进大楼想上自己的办公室，竟然每次都要小心翼翼地踮着脚尖迈过一个个躺在地上的王成志他们这些人……有一回县委书记真火了，说：“你们这些人也太不像话了！有什么事上办公室说！”

王成志等立马从地上跳起来，跟着县委书记进了他的办公室。

县委书记一脸不悦道：“你们这事不要再找人了，包在我身上！”并当着王成志等人的面，立即拨通了王成志所在乡的党委书记的电话，令他马上到县委来解决问题。

这是王成志他们盼望已久的事：与乡党委书记对簿公堂，问题就有可能立马解决。可是从早上 8 点多钟，一直等到中午 12 点，那乡党委书记始终没露面。

“书记呀，你都体会到了吧，你都叫不来下面的一位干部，我们老百姓遇到些事还能有人给办吗？”王成志实在耐不住性子对县委书记说道。

县委书记顿觉脸上无光，颇为恼怒地说：“老王，不管他这个书记今天有多么重要的事情，我非把他叫来不可！这样吧：下午两点，我要是还叫不来他，这个县委书记我不当了！”

王成志一听不由着急起来：“别、别，书记，你千万别动火。我们今天耐心等候就是了，什么时候我们乡的党委书记上来了，你就什么时候叫我们来开会就是。”

下午两点，乡党委书记终于露面了。

县委书记办公室，王成志和县、乡两位书记共三人，围绕王成志等 7 户农民反映的问题寻求解决方案，那个乡党委书记答应得非常明确 ：“再不能拖了，他们的问题一定要尽快解决！”

县委书记笑了，转头对王成志说 ：老王，这回满意了吧？你们可以放心回家了！

王成志相信了，县、乡两位“一把手”当着他的面说得如此明白清楚，还有啥可怀疑的？于是闹了好几个月的 7 户农民大包小包地卷着铺盖离开了县府大楼……

不能说乡党委这回不重视，连续开了两次党委会，并责成人大主任和党委两位副书记等人组成联合调查组到乔庄村了解情况。王成志他们喜上眉梢，心想这回总算有盼头了。哪知，一天又一天地过去了，调查组的人也回到了乡里，可事情仍没个结果。

王成志他们一打听，调查组的领导说 ：“不是我们工作没做通，而是你们村委会刚刚换届，新班子成员说村上的公章和手续还没交接好，等一段时间再说。”

这算是个“正当理由”吧。王成志他们心想，那就等等再说吧。

这一等时间可就不短，一晃又是一年。

“他们是成心不想解决我们的问题！公章要刻一年吗？区区村委会，能有多少手续要移交？”王成志等终于明白了 ：换了一茬的村干部其实还是不想改正错误。

走，再找乡领导问话去！他们不能说话不算数！王成志领着赵立保等再次来到乡党委所在地——他们走近一看就傻了 ：原来“下阳乡”的牌子也没了，那个当着县委书记的面答应他要解决问题的书记也不知去向了。一问才知 ：下阳乡已经撤销合并到桐城镇了！

下阳乡没了，共产党政府总还在吧！王成志坚信这一点。于是他们来到新组合的桐城镇党委书记王海生办公室。

王书记很热情，听完王成志的诉说，思忖片刻，说："老王，你这个问题行政措施解决起来有些难度，必须通过司法程序解决。"

王成志一听似乎首次意识到：原来这事还得打官司才能了结啊！

既然打官司，也得找到村委会没收咱土地、开除咱村籍的违规证据啊！王成志从乡党委王书记那儿出来后，就上县里找到农经局的局长。局长说这个案子需要你们桐城镇政府表个态。王成志有些不明白："既然我们准备跟政府打官司了，在上法庭之前，他们表不表态我才不管呢！"局长一听，立即板起脸："你现在是想跟政府打官司，我农经局也是政府部门，镇政府实质上是我们在乡镇一级的下属分派部门之一，他的事我能不管吗？"

王成志听后，恍然大悟：原来所有政府的上下级都是"一家人"哪！我们打官司看起来是跟村里、镇里打，实际上也在跟自己一直希望得到支持的县政府干仗呀！

完了、完了，非输不可！王成志转过神来，顿时心灰意冷。但事到今日，也只有往前走了。

听了县农经局长的话，王成志回到镇农经办找到干事王保泰，呈上他们几户农民的申诉材料。王干事一看，非常气愤，明确告诉王成志："你们村委会的做法完全是错误的，简直是在胡闹！"

王干事的态度让王成志喜出望外，而更让王成志兴奋不已的是在王干事这儿还看到了一份完全支持他和其他几户农民争回土地与"村籍"的政府文件——《闻喜县人民政府办公室关于严禁让外迁入户补摊股份基金的通知》：

各乡（镇）人民政府、农委及农村经济管理局：

近来，不少群众来县反映，一些村组让合作化后迁入的农户补摊股份基金，否则不予分地。对此，运城行署（1981）11 号文件早已明确指出：“对于合作化以后从外地迁来的社员户，个别地方提出，应补摊股份基金后才能承包土地、耕畜和农具等，其做法是不对的。建立农业生产责任制，是管理制度上的重大改革，而不是所有制的改变。因此，不管建立哪种责任制，生产队所有社员都有权承担耕地和其他生产资料，不能让合作化后迁入的农户补摊股份金。”

根据以上政策规定，各乡（镇）人民政府和村民委员会都要大力宣传，认真执行，凡合作化后迁入的农户，在承包集体耕地及其他生产资料上，均与其他农户一视同仁，不得以任何借口，让其补摊股份基金。

闻喜县人民政府办公室

1990 年 2 月 7 日

原来县政府 10 年前就有这样的明文规定啊！而且运城行署在 20 年前就早已有政策了！咱村里的那帮干部让我们几户所谓的在合作化以后迁入的“外来户”交钱，原来早就是政府不允许的，他们简直是无法无天、胆大妄为！可让王成志更为气愤的是，明明国家政策明文规定的事，他和几位农户在苦苦申诉了近十年之中，竟然那么多干部推来推去，不闻不问！

打！这场官司打定了！王成志把文件复印一份后，揣在怀里，满怀信心地回到村里，给赵立保等人一说，大家全都欣喜若狂：这回有政策支持，我们的事好办了！

这几位农民实在太天真了，他们哪里想到，在现实中，有时老百姓一点点并不难办的事办起来会比登天还难！什么原因？当官的不真心为你使劲呗！

要打行政官司，进入司法程序，首先得让分管的副镇长签字。

分管的那名副镇长，王成志骑自行车追了他五六次，好不容易追到他，他又推三托四地不愿搭理。最后一次王成志实在气愤极了，一把抓住又想溜走的那个副镇长的胳膊："咱老百姓的事你不管，你算个什么干部？你今天要是不签字，我们永远不会再找你了！"

哈哈，老百姓舍得一身剐时，当官的也是害怕的。那副镇长见王成志这架势，尴尬地笑笑，最后不得不从口袋里掏笔签了字。

2001 年 8 月 12 日，案子在县农经局立案，并于 9 月 26 日做出裁决，乔庄村应无条件重新分给王成志等农户承包田。

这算个球！当裁决书送达村里时，村主任竟如此不屑地将裁决书扔在了地上，还破口大骂王成志等："想动老子头上的土？门儿都没有！"

王成志为此气得差点当场晕倒。

共产党的天下，咋就这个样呢？王成志不信邪，决意上诉。次年 1 月，他将村委会不执行农经局的裁决，上诉到农经局仲裁委。农经局仲裁委经过复议，再次下达裁决书。根据复议书，乔庄村委会应支付王成志等农户经济损失 4 万元，加上七年农业税等补偿共计 10 万余元。

仲裁书下达后，村委会主任不敢当面牛了，却又以补偿数额过大为由，拖着不执行。

赢了官司，仍然一份空头支票。王成志等人欲哭无泪，不得不重新踏上申诉的上访之路……

他们再次（也不知是第几十次了）找到县里，先是找到新任县委书记，又找到县长，再找到主管副县长和副书记……王成志他们在县委机关大楼里跑上跑下，几个领导你说是他主管的、他说是你主管的，转了一大圈，最后还是把球踢到了一位副书记那里。那副书记很生气，说他们都不管这事，凭什么我就该管你们的破事？

又饿又气的王成志走到那副书记的面前，脸对脸地问：“你大书记怎么说话的？你还是不是共产党的干部？你不当这个官，回你家去，就没人来麻烦你了。”

不知是良心发现，还是理屈词穷，这副书记一脸不乐意地给王成志出了个主意：“你们真想解决问题，有个办法，就是请求法院强制执行。”

对啊！怎么我们就没有想到这一层呢？王成志的心里顿时对这位副书记泛起一丝感激之情：“谢谢书记指点。”

副书记不知是为自己找脱身之计，还是总算受了百姓的一回表扬，顺手操起电话，说：“我知道你们这几年为打官司弄得很困难了，我让院长给你们少要点执行费吧！”

王成志这回是真感激副书记了：“谢谢！谢谢书记！”

“喂，院长啊，乔庄村有几位农民要到你们院里申请一项强制执行案，他们也不容易，你争取出面少收点他们的执行费。什么？要 3000 元哪！哎呀，他们已经非常困难了，照顾照顾吧！你可以减？减到 1000 元！这就好嘛！我代表几位农民谢谢你范院长了！”

“书记啊，1000 元我们也实在掏不出来，这几年我们光跑申诉花的路费也有好几千了！再说也不知这回申请强制执行能不能算解决问题了……”王成志一脸苦相地对副书记说。

“唉，你们哪……”副书记无可奈何地长叹一声，然后又操起电话，“我给农经局打个电话，让他们先帮你们垫一垫再说吧！”

缴了执行费，法院的判决很快下来了。5 月 17 日，法院一名副院长和一名副庭长前后跑了两次乔庄村，结果因为村委会干部不配合，法院副院长无奈地对王成志说：你们村里的事太难办，看来非得让县委领导出面解决！

这绕了几大圈，司法程序等于白走了？王成志彻底弄糊涂了！

“没有办法，我们法院办事有时候不也得听领导的嘛！副院长倒是很实在。”

王成志气得差点吐血，司法程序走了一年多，等于白跑！

有人给王成志出主意：你们别再瞎绕圈了，找县里一把手，咬定他就行！

王成志这回铁定盯住县委书记。县委书记确实也是忙啊，他把王成志他们的事交代给另一位副书记办。那副书记看了一遍王成志他们的材料，认真地说：“你们先回去，改日我再处理吧！”

又来这一套了！王成志等人这回谁也不信了，赖着就是不走。

“你们……你们到底想怎么着？”那副书记被逼急了。

“我们啥都不想，就是让你管管我们的事。”王成志等人不相让。

最后，王成志他们的事又被推到县政法委书记那儿。过了几天，政法委书记托人告诉王成志等人说：已经把他们申诉的事登记了，过半个月答复。

半个月到了，王成志等来到政法委。这次明确的答复是：“你们的事是有的行政部门失职，法院执行不了。没法。”

“没法？什么意思？是没有王法处理我们这些农民的事？还是你们没有办法为我们处理？”

“王法是有的，可我们没有办法处理你们的事。”

天哪！王成志等仿佛当头遭雷劈：区区几户农民的小事，国家又有明文政策规定，法院判决也是清清楚楚，可就是没有一个干部和领导能处理得了！“三个代表”到哪儿去了？这么多干部都是干什么吃的？你们口口声声“三农问题”最重要，可真遇到问题时，你们整天喊叫的“最重要”“最重要”的问题到底重要到哪儿去了？

那天，王成志等 7 户农民在县委大楼里喊出了如此震天动地的呼号，可大楼里似乎听不到半点回应，唯有那些见惯不怪的干部们行色匆匆地在他们身边走过……

你们光在县里转悠，能有什么结果嘛？找上面去，找那些管他们的大官去！有人出点子给王成志。是啊，县官不管，不还有管县官的更大的官嘛！王成志等一合计后，决定去运城找市委领导。

这时已经到了2003年的夏天，王成志一行五人来到运城。没有出过远门的农民们，打听到过去他们曾经找过的闻喜县委书记现在已在市里当常委了。于是，王成志等几经周折，跟那老领导通上了电话。那老领导还记得王成志他们的事，便在办公室热情接待了王成志他们几个农民，随后有些歉意地敦促市委一位副秘书长以他“老书记”的名义给现任闻喜县委一把手写一封信，要求“从快解决”。

有了“尚方宝剑”的王成志等重新回到县里，连续三天守在县委“一把手”的家属院门口，第四天好不容易见到其专车，于是王成志等“扑通”跪倒在“一把手”的车前……

“你们要干什么？有冤情你们也要走正当途径嘛！这样做是什么意思？”那“一把手”从车里走出来，很生气地冲跪在地上的王成志等人说。

“书记，这是运城市委领导给您的信……”王成志战战兢兢地从怀里掏出那封领导的亲笔信……

这回县里有动作了：县里召开专门会议，讨论王成志他们的问题。可会议结果令王成志更是预想不到：法院院长认为，当时农经局仲裁是超越范围裁决。

王成志等后来听说，法院事后还从桐城镇农经站和县农经局调走了所有原始案卷材料。10天后，闻喜县法院下达了一份令王成志等人看了背过气的“民事裁定书”，其主要内容为：

……申请执行人王成志等人与被执行人闻喜县桐城镇乔庄村委会因承包土地合同纠纷一案，2002年4月2日闻喜县农村集体经济仲裁委员会作出民裁定字(2002)第1号的复议裁决书，由于被执行人不履行，申请执行人于2002年5月17日向本院申请强制执行。本院审查认为：该仲裁不符合法律规定，已超出了仲裁机构管辖范围，依据《中华人民共和国民事诉讼法》第二百一十七条第二款第二项之规定，裁定如下：

申请执行人王成志等人申请强制执行的闻喜县农村集体经济仲裁委员会的闻农（裁）字（2002）第1号的复议裁决书本院不予执行。

申请执行费6397元由申请人王成志等人缴纳。

本裁定送达后即发生法律效力。

荒唐至极！天理何在！按国家政策明文规定而进行仲裁胜诉的王成志他们，不仅没有争回自己承包土地的基本权利，到头来反而还要支付因荒唐判决引出的6397元输了的“官司钱”！

那一天，法院把这份“民事裁定书”送达王成志等几户农民手里时，王成志等几条汉子和婆姨们抱头痛哭……日思夜盼的公理何在？农民的生存权利何在？难道我们这几户农民老老少少几十口人真的要被开除“村籍”“球籍”吗？

天哪！

天在下雨……雨水化作了王成志等农民们流不尽的苦泪和愤慨！

绝望的农民从此不知所措了，他们准备搭帮到天涯海角去乞讨、去寻生路——讨不上饭，他们就准备死在政府的门口；找不到生路，就集体自杀在干部的家里……

“看，快来看，‘感动中国’十大人物。”一日傍晚，王成志正在与赵立保等人商议准备外出流浪时，在一旁看电视的老伴叫嚷起来。于是王成志等围到电视机前……“梁雨润！专为百姓办事的梁雨润就是我们运城人哪！”“我们找他去！看看到底是真典型还是假典型！”“对，找梁雨润去！”王成志等人七嘴八舌地议论起来，好似迷失在大海中的小船看到了彼岸一般。

立即约定赵立保等人连夜去找梁雨润。

梁雨润会在什么地方呢？王成志又犯愁了：这梁雨润现在是全国闻名的人物，能找得到他吗？他能管我们的事吗？

他要再不管，你们就死了心吧！王成志的一位朋友告诉他：正准备到各地做报告的梁雨润这些天在铁道大厦内准备材料……太好了，我们去堵他的门！

功夫不负有心人。王成志这天等到了梁雨润。见到梁雨润的第一眼，王成志等三位纯朴的农民齐刷刷地一起跪倒在梁雨润的面前：梁青天，救救我们哪！

“快起来！起来——”梁雨润见状，赶忙俯身扶起王成志等，然后又是端茶沏水让座。

没几分钟，看完申诉材料的梁雨润“啪”的一大巴掌砸在桌子上，怒吼道：“太不像话！这么一件简单而明了的事，皮球竟然踢了十来年！”

“我们、我们在这十来年里，前前后后找过乡镇县市领导足足有80多人，共计1200多次，光跑的路能绕地球转三圈。可就是没有人能把我们的事解决了啊……”王成志提起往事，泣不成声。

“老王，你听着：从现在起，你不要再找一个干部了！我梁雨润是你要找的最后一名干部！如果我再不能解决你们的问题，把皮球踢给别人的话，你们就指我鼻子骂！”强压着怒火的梁雨润对王成志等人，发出了落地铮铮的誓言。

王成志他们不敢相信天下还有这样为百姓办事不留后路的干部！“你们先等着，我现在跟有关部门咨询一下相关问题……”梁雨润果真雷厉风行，当即操起电话，一连向几个地方询问，然后告诉王成志：“明天8点，在市委大楼14层会议室召开协调会，专门研究解决你们的事。”

“这么快啊？”

“还快什么？拖十几年了！一分钟也不能再耽误了！”梁雨润愤愤不平道。

第二天8点整，王成志等随梁雨润来到会议室。在这里他们看到了多少年来几番打交道的闻喜县委、县法院、县信访办、县农经局和桐城镇的相关领导，还有几位不认识的干部，梁雨润介绍说那些是他请来的市委有关部门的领导，还有律师等……好家伙，足有30多人！

会议先由市中级人民法院的民一庭庭长梁长让作了案情分析，然后梁雨润站起身来，神情严肃地说：“王成志等几位农民的案情十分清楚！国家政策也早有明文规定，可为什么苦苦告了十来年没有结果？原因只有一个：就是我们的干部、我们那些拿国家俸禄的公务员不负责任！不办实事！你推我推，推个没完……这说明了什么？说明了我们的一些干部和公务员不合格！对百姓没有基本的感情！假如这些事摊到你们自己身上，你们也是这个工作作风、工作态度吗？啊？！你们谁给我回答——！”

会场异常寂静，几十名干部没有一个人吱声，尤其是闻喜县的那十几个干部。

这场面王成志从来没有见过，解气啊！王成志的双眼溢满泪水……

“你们听着，今天我梁雨润可以官不当，但这件事必须办好了！ 10天之内，你们跟我一起把这事解决了！而且要办好！”梁雨润后面这句话震得大楼在发颤。

真是大快人心事！王成志等几位农民这回可真正看到了啥是共产党的好干部！

“老王啊，你们可是中大运了！”会一散，一直支持王成志他们的县农经局董局长激动地走过来，对王成志说。

也许是梁雨润的话震撼了闻喜干部的心，也许是梁雨润的榜样力量影响着闻喜的干部，同样还有一个重要原因是，之后的日子里，梁雨润克服种种阻力，耐心细致地做着各方的工作，并两次亲自到闻喜督办此案。次年元月 8 日，王成志等 7 户农民，终于同村委会干部、桐城镇政府领导坐到了一起，签订了一份迟迟到来的“协议书”。在这份“协议书”上，明确规定了乔庄村无条件归还给王成志等 7 户农民承包地，同时补发他们过去的 10 万元经济损失。出于支持村建的良好心愿，王成志等农户当即表示只要按 8 万元执行就行。

事后，王成志等为了感谢梁雨润为他们重新获得承包土地和恢复“村籍”所做的帮助，联络了 60 多人的锣鼓队要给他们的恩人送匾。梁雨润得知此事后，立即托人转告王成志等人，说：“欠情的是我们这些公务员，你们如果非要来的话，我梁雨润只能当场给你们下跪磕头了。”

“他有这样的话，我们谁还敢去呢？”和我谈起给梁雨润送匾的事时，王成志对我这样说。

快进王成志家前，梁雨润掏钱让自己的司机到附近的一个小店买了两大箱挂面，他说是“走亲戚就得带些东西”。后来我看到挂面是送给王成志等几户农民的，梁雨润说他也是第二次到乔庄村，可我看他与王成志他们感情诚笃，如同亲戚。

# 第三章　难以执行的车祸赔偿

进城打工农民李永贺因车祸致残四肢，卧躺板车 4 年，到处流浪乞讨……后来他说："遇上好干部，我真心喊'共产党万岁'！"

老百姓的事就是那么简单，就是那么复杂。安徽农民李永贺跟着几位在山西清徐县的老乡捡破烂几年啥事没出，2001 年夏天的某天清早 5 点钟，带着老婆耿月英正骑着人力三轮车行驶在县城清东路上，俩人谁也没有料到一场灾难正等着他们——迎面急速驶来的一辆拖拉机挂斗车突然与其"亲密接触"，结果李永贺的三轮车翻倒在路边，李永贺当场躺在血泊之中……还好，由于老婆哭天喊地拦住一辆过路车子，将丈夫及时送到清徐县人民医院抢救，李永贺从死神那儿转一圈又回到了人间，但好端端的一个人，却变成了只有颈部以上尚未受重伤的终身残疾。

遇难后的李永贺从此不再平安了，只能整天躺在平板车上无法动弹，吃喝拉撒全得靠妻子，样子十分可怜。害他陷入如此境地的是当地一名跑运输的农民，名叫武拖发。这老兄起这个名字，开着那拖拉机拖斗车，原本是想发财致富的，没想到拖拉机不仅没发，反而将安徽农民李永贺撞了个永不平安的结果。武拖发见自己闯了大祸，拔腿就跑，从此再也不见他的人影……

公安局的人现场勘察，事故责任与李永贺毫无关系，武拖发负全责。负责处理事故的公安交警多次通知武拖发前去处理事故责任，可是他人跑了，哪儿去找呀？李永贺不干了，住院花去的 17325 元暂且不说，这截瘫将一辈子失去劳动能力和生活能力，你得管我不是？你犯了事故人跑了就想一了百了？没门！李永贺身子瘫了，脑子却好像比事故前还好使似的，躺在平板车上——他夫妻二人在清徐打工的全部家当就这么一辆平板车——他对妻子说：“你拉我上法院去！”

由公安局做出的事故裁决书和法医做出的一级伤残鉴定，李永贺在法院很快获得胜诉：清徐法院经审理，下发“2002 清民初字第 22 号判决书”，判武拖发赔偿原告李永贺医疗费、住院伙食补助费、误工费、护理费、鉴定费、残疾工具费及生活补助费、被抚养人生活费、交通费、精神损失费等共计 106757 元。并限判决生效后的十日内履行。

公安局做出事故裁决很简单，法院判决也不复杂，如果武拖发是个有钱人，或许他就不跑了，这也就没有了我们要讲的故事了。可现在武拖发偏偏是个穷光蛋，又惹了这么一桩大事故。吓坏了，他就跑，至今不知跑到了哪儿去了。因此，也就有了我们要讲的故事——

瘫在车上的李永贺可着急啊：“这、这咋整？我瘫了，他跑了，我这后半辈子可咋过日子啊？医疗费还没付，欠人家的债天天有人来催……”李永贺现在能动的就是一张嘴巴、一个脑袋。“你快拉我到法院去！”他躺在平板车上，拿出以往做男人的劲儿吆喝着妻子。

法院看着躺在平板车上的瘫痪人可怜，便答应马上采取“强制执行”。笑话，人跑了，去哪儿“强制执行”呀？法院回头如实告诉李永贺。

“那不行！我先问你们：你们是不是人民的法院？是吧！好，既然是人民法院，你们的判决也是正确的吧？是正确的？那就好。既然你们判决是正确的，判决的目的是不是应该执行啊？对，你们也说必须执行，要不法院就没用了是吧？好啊，现在我就找你们法院给我钱……啥？你们不管？你们不管谁管？判决是你们判的呀！你们的判决算数吧？既然算数你们就得给我把应该赔偿我的钱要回来！要不回来？要得回，要不回是你们法院的事，我得找你们要啊！”李永贺一个全身瘫痪的农民，讲起道理来，竟然滴水不漏！那些整天与律师和当事人打嘴皮仗的法官们竟然被他问得无话可说。

“你们判了不给我执行，不帮我把钱要回来，我就天天来找你们！”李永贺让妻子天天把平板车拉到法院门口，这样无休止地嚷嚷着。

法院被弄得没有办法。一个四肢动弹不得的瘫痪人整天躺在法院门口大吵大闹，有损法院形象。于是，惹恼的法院在某一日派出几个法警，严厉警告李永贺："再无理取闹，别怪我们不客气了！”

“啥无理取闹？你们才无理！你们是法院，你们怎么可以不讲理？不讲法律尊严？不执行你们自己做出的判决？”李永贺的四肢虽僵在那儿，可嘴巴儿竟然不饶人。法警不知拿他如何处置。

“别再嘴硬了，再在法院门口闹事，我们就得对你采取行动了！”有人再次发出警告。

李永贺就是嘴硬："你们不给钱，我就来闹！”

李永贺毕竟是农民一个，又是四肢瘫痪的进城打工的农民，他除了嘴硬再没有别的能耐，何况要不回判下来的十来万元钱，没法过日子的不光是他，妻儿老小都得跟他落入苦海。“我不找你们要钱还能找谁？”李永贺对法院说的话其实是实话。

法院也冤屈，本来一件交通事故与他们没有任何关系，就因为他们依据事实又按法律程序做了判决，结果当事人跑了，原告却反过来向他们要钱。要不到钱就骂法院，整天在法院门口让公众看热闹，还以为法院欠了他李永贺的钱哩！

李永贺和法院就这样各说各的理，于是顶牛顶了好几个月。李永贺最后骂法院“都是王八蛋吃喝拿要又不干正经活的一帮坏蛋”，法院的人气得嘴歪鼻斜。有一天，一位院长实在觉得李永贺在门口骂得难听，便令几位法官“给我揍他一顿！”这可好，最后是李永贺和妻子、儿子全都倒在地上“嗷嗷”乱叫……

你不屈，他不服，李永贺与法院就这样成了死对头。

“要说老李也是可怜。本来他夫妻俩也是搭帮给人家‘破烂王’打工挣点小钱，现在他瘫了，几个老乡心眼不错，收留他老婆继续在垃圾场看场。李永贺人瘫了，可人还活着不是！所以每天吃喝拉撒的事还得有，他又不能动弹，他老婆就把两人仅有的一辆平板三轮车既当床又作两人的家。那个垃圾场本来就又脏又臭，李永贺又整天瘫成那个样，夫妻两人在一个平板车上过日子，看着实在也太可怜了……”清徐县政法委副书记侯天林是唯一一位多次到垃圾场看望过李永贺的当地干部。他在向我描述车祸致残后李永贺的生活情景时，眼里溢着同情的泪花。

“我们法院招谁惹谁了？他一家子整天在我们的门口骂骂咧咧，什么脏话都往外倒，好像我们欠了他几辈子债似的，你说这咋弄？”法院的同志同样一肚子气。

与法院交涉数十天毫无结果后，李永贺改变了“战术”，你法院不管我，那我就上管你法院的县委去闹！于是李永贺又把在法院上演的那一套搬到了新地方，于是县委大院门口就热闹了：一个躺在平板车上像叫花子似的残疾人，举着一面写着“冤”字的大白旗，嘴里高喊着“贪官们出来为民说话……”之类的话。这样的场景总能引来里三层外三层的围观者。在县委、县政府里工作的人受不了了，看门的保安和公安人员先是警告李永贺，后来是来人把他连车带人抬得远远的。李永贺不怕这个，你这会儿抬走我，过会儿我又回来了。你抬走我一回，我再来三回。

“给我关他几天，看他还敢不敢来了！”有人怒不可遏。

说是关，其实是把李永贺看起来，有吃有喝的，李永贺才乐意呢！“最好你们关我一辈子才好呢！”瞧他这话，不是成心气人嘛！无奈，还得放他出来。好嘛，你放我出来，我就更要告你们！李永贺才不管这些，后来他干脆让妻子拉着平板车躺到县委大楼走道里，见哪个是路过的县领导就骂谁！你们不是都不管我的事吗？好啊，我就把你们一个个骂，直骂得你们非出面管我的事不可！李永贺采取的正是这个“战术”。

县委、县政府的领导都出面了，一瞧、一问，也觉得这么一个安徽来的外来农民工瘫痪在车上，人不人、鬼不鬼的，也够可怜的，从良心同情的角度也该帮他一把。咋解决嘛！他是交通事故，撞残他的人也是个穷光蛋，况且现在人都不知逃到哪儿去了，你说咋办？法院的同志向县领导汇报时一脸苦相。县领导听后左思右想，一时也不知如何处理为好。

咋，又全都哑了？李永贺见自己折腾了快一两年仍不见县里有人来管他的事，这回他便想了个邪招：每逢周一至周五，他就让妻子拉着平板车，对着县委、县政府的大门，自己躺在车上，嘴里塞着一个自制的纸筒喇叭开始“哇啦哇啦”地叫骂起来。

“某某书记，你整天喊着‘执政为民’，可人民来了你不管，原来你是个标准的腐败干部！

“某某县长，你忙东忙西，就是不为老百姓忙，原来你是个大贪官！

“某某长，你的嘴脸更可恶，人民有苦你不念，专门装成假正经……”

这日久天长地骂，不知道内情的人，第一次见到一个瘫痪的人躺在车上叫骂，不免对李永贺产生同情，同时还会引起对清徐县干部们的不满和憎恨。见多的人，有的嘲笑李永贺是“疯子”，有的则讥讽县领导无能。但李永贺清楚，闹下去，损害的是你们清徐县领导们和清徐县的形象。我李永贺外来的小农民一个，你们能拿我怎么样？反正我也就是一个全瘫的活死人！

真的没有人能想出办法，把这么一个将清徐县干部们骂得臭气冲天的人给治了。你关他？那你不光要准备给他腾地方，还得找人伺候他！关一天两天、十天八天可以按“扰乱治安”论处，可你总不能永远地把他关下去，那样最后被关起来的可能就是你了——因为你那样做肯定是在犯罪。怎么办？没法办！

清徐县有关部门为李永贺的事头痛至极：一个瘫痪的外来农民工整天在县委县政府大门口这么吵吵嚷嚷，影响恶劣。如果他真是疯子还好解释，偏偏他不疯不癫，这不成为县上的一大笑柄了吗？

“别管他，他爱吵就让他吵个够吧！等什么时候他没有了精神头，我们再收拾他！”有位领导生气地说道。

别小看了躺在板车上瘫着的安徽农民李永贺，他是拼着命在为自己争取权益，所以自始至终充满了精神。在县委大门前一骂就骂了三年多……直至后来有人告诉他，要想让哪一级干部解决问题，就得找哪级干部的顶头上司时，他翻了翻眼珠子，朝妻子一努嘴：行，那明天开始我们就上太原，找省委、省政府领导！

从清徐到太原，五六十里路程！可人家一个 50 多岁的农妇，全凭一双腿，硬是把平板车上的男人拉到了省城。

一辆装饰异常的平板车上面躺着一个瘫痪的汉子在“哇啦哇啦”地哭天喊冤……李永贺的这一招无论走到哪儿都会引起不小的轰动效应。他第一天出现在省委、省政府大门口时，一下来了几百人围观。

可怜和同情他的居多。

“信访局吗？赶快让你们的梁局长过来！今天大门口来了个特殊的上访人，一下子围了好多群众，快让他过来处理……”省委办公厅有人打电话给信访局，指定梁雨润前来处理。

正在处理另一桩案子的梁雨润匆匆赶到省委大门口，扒开人群，走到平板车跟前，问李永贺："你是哪里人？有什么事嘛？"

李永贺见梁雨润面善，便如实做了回答："我被人撞瘫了，法院判了，可撞我的人跑了，现在我欠了一屁股债，又瘫了身子，没法挣钱，你说咋办？"

梁雨润掀了掀盖在李永贺身上的被子，湿漉漉的，又脏又黑。再摸摸他的胳膊和手臂，毫无反应。"都瘫了，连碗都端不起来……"一个衣服上露着汗痕的女人看了梁雨润一眼，弱声弱气地说。

"你是他的妻子？是你用车从清徐拉他到这儿来的？"梁雨润问那妇女。

"嗯。"那女人点点头。

梁雨润顿时心头涌起一股怜悯之情。"这样的老百姓，即便他们做出些过激一点的事，也是应该谅解的。因为我相信他们的事如果不是到了万不得已，绝对不会有意来找政府麻烦的。对这样的群众，作为党员、作为政府公务员，我们就得要像对待自己的亲人一样，急他们所急，尽力为他们解决问题。"梁雨润在接受我采访时发自内心地这样说。

"你这样不便，为什么非要跑到省城来解决问题呢？"梁雨润询问李永贺。

"你说清徐啊？他们、他们要是给我解决了，我咋会跑到太原来嘛！"李永贺的嗓门一下哽咽起来："三年了，我躺在平板车上堵了他们三年的大门，可他们就是不给我解决问题。当初还不如车子把我轧死了反倒省事……"

"老李，你现在想咋个解决法？"梁雨润问。

"你要给我5万元钱，我就回老家了，我再也不闹了。我老娘已经80多岁高龄了，我得回去孝敬她，可现在我欠一屁股债咋个弄嘛？”李永贺说。

梁雨润：“给你 5 万元你就不闹了？回老家去？”

李永贺重重地点点头：“肯定。我再不想这样待在外面了！”

梁雨润一挥手：“行了。咱们就这样说定了：你的事我来办。现在你先回去……”

李永贺顿时激动地说：“这位领导，您尊姓大名？我的事您真就能解决了？”

“他就是梁雨润局长。‘感动中国’的名人，人称‘百姓书记’……”现场有人这样告诉李永贺。

“您就是梁雨润局长啊！我曾经听说过您的事迹……我真是遇见贵人了！”李永贺不知说什么为好，一个劲儿地想从车子上直起身来与梁雨润握握手，可他的整个身子丝毫不能动弹。

梁雨润俯下身子，安慰道：“好了，老李，我是梁雨润。现在你听我的，我让我们信访局的同志带你们夫妻俩先去吃一顿饭，然后你们就回清徐等我消息好吗？”

“好，好！我们就走，就走……”

就在李永贺与妻子去吃饭当天，梁雨润电话通知清徐方面派有关部门的负责人来省信访局开解决李永贺问题的协调会。协调会下午 4 点在省信访局召开。清徐方面来的人说，如果要让政府出面解决李永贺的困难经济补贴，得由县领导拍板。梁雨润听后说，那好，隔日我去一趟你们那儿。

过几天，梁雨润带着接待员王英等同志来到清徐，找到了县长。梁雨润向县长摆出了自己对李永贺问题的观点和解决问题的意见，县长听后表示同意。

就在梁雨润与县长谈话时，躺在平板车上的李永贺当时就在县政府的大楼门口等着。他见梁雨润从楼里出来，便让妻子把平板车推过去，见面就问：咋样了？

梁雨润告诉他 ："跟县里已经谈定。政府补贴你 5 万元生活救济，你回老家好好养病，再不上访闹事了！是这样吧？"

"是、是！解决了，我就回老家安心养病过日子。李永贺发誓道。"

事到此时，梁雨润也便放心了，当天和王英同志等回到了省城……

一天，梁雨润在省委大楼里参加一个会议，走出省委大院时，只见门口聚集了许多人。过去一看，见是躺在平板车上的李永贺又举着一面小白旗在那儿嚷嚷着……

"李永贺，你怎么又来了？"梁雨润感到奇怪，甚至有些生气地问。

"梁局长啊，他们都不把我们当人了……他们把、把我们扔到山沟沟里，差点要了我们全家的性命……走了五天五夜，我们才算回来了……"不想李永贺和他妻子开口就号啕大哭起来。

梁雨润真生气了 ："怎么能这样嘛！这是人干的事吗？"他是生清徐县的气。当即，他让王英同志问清到底是怎么回事。自己则挽起双臂，一个弓腰，推起李永贺躺着的那辆"吱吱嘎嘎"直响的平板车，一直到了信访局。

"拿去，你跟老李一起买点吃的。"梁雨润从自己口袋里掏出 100 元钱，交给李永贺的老婆。

下午，王英很快将清徐县的情况弄清楚 ：原来，在梁雨润与县长谈妥后回到省城这些日子里，因为县委书记上党校学习，李永贺的事一直没有得到县委常委会讨论。这一拖便是一二十天，李永贺等不及了，以为事情又黄了，于是再度让妻子拉着板车上县委县政府大院门口又吵又骂的。那几天正好县上有个重要会议，参加的人数也多。李永贺在门口骂骂咧咧的，让一位县领导非常生气。出面劝他走，他又不走，反而骂得更凶。这位领导火了，命令手下的人 ："给我把他们扔到山里去！扔得远远的，看他还能不能跑得回来！”

这回李永贺可真的惨了：他和妻子被连人带车扔进了离县城几十里的荒山沟里，“那个地方前不着店，后不着村，他们把我们扔在山沟沟里就不管了……我扶起孩子他爸，背他走一阵，再拉一段车子，整整走了五天五夜，才走出了山沟……”李永贺的妻子在向梁雨润诉说时泣不成声。

“怎么能这么干呢？简直连人性都没有了！”梁雨润愤怒至极，“立即给他们县长发份公函，要求他们必须在10天之内解决李永贺的问题，否则让他们县长亲自到省信访局来说明情况……”

“是。”

这回清徐县办得十分迅速，并于2005年7月20日与李永贺父子达成了解决问题的协议：清徐县政府支付李永贺5万元作为他与武拖发所发生交通事故所引发的一系列问题的最后了结的经济补偿；李永贸在收到上述经济补偿后，保证以后不再因此上访或因经济困难、病变再向法院提起诉讼、申请执行等。

“侯书记，你们还要想法在李永贺一家回老家时帮助他们买好车票，并亲自派人一路护送到安徽……”梁雨润在得知清徐县与李永贺通过协商圆满解决问题之后，特意打电话给负责处理此事的清徐县政法委副书记侯天林，请他考虑好李永贺一家回程时的每一个细节。

“梁局长您放心，我们一定会把工作做好做细的。”侯副书记也是心系百姓的好干部，他在李永贺生活十分艰难时多次亲自上门探访，并自掏腰包资助他。

李永贺一家返回安徽老家时，清徐县委县政府派出侯天林和另一位领导同志带着一群人，上长途车站护送，当他们用担架把李永贺抬上长途卧车时，李永贺热泪盈眶，一再请侯副书记代他打电话给梁雨润：“谢谢他救了我们一家……”

李永贺回到安徽老家至今已有一年多，生活过得平安，现在他逢人便说："一个人遇到灾难不可怕，可怕的是遇不到好人。我庆幸遇上了梁雨润这样的好干部，所以我经常喊'共产党万岁'！"

# 第四章　被拆迁掉的巨额财产

宅居、住房是百姓的命根子，有人想拆就拆、想占就占，当受害者奋起反抗时则被诬陷为刁民。秦银花、李莉感叹：能体贴平民百姓的痛苦，是共产党干部们最可贵的品质。

秦银花，太原运输公司的下岗职工，原住该公司亲贤宿舍1号楼。2001年前公司进行房改时，秦银花家按规定交了钱，买断了所居住房屋的产权，可公司因种种原因一直没有发给房产证。2004年4月，已经下岗并离婚的秦银花突然被楼房的物业公司告知，她所在的楼房要拆迁，要求她和其他居住在此的居民搬迁。

不给房产证，还不同居住者商量，一份物业公司的通告就想让人搬走，既不符合政策，也不通人情。秦银花和其他几个居民找到运输公司责问。公司负责房屋搬迁的人支支吾吾地答不出个究竟来，只是一味横蛮地要求秦银花她们搬迁，否则就怎么怎么的。

凭什么？秦银花等觉得运输公司太欺负人，于是不再理会物业公司的所谓“通告”。秦银花是个非常能干的女人，下岗后她自谋出路，大小生意都做过，也在北京闯荡过多年。可她没有想到，正当自己为了未来和一个正在上中学的女儿整天在外奔忙时，这年夏天的一个晚上10点多，她忙完生意赶回家一看：天哪，整个大楼没了！自己的家更不知在何处！她熟悉的地方此刻已成一片废墟……

“银花啊，他们、他们拆了我们的房子，还把我打成这个样子……作孽啊！”废墟旁，突然满脸是血的邻居张兰玉抱住秦银花，哭得死去活来。

怎么会这样？我的女儿在哪儿？我女儿呢？吓蒙了的秦银花此刻突然想起了独自在家复习功课的女儿……“宝贝！我的宝贝你在哪里呀——”秦银花当下昏死过去。当她醒来时，已近凌晨。

谁拆了我们的房子？是谁？秦银花无法想象世上竟然会有这么野蛮的事情发生！不事先通知，不做任何安置，不管你家里有人没人，财产如何处置，便雇一大帮人，开着推土机就来。秦银花也算是走南闯北的人，可无论如何也想不出天大的祸害会降临到自己的头上！

几小时后，女儿有了音讯：她在一帮野蛮行径的拆楼人冲进家门时逃了出来，小姑娘摸黑逃到了姨妈家……算是不幸中的万幸。秦银花望着埋在废墟里的“家”，欲哭无泪。她想与那些行径野蛮的拆楼民工争执，得到的结果是：我们不管你的事，我们只管拆楼。

真的没人管了？秦银花气得七窍生烟。好，我倒要看看有没有人管了！东方晨曦初露时，秦银花就开始向省委大院的方向跑，带着无比愤怒，她一路想好了今天非要找省委领导论个究竟，她甚至想好了，必要时用死来证明小百姓也不是那么容易欺负的……不用说，这一天的省委大院门口异常热闹，秦银花发疯似的要求见省委领导，她拼死往里冲，公安人员组成人墙不让她往前一步，如此争执，立即引来过路来往的无数人围观。

“梁局长，你快过来！有个妇女非要冲省委大院……”正在上班途中的梁雨润接到省委值班室紧急电话。

“我马上就到！”

梁雨润与秦银花第一次见面是在省委大门口。“您就是梁局长？！你可要为我伸张正义啊……”秦银花一头跪倒在梁雨润面前。

“过去在电视里我见过梁雨润，很被他的事迹所感动。但我没有想到自己会在省委门口同他见面，而且求他来帮助解决我自己的事……”秦银花在我采访她时这样说，“当时我简直气疯了，一心想找省领导反映运输公司强行拆除我房子的事，可真的又不知如何是好。大门口一见是梁雨润局长来了，好像一下子有了希望。”

“秦银花的房子被拆，明显是运输公司安置不当造成的。尤其是公司在没有做好拆迁户的思想工作的情况下强行采取动作，造成住户流离失所、财产损失巨大的做法更是无法无天。但真要协调处理这样的事既很复杂又比较具体，一次两次、一天两天还真做通不了。”梁雨润在我采访时介绍说，“当时运输公司雇用的拆迁民工强行把秦银花他们居住的那栋楼推倒时，以为就是简单地完成受雇任务，哪知道楼房里除了人还有各家各户的财产。尤其是当民工们闯进秦银花家一看，当时就傻了：人家秦银花家抽屉里柜子里尽是金银首饰和一沓沓钞票……可事已至此，停手是不可能了，怎么办？继续拆吧！这下出大事了。秦银花自己说，当时她所有的个人财产都在里面，仅金项链就有十几条，现款十几万元，哗哗地撒落一地！当时又没个看管的人，民工和看热闹的人聚集了一大群，金银首饰和现钱就这样撒落在地上，谁不捡谁就是傻帽不是？所以后来到底从秦银花家拿走了多少财产，没人敢承认。受害者秦银花不干，那是她的性命钱，她的全部家当啊！她凭自己的记忆，就说出了大约有四五十万的各种值钱的东西。秦银花因此一方面坚决要求运输公司赔偿，另一方面强烈要求司法部门对运输公司在野蛮拆迁过程中不顾她们的人身安全和个人财产的行为追究法律责任。作为公民来说，秦银花的这些要求应该说是非常合理的。可运输公司也有他们的理论，认为自己与太原市房地产局统一进行旧房改造，改善职工居住条件，同时还能给公司争取更多的利益，这个大前提并没有什么不对，你秦银花这几家‘钉子户’我不拔掉你们就啥事都干不成了。所以双方从开始就是矛盾和对立的。事情出大了，秦银花闹到省里，就个人财产损失这一块你运输公司是理亏的，我就要求你赔偿。可公司开始并不认账，后来总算认账了，但又在数额上互不相让。这过程我们作为协调方工作就非常难做，秦银花作为受害方，她并不十分了解这些，看到向我们反映问题没能及时得到回复就迁怒于我们，所以火气就更大了。”

“我找到梁雨润局长后，像是找到了救星。可后来没有见啥动静，我就火了。心里本来就憋了一肚子气，再想想明明是运输公司他们理亏，结果像梁雨润这样报纸上、电视里都在宣传的好干部也不能为民办实事，我更觉得这世界太黑暗了。于是隔三岔五地跑到信访局找梁局长。人家可能也是忙，每天要处理几十桩各种案情。但我不管这些，我只管自己的事。因为见不着他，或者好不容易见他一次，他又光跟我打个招呼说你老秦先等一等。这一等就见不到他影子了。我就认定他这个典型也是假的，啥先进不先进，世界上就是没有好干部，不都是官官相护嘛！我就撒开架势跑到梁局长办公的楼下大骂，骂得满院子人都能听得到。我骂得很难听……现在想起来真对不住梁局长，冤枉他了。可当时我张口就来，想起啥难听的话就骂什么。其实我心里还有一个愿望：他梁局长是中央树的先进典型，肯定比其他的干部要好，我骂他，骂得凶了，就能把他骂出来，他出来了就能管我的事，他真要管了就能解决我的事。我当时就这么想的……有点自私，但也是逼出来的。”我看秦银花说到这儿自个儿笑了。

“秦银花骂得还真厉害，从我们上班一直骂到快中午了。我们全局上上下下的人都听得一清二楚。老实话，大家真为梁局长抱不平……”信访局一位处长对我说，“老百姓其实对有些事是不怎么了解的。比如像我们省信访局，管全省的群众来信来访，一年有好几万人上我们局里来反映需要解决的问题。我们不光是坐在局里接待来访群众，每年光上北京接回到那儿去的上访群众就有几千人次，局里就那么几十号人，也没有多少经费。在梁局长来信访局工作之前，别说局长这一级领导，就是我们处长这一级都没有几个人亲自出面具体处理来访群众的事。一般都是你把材料和问题向我们反映了，我们就照章办事把你的问题或材料转交给你所在的地区或上级单位去处理，问题重要一点的就写个报告递给领导，就算我们完成信访的工作了，只起个中转站的作用。梁局长来后，他是个实干家，是真正办实事的人。他除了亲自接访群众，还把接访后的疑难案件一一亲自出面解决。这出面解决与坐在办公室批批转转的工作量可就大不一样啊！你知道的，凡是闹到省里来的事一般都是些非常难处理的问题，要不就是别人都不愿处理的事，要不就是多少年没处理下去的事。梁局长上任后，他好像根本就没有想过当那种坐在办公室抽着烟、喝着茶，靠一支笔、一个电话来批批转转的清闲官，他对群众的感情似乎是与生俱来的，只要有人在他面前喊冤叫屈，他就掏心窝给人家去排忧解难。那些老百姓有的并不知道，真要去解决一件事，往往非常之难。你既急不得又不能不急，过急了事情不那么简单；你不着急，一件芝麻大的事也会拖你一年半载甚至更长时间。更何况我们接手的事又都是些挠头的事儿，绝对不是跑一两次、说几句话就能解决得了的，而且经常一方讲妥了，另一方又不买账。现在人都很现实，我们是信访部门，没权没势，跟有关部门或地区头头们打交道，人家愿理你就理你，不理你也没多少招。就说秦银花的事，她确实有冤，几十万家产被人背着她连窝全给捣掉了，换谁都受不了。可梁局长和我们在具体处理这事时又不是那么简单。光让运输公司低头认错就不容易，再让他们如数赔偿你更是难事。梁局长为此不知跑了多少回，跟人家磨破了多少嘴皮，这过程她秦银花并不太清楚。人家群众只看结果，只盼早点解决，一天没解决她的事她就认为你没有把她的事放在心上，所以她骂呀，把什么脏水都可以泼在你身上。当时我们真为梁局长抱不平，不是一般的抱不平，恨不得下楼去抽她的嘴巴。但梁局长绝对不会让我们这么做，他反过来笑呵呵地冲我们说，人家有怨气，让她出出气没关系，让她多骂骂我梁雨润，要不她去骂省委省政府、骂共产党不是更不好吗？”

这位处长说的这些，其实在写《根本利益》时，我对梁雨润这一点已经非常了解：他就是这样一种见不得老百姓吃苦受冤的人，也见不得世上那些不公的事。而他自己为了帮助老百姓解决问题，宁可到那些官员们，甚至是好同事、顶头上司那里跟人家拍桌子、瞪眼睛。用他的话说：“你要让老百姓和弱者反败为胜，你不得罪那些有权有势、自以为是的单位和人几乎是不太可能的。”

是的，有人说过，凡是人群存在的地方（其实包括自然界也是这样），就有矛盾和不和谐，冲突和矛盾是物质世界客观存在的。这也是人类进步和物质世界不断发展与运动的基本形态。要使这种客观存在的冲突与矛盾变化为和谐状态，就只能用另一种冲突与矛盾去解决和寻求。冲突和矛盾的客观存在，也是不少官僚主义者和那些无所作为的人不去主动热情和真诚地为百姓办实事、做实事的一种自我逃脱责任的理由。但真正的共产党人和为人民负责的公务员，则为了建设和谐社会、建立社会的公平与公正，就必须敢作敢为，敢于面对矛盾，面对冲突，去积极协调差异，寻找平衡，创造和谐。

像秦银花那样将一时对政府和党组织不满的情绪转嫁到具体的官员身上，将你骂得狗血喷头的事，梁雨润经常会遇到。“在这个时候，你得以平和心态去对待，这既是体现一个公职人员的基本素质，也是创造和谐氛围、解决社会矛盾的必要态度。群众有难找你，群众有苦向你诉，这说明群众把政府和党当作一家人。如果你不理会，不及时帮助他们解难，群众指着你的鼻尖骂你，甚至做出些更过激的行为，说白了还是信任你，或者是对你抱的期望特别大后所产生的一种失望。责任还是在我们这些拿国家俸禄的人。”

谈起当时谩骂诚心诚意为自己解难的梁雨润的事，秦银花显得很不好意思。“那天等我骂得快没力气时，梁局长过来请我上他的办公室，和颜悦色地给解释处理过程中遇到的难点，劝我要把事情往好处想。说你秦银花是个经商的能手，不能把时间耽误在莽撞的闹事上，与运输公司交涉的事交给他梁雨润尽管放心。梁局长替他人挨骂后还这样对待我，我还有啥埋怨的？后来我按照他的意思一方面耐心等待处理结果，一方面做自己该做的事。三个月后的一天，接待员刘辉通知我，说梁局长与运输公司谈妥了，人家已经答应赔偿我 325000 元，并且落实了一套比较理想的新房。当时我真的有些不敢相信，直到与运输公司的法人代表在省信访局三楼会议室正式签订处理协议书时，我忍不住流下了眼泪……这年头，老百姓与单位打官司，能最后如愿以偿实在太不容易啊！”

雨润三晋为人民
排忧解难办实事

这是秦银花在自己的事情获得圆满解决后，专门为梁雨润送去的一面锦旗上的对联。像这样的锦旗、镜框，在梁雨润上任省信访局领导后的两年时间里，就有五六十面（个）。而每一面锦旗、每一个镜框后都有一段让人感动的故事。

关心群众疾苦　为民排忧解难
九年冤情未了　今日盼到晴天

写着这四句话的锦旗是太原市民吴守义、李莉夫妇送给梁雨润的。“九年冤情”为何缘故？梁雨润又如何处理这棘手的难题？

这得从九年前说起。当时太原市政某房地产开发公司在进行一处沿街房屋改造中，涉及市民吴守义、李莉夫妇的临街铺面房的安置。这一改造工程是太原市的政府行为，安置吴守义家的铺面房本来并不是什么大问题，政策规定：假如是你原来做生意的铺面房，拆迁后理当重新安置为新的铺面房。吴守义身为残疾人，一直靠经营临街铺面房为生。开发公司确实也做了安置，让其在另一地方开铺做小买卖。哪知老实巴交的吴守义在新店面房营业后，却发现他们的房子不能办产权证。搬迁时吴守义与开发公司说得好好的，新的安置房必须有产权证。开发公司没有履行协议，最后跟吴守义家说要不给你们一套居住房吧！吴守义两口子不干，原因很简单：你给我这样的房子，我倒是有了栖身之地，可我靠啥吃饭？开发公司之后又提出给一处新的铺面房，吴守义夫妇去看后勉强答应了，但后来在办证时却发现又是不能办房产证的。吴守义夫妇着急了。房子没有房产证，等于这房子所有权不是自己的，往后遇到什么事，靠铺面房做生意为生的一家人不就要去喝西北风吗？这事搁在一个本来就有困难的弱势群体家庭，主人不蹦起来才怪呢！

丈夫吴守义腿脚不便，妻子李莉就开始跑这件事。到处找人终究解决不了问题，最后只得一纸告上法院。有当初拆迁协议在，相关的政策也支持吴守义一家的起诉理由。一审赢了。可人家开发公司牛啊，一审法院判了，上诉后竟然在二审时重新把官司扳了过来。吴守义和李莉哪能信服这颠倒黑白的事？便连续两次上诉，结果都被驳回了。

平民百姓、无权无势就该受欺负？吴守义妻子李莉不服这口气，一连到市里、省里有关部门和机关跑了四年多，竟然没能改变二审的结果。本来出门都不敢与陌生人多说几句话的李莉给逼急了，她听人说找北京的大领导能解决问题，于是不得不从2000年辞掉单位的工作，开始往北京跑……一直跑到2002年在北京召开的“两会”期间，李莉被有关部门叫到山西驻京办事处，后又遣返到太原处理。市中院的一名庭长出面重审她的案子，这位庭长看了李莉家的申诉，明确告诉她：“你的理由完全成立。既然成立，那就重审吧！”这一重审，又是半年。李莉一家视房子的“营业房”性质和全家的生命一样，你一天不判，我全家的活路就等于悬在半空。所以这听候重审的半年里，李莉隔三岔五地往北京跑。你今天白天遣返我回来，我晚上又上火车回到北京。李莉说，我这样做就是为了让他们重视。这年12月，法院的判决书终于下来了，这回李莉把原本属于自己的权利重新赢了回来。

“拉锯战”扯了五六年，当法院的人通知远在北京上访的李莉回太原听候判决时，李莉竟然不敢相信，甚至怀疑又是有人故意骗她呢！她先让丈夫去法院问，问完后还是不相信。她在北京给法院的人打电话，说你们把判决书寄到北京来，我看了是真的马上就回来……看看，本来很正常和简单的事竟然让老百姓不信任到这种程度！法院的人说不行，送达判决书必须有上诉人本人签名。李莉只好悄悄回太原。第二天她到法院却没敢直接找办案人，而是到法院纪委的一名领导办公室，求人家替她看看到底新的判决内容是真是假。人家真帮忙，去查判决书后明确告诉她：“这回是你们赢了。”李莉这才捂着胸口去见办案人……

有了判决，并不一定就是解决了问题。法院在执行判决过程又遇到被告方种种阻力，一拖又是半年。当李莉满心欢喜拿着全家赖以生存的营业房屋的相关手续去办房产证时，房产部门告诉她：“分给你的房子早已被开发公司抵押给另一个单位了！”

李莉一下愣了：“啥意思？”

"就是你这房子随时可能不是你的。"

什么？李莉一听，顿时感觉天旋地转。苦苦争取五六年得来的房子竟然在拿到钥匙前早已变成别人的了……平民李莉一家想不出天底下竟然还有这等荒唐的事！

李莉这回真的连肺都气炸了。因此后来也有了她冒死上北京冲拦来访的美国总统布什的车队，到某中央领导住处吆喝等等惊天动地的事。"坏就坏到家吧！闹就闹他个天翻地覆！反正小百姓一个，你不让我活命，我就不让你安宁！"外表柔弱娇小的李莉心如铁铸，发誓要"闹出点名堂"。

"名堂"没闹出来，却一次次被拘留起来。

"九年里，我总共到北京124次！别人以为我犯神经病了，可只有我和家人清楚：我是为了一张至关重要的房产证，没有了它，等于要了我全家的性命，所以我才不停地跑的……"李莉回忆九年间那124次的进京历程，哭得直不起腰来，"那不是人过的日子……"

2004年7月的一天，李莉再次来到省委大门口。见到了省信访局的"老相识"王英。"李莉啊，我看你这回有希望了！"中国的上访人和接访者之间有许多成了老熟人。王英与李莉就是这样。

"为什么？"王英的话，让李莉有些吃惊。

王英告诉她："你还不知道？我们局里来了位新的副局长，他叫梁雨润，过去人家都称他是'百姓书记'，全国先进典型，中央都发文件要求全党向他学习呢！你的事要是他处理，准搞定！"

李莉有些喜出望外："真的？"

"那还有假吗！"

就在这一天，李莉见到了梁雨润。

"下星期一你再来找我。"梁雨润听完李莉的陈述后，只说了这九个字，却让李莉感觉仿佛吃了定心丸。

星期一李莉如约来到省信访局，走进会议室李莉就吃惊不小：

怎么来了那么多人！信访局的工作人员向她介绍，这些人都是梁雨润副局长这几天左联系右通知约来为她的事开协调会的，他们中有法院、银行、房产局、开发公司等相关部门和单位负责人。

“天哪，过去我找这些人可难呢！”李莉的心里轻轻叹了一声。

第一次协调用了将近三个小时，结果各说各的理，没能成功。

“那好，星期四再开一次会。”梁雨润最后说。

星期四又是近三个小时，仍无结果。“梁局长，我谢谢你的好意。可这结局……我还是上北京吧！”李莉有些泄气地对梁雨润说。

“你要信我梁雨润，就什么地方都不要去了，在家等消息！”不知是梁雨润的话语掷地有声，还是他的人格力量让人敬佩，李莉这回真的老老实实在家待着，那儿都没有去。

一个月、两个月……直到第四个月的某一天，李莉突然接到房产局的一个电话，说你现在可以来办房产证了！

“我期盼了九年、又快跑断了双腿的一张房产证，可真正得到它的时候，竟然才用了不足一个来小时！原来这么简单啊！”李莉说，她拿到那张印有国徽的“房权证并字第 00048976 号”房产证时，久久不敢相信。

李莉后来才知道，四个月里，梁雨润因她这事，带着工作人员在银行、法院、开发公司和房产部门不知周旋了多少回。他甚至专门找到太原市的一位主管领导办公室，怒发冲冠了一次：“我们都是公务员，公务员是干什么的？不能因为老百姓来找我们就觉得他们是成心找茬的。将心比心，如果这样的事摊在我们身上，一个月、两个月可能能忍，一年两年、十年八年我们还能忍得住吗？”这位领导感动了，他用梁雨润这番话教育自己的下属，其他有关部门的办事人员也被感动了，最后大家都动起来，认认真真地寻找办法，才彻底落实了李莉家的那套营业房及其产权事宜。

2005 年 5 月的一天，中纪委信访接待处窗口前又突然出现了李莉的身影。“李莉，你怎么又来了？”工作人员看见她就问。

从来都是一脸愠色的李莉今天满脸笑容，衣着也十分讲究。只见她笑呵呵递上一封信：“今天我不是来上访的，请你们把这封信转给山西省委，代我好好感谢梁雨润局长，他真是为百姓办事的好干部……”

中纪委的同志接过信，笑了：“好。一定转送到。”

# 第五章 矿工家属的辛酸泪

工亡家属任香枝拖儿带女无人可怜，又在为讨要百元节日补助金发生争执时没给领导脸面反被关押。梁雨润感叹："如果当干部的对百姓连最起码的同情心都没有，你自己的廉耻是小事，影响社会安定，让党和政府失信于民是大事。"

来到山西某著名矿区，看到那片光秃秃的山峦上密密麻麻地排列着些极其简陋破旧的工房，心里就有一种酸痛。主人告诉我，他们这里还有几万人住着这种20世纪50年代盖的旧工棚土房。

走进位于小山顶的女主人任香枝家时，看到仅有的两间窑洞房，其中一间已经出现漏雨的坍塌状。"在矿山工作，最苦的还不是这些。矿工家属一年四季最担心的是男人能不能从矿上活着回家。"任香枝指着不远处的一座山头告诉我，那是矿区专门安葬死亡矿工遗体的地方。

"矿上的职工伤亡多不多？"这是我关心的问题。

任香枝盯着我反问："想听实话还是假话？"

"这还用讲？"

"那我告诉你：至少在我们矿上，单位向上面报的职工伤亡数与我们所知道的绝对不一样。"

"能差多少？"

任香枝略停顿后说道："这么说吧，像我孩子他爸是矿上的正式职工，2001年他因工死亡后单位都没按工亡向上报，你说那些招来下井的临时民工死了他们会报吗？"

"国家不是有规定必须上报吗？"

“是啊，可上报的工亡数超出指标后，你这个单位就评不上先进了，领导就拿不到很多的实惠，升不了更大的官了。”

“为这他们就可以不顾国家规定，隐瞒真相？”

“这种事在矿上多的是。我们已经见怪不怪了！可最苦的还是工亡职工的家属……”看得出，任香枝是个心直口快的人，一说到这儿，她立即哽咽起来，“我丈夫是1969年的兵，退伍后到了矿上，2001年因工死亡。出事那天是12月25日，天下着雪。我得知后，急得不知咋办！他老家离这儿有一二百里路，我坐着吉普车上他家想去跟公婆商量他的后事。结果因为雪地路滑，出了车祸，我差点被摔死，抢救了7天才脱离危险。就在我住院期间，矿上派人拿来一份关于我丈夫死亡的所谓善后处理意见书，让我签了字。出院后，在料理完孩子他爸丧事的第二天，我就去矿上要求领取死亡补助金和其他抚恤金。这是国家规定的，标准是48个月至60个月的统筹地区上年度职工月平均工资。可是矿上管这一块的人告诉我，你已经没有这笔钱了。我好惊愕，我丈夫尸骨刚入土咋就会这样？他们就说，在你抢救和治疗时，矿上已经给你花了32000元了！我一听就急了：我也是矿上的职工，而且你们当初给医院结算时说得也是非常清楚的，那钱是为我抢救用的。怎么现在混为一谈了？等我再一次次追问时，他们就躲得远远的，干脆不回答。”

“后来呢？”

“后来我才搞明白，矿上根本没有将我丈夫当作工亡上报，因为他们按病故处理，这不矿上就可以少一个生产工亡数字了吗？你既然不是名册上的工伤死亡者，也就不可能获得国家相关规定的补助金和抚恤金了嘛！可矿上又觉得不好向我们家属交代，所以就把给我看病的治疗费说成是给我丈夫的工亡补助金了。这我怎么能答应呢？后来我的事情都是因为这引起的……”任香枝的双手抚摸着那次车祸留在她身上的伤痛，而我知道她更大的伤痛是在心头……

埋葬丈夫后，她领不到抚恤金和补助金，两个儿女尚未工作，而她又因车祸落下了一身伤病，全家生活一下子陷入了极其困难的境地。任香枝不得不一次次找矿领导，坚决要求单位将丈夫按工亡处理补发相关补助，否则就要向煤矿的上级部门反映。“你敢！如果你敢把这事捅出去，让局里知道了，那你不仅什么都得不到，还要把看伤治病的钱赔出来！”有人威胁她。

如今一些单位欺上瞒下的事没少干，更让人气愤的是他们为了自己的官位除了惯使这种伎俩外，还会借用手中的权力欺压百姓和弱者。

女儿到了可以工作的年龄，任香枝要求矿上按规定安置工作。矿上竟然对她说，你得从医院那里拿出一份伤残等级鉴定来。任香枝觉得不可思议，自己丈夫早已埋葬在黄土里，怎么可能为他做伤残等级鉴定？

其实并不奇怪，因为矿上的工亡名单上没有任香枝丈夫的名字，另一方面他们又没理由不给任香枝女儿安置工作，故而想出个招儿来：你去医院那儿给医生塞个红包，要回一张她爹的伤残证明书，这样不就两全其美了！

任香枝像吞了一只苍蝇，没办法，为了女儿的工作，最后她只好用了两个多月时间东挪西借凑了2600元，交给了矿上有关人员，才算把女儿的工作给安置了。

这是一个有过许多荣誉的矿山企业的卑劣行径！而这在现实生活中又似乎并非个例。

由于没了丈夫，自己又下岗，并且落得一身伤残需要经常治病花钱，任香枝在多次要求单位落实丈夫的工亡补助金和抚恤金而得不到的情况下，从2003年开始不得不上北京有关部门反映情况。这回矿上着急了，接她回来后，把她的事上了党委会。可主要负责人认为任香枝丢了矿上的面子，坚决不同意研究她提出的要求。会议不欢而散。

任香枝继续上访，这回接她回矿的是矿党委副书记。这位副书记对任香枝的不幸很同情，这时也快春节了，他给矿劳保科打电话说给任香枝发100元生活补助。可等任香枝去取时人家说根本没这事。任香枝打电话问那位副书记，副书记回电话说得清清楚楚："刚才劳保科长一口答应我的嘛！"后来任香枝才知道，科长在接到那位副书记电话后，忙向矿上的那位负责人汇报，那负责人批示劳保科长说不要给。副书记不知其内情，连续四次追问劳保科长为什么不给任香枝发钱！

"那天是腊月二十三，外面冰天雪地，可就为这100块钱，我来回上劳保科跑了四趟。在最后领到那张薄薄的100元钞票时，我从头到脚、从里到外都是透心的冷，气得浑身直打战，结果刚出劳保科的门，就摔倒在办公楼的门口，造成左手骨折，自己赔了5000元治伤……"任香枝提起这事，忍不住潸然泪下。

大年三十那天，左胳膊打着石膏的任香枝上街买了些纸钱准备祭奠亡夫。路过劳保科时忽然心头之怒骤生，便在门口骂了几句。哪知被劳保科长和他的家人听到了，于是双方又吵又闹撕扯在一起……势单力薄的任香枝肯定吃亏。悲愤交加的她被人劝开后，独自坐在雪地里痛不欲生，又不免思念亡夫，便在那儿一边哭一边烧着纸钱，路过的旁观者无不同情叹息。

任香枝万万没想到，她区区弱女子就因为跟劳保科长及家人"干仗"和在现场烧了纸钱，初四那天被保卫科的人找去"谈话"。结果一夜没让她回家，关在屋子里十几个小时连口水都不让喝。更欺人太甚的是过了几天，当地公安分局来了几个彪形大汉，拿着一份《行政处罚决定书》，向任香枝宣布：根据《中华人民共和国治安管理处罚条例》第二十二条第一项，决定给予你行政拘留10天的处罚。

“走吧！”警察将一副亮晃晃的手铐放在任香枝面前。

“你们不能这样欺负小老百姓呀！不能——”本来就有高血压的任香枝，蹲在冰冷的看守所一下恶火攻心，第二天就被人抬到了医院……这一住，便是4个月！儿女和亲戚们到处借得4万多元钱才把她从死亡线上救了回来。实在没有钱住院了，儿女只得用大板车将她拉回了家。

2004年，无助的任香枝基本都是躺在病榻上。2005年元月，已经连上北京都没力气的任香枝到了省城太原。在省信访局的接待室，没等说上几句，任香枝当场倒在地上。不过这回她幸运，遇上了梁雨润。

“啥都不用考虑，先送她上医院治病！”梁雨润立即与局里的工作人员一起把任香枝安置治病。

几天后，任香枝出院再次来省信访局，结果那天来访的群众特别多，在排队过程中，后面的人一挤，体弱多病的任香枝再次晕倒在地……

“如果连这样的群众困难都不给解决，我们就不配当人民的公务员了！我看有些人是连起码的人性都没有！”梁雨润了解任香枝的情况后，痛恨地怒斥道。

梁雨润打电话给矿区的党委副书记，陈述自己的看法和意见，要求他们尽快拿出处理任香枝申诉的方案。“事实和政策都明明白白地摆在这儿，你们还有什么推三阻四的？”梁雨润实在看不惯一些单位的做法，“如果你们认为一个弱女子任香枝跑上跑下好几年、生生死死不足以敲醒你们的良心的话，那我以一个共产党员的身份，从今天起跟她一起并肩申诉！”

在山西，梁雨润的大名凡是当干部的无人不晓，在任省信访局领导之前他办案的作风和为百姓办实事的事迹传遍全国。他今天竟然能说出这样的话，这个矿区的领导大概心里也有些发颤了。

事情一下变得简单了。任香枝丈夫的工亡补助金和抚恤金等归位到了按政策办的层面了。但还有一件事任香枝咬定不放：她无辜被公安部门两次拘留，她提出要求让那些作伪证的干部每人赔偿 10000 元。

事情是这样：公安部门第一次拘留她的理由是她“打”了劳保科长，到办公大楼前烧纸，两件事合在一起就成了“扰乱社会治安”，所以被处罚拘留 10 天。因为第一次拘留后第二天她就病倒在看守所，后来她病好后又“闹事”，故几个月后公安部门又重新开出了一份同样理由的“行政处罚书”。任香枝受冤受屈反被关押，名誉受损，自然不肯罢休。而公安部门能够做出拘留她的决定，是劳保科当时有 4 名干部出面“作证”她任香枝犯了违反治安处罚条例的事。任香枝要求这 4 个干部每人支付她 10000 元的名誉损失费，赔偿她因被拘留引发的近一年生病住院所带来的精神与经济上的损失。

开始这几个干部不予理睬，反而骂任香枝是“穷疯了想发大财”。梁雨润经过调查，得出结论：任香枝虽然当时有与劳保科科长发生争吵和辱骂等过激行为，但也不足以施加被拘留的处罚，更何况她是因为领取 100 元生活补助受到劳保科科长的多次刁难后才这样做的，主要责任方应该在干部。

“你们回去好好摸摸心口，如果觉得对不起像任香枝这样的弱势群众，你们就向她认错，每人赔她 2000 元的精神损失，要不我将你们的问题交你们上级党委的纪委来处理。何去何从，你们选择！”梁雨润找到矿党委副书记，叫他转告这四个人。

接下来事情又出现了完全不同的结果。4 个作假证的干部恭恭敬敬地在第二天带着承认错误的诚意和每人 2000 元钱上任香枝处赔礼道歉，并取得了对方的谅解。

“为啥都是干部，可对咱老百姓的态度完全不一样呢？”任香枝在我采访她的时候，一再提出这个问题。

我想了想，告诉她：区别在于现在有相当多的干部不能权为民所用，以为手中的权只是他自己的。再者，他们已经对老百姓缺乏基本感情。如果不是碰上像梁雨润这样的铁腕人物和一身正气者，这些干部或许连基本的人性都很难唤起，良心就更不用说了。

在写作本文时，正值2006年的中秋节。为了躲避在京城的各种干扰，我回到苏州老家闭门执笔。但脑海里却不时呈现另一个人在北京过中秋节的情景：时间是2004年，北京永定门火车站。几个别有用心的外国人在火车站广场上向中国老百姓发放白面馒头，去拿白面馒头的人不少，他们中多数是赴京上访的人，因为中央机关的不少信访接待部门就在永定门火车站附近，因此那些没吃没喝的上访人员大多聚集在这里。这中间，有一个人因为饥饿晕倒在广场上，可当有人举着热腾腾的白面馒头叫他快上外国人那里拿时，他愤怒地回答说：“就是饿死，我也不会那么贱！吃他们给的馒头，我不仅会肚子疼，还会心痛！”

这个人后来我在太原认识了，他叫刘德。刘德很有德，10年受冤申诉，来过北京近百次，每一次出门却都是穿得整整齐齐、干干净净，尽管他连一件像样的衣服都没有。那天省信访局的同志安排他来见我，一个与我年龄相近的人，看上去却如风烛残年的老汉。我倒了一杯水请他喝，他双手端了几次却始终没端得起来，最后只能俯下身子，伸长脖子才能喝……

“都是这10年申冤岁月落下的毛病。”刘德开口就已眼泪哗哗，一个男人在陌生人面前这样，足见他积聚在心头的冤屈有多深了！

我让刘德说说他的事，刘德用手指指自己的脑袋，说：坏了，这儿坏了，还是给您念材料吧！他掏出一沓发旧的材料，足有十几页纸，我静静地听着他念，一直等到他泣不成声念不下去了……老刘的命太苦了，他是一个真正的弱者：自己10年前被单位停发了工资，上有80岁的老父亲，下有一个未成年的儿子，妻子有病没有工作，连他4口人本来靠他一个人的工资支撑着，可失去工作的他不仅要为自己的事到处申诉，还要养活其余3口。日子如此艰难，让这个16岁就在铁路建设兵团战斗的人彻底丧失了男子汉的尊严与力量。

他说他到北京上访因为没有钱买票而被无数次半途赶下车，饿着肚子，蜷曲着身子，躺在寒风刺骨的荒野之上；他说为了在大街上讨口水喝，被人当作流氓挨过耳光……最让他难以忘怀的是替有病的妻子卖雪糕，在零下一二十度的寒冬腊月里待在大街上十五六个小时竟然没赚到一分钱，反而赔了十几块钱。他还说，妻子患了糖尿病，因为没有钱医治，所以凡是在太原举办过的那类糖尿病报告会他几乎无一例外地参加了，而且都是带着妻子一起去的。因为这种报告会一般都是推销产品的厂家举办的，一是能听到些治疗糖尿病的知识，二是可以免费给妻子测血糖，三是还能获得一些赠药。

刘德说他这辈子最受感动的是：去年春节前后，省信访局梁雨润亲自到他家走访，并派王英同志到他家拜年。“10多年来，在我没有工作、没有工资之后，每年过年邻居们都是欢天喜地，喜气洋洋，而我们全家人总是以泪洗面，连口肉都吃不上。这一年在梁局长的关照下，市信访局给我200元生活补助。我拿着这200元钱，给妻子买了药，又买了3斤肉，包了饺子吃。这200元钱，对我全家来说是一个可观的数字。它不仅是简单的200元钱，它是党和政府对我全家的一份深深的关爱，是雪里送炭……”刘德像背书似的念这一段话时，我听得两眼湿乎乎的。

200 元钱能算个啥呢？可刘德却把它与党和政府对一个弱势平民的关怀联系在一起。老实说，我既感欣慰，又感悲切。

“1971 年，我响应党和政府的号召，积极报名参加了铁建兵团，战斗在京原线上。我们所在的地方，当时条件十分艰苦，住在老百姓家里，连玻璃窗都没有。白天我们在零下二十几度的环境下修路，晚上睡在没有火的炕上，还要军训。可没有一个人说苦。记得一天，军代表看我写的字不错，就说你用毛笔写上 14 个大字，然后再刻在我们开凿的山洞口。于是我拿起大笔写下了：条条铁路通北京，红心永向毛主席。”

刘德是与我同年代的人，我们曾经经历过那些不讲条件、不讲报酬的为国家奉献的年代。几十年过去了，我们中许多人今天成为干部，成为富人，也有的成为名流，但多数像刘德一样，他们还是普普通通的人。如果他们有一份工作，有一个和睦安稳的家庭，他们就是平常百姓了。可刘德是其中的不幸者，他辛辛苦苦大半辈子，最后莫名其妙地连个饭碗都丢了，使家庭处在饥寒交迫的境地。

人的一生出现不幸在所难免，问题是像刘德这样的不幸并非天灾造成，而是人祸所致。更严重的问题是：当我们相关部门的有关人员明知其处在饥寒交迫的不幸中，仍然那么冷漠，甚至无情，那么脸露微笑地往他的心上扎刀子，这就是丧尽天良了！

现今社会上，这种情况不少见。刘德是一例。

1995 年，还是太原城北区人大代表的刘德被调到太原某街道办事处任企业办经理。这位多次被上级评为先进个人的人大代表，正以勤勤恳恳的态度工作，力图解决企业办遗留的问题时，由于新任办事处主任与原来的老主任之间有矛盾，老实巴交的刘德莫名其妙地被当作老主任的人，先是被搁置起来，最后干脆找个理由“你就别上班了”。不给工作还不算，后来工资也停发了。刘德找到那个主任，苦苦恳求说，我参加工作几十年，没有功劳也有苦劳，就是当清洁工我也甘愿嘛，我全家靠那份工资，你总得给我一条生路吧？人家冷冰冰地回答他：没用，现在体制改革，你就是走过二万五千里长征也不行！

听听，理由充分，而且毫无回旋余地。这种干部在整人方面“水平”总是不一般。刘德可就惨了，他向办事处的上级单位申诉，人家摇头说，你们办事处领导不点头，我们也不好办哪！刘德再往上反映，但他发现最后落实起来，还是转到了原地——踢他走的那个办事处主任那里。“你还敢告我？那你去喝西北风吧！”

刘德开始不信这邪，便上省里反映，后来到北京申诉。“每一次出远门时，总是心里极不是滋味。走，又不放心家里年迈的老父亲和重病的妻子；不走吧，自己的问题等于石沉海底。妻儿的千叮咛万嘱咐，叫我心碎……”刘德是个感情非常丰富的人，而正是这样的人在受到如此沉重打击下，容易出现精神上的一些问题。他又是个非常要脸面的人，用他的话说，“我即使被人骑在脖子上拉屎，也不会用脏话回敬。”而这，又反而被人看作是“神经不正常”。

十余年上访之路，刘德没有在哪一级组织和部门面前有过过激行为，而这也似乎注定了解决他的问题始终遥遥无期。

“我难忘 2004 年 4 月 2 日这一天……”这一天正是梁雨润第一次出现在省信访局接待室的日子。来的人太多，二三百个有问题企盼尽快解决的群众从四面八方聚集省信访局，排着长队要找“当代包公梁雨润”。

“每人只能讲 5 分钟啊！”信访局的工作人员从来没有这样兴奋过，他们既要维持秩序，又同时希望来访群众都能与梁雨润副局长见上一面。

“就这 5 分钟的谈话，我一下感觉十多年跑的漫漫申诉路有了希望。”刘德拭着眼泪，放下手中的材料，“因为当时梁局长听完我的申诉，当场表态：3 个月内一定给你满意的答复！这是我 10 年申诉中见到的第一位省局领导，也是第一位能用这样肯定的话回答我的干部。当时我内心特别激动。之后，我经常清早 4 点多起床，先把家务做完，再带上一个馒头，6 点左右到省信访局门口等梁局长。知道他每天上班很早，而且也知道找他的人多，我这样做就可以保证能见到他。每次梁局长见我后，都会耐心倾听我的诉说，并告诉我我的事情协商处理的进展情况。由于我的事时间拖得长，又加上基层某些干部从中作梗，梁局长他们处理起来难度挺大。为这，梁局长还特意将我的事向省委副书记、纪委书记金银焕同志做了汇报，金书记做了重要批示，敦促有关部门加快处理。2005 年春节刚过，梁局长带着部下连续 3 天为我的事召开有多个方面负责人参加的协调会，终于在农历正月十四这一天，将我沉冤十多年的问题解决了。当我回家把喜讯告诉家人时，85 岁的老父亲连声说，我就是相信共产党！相信共产党里好干部多！”

刘德的不幸和后来的庆幸，都与遇上不好的干部和好干部有关。结束对刘德的采访，我独自坐在房间里想着一个问题：假如刘德这样的人后来没有遇见梁雨润，他的事是否还要再拖 10 年、20 年呢？

我没有找到结论。

那天我连续接待了 5 位昔日上访者。刘德之后的一位叫赵满宏，共产党员，原来在某矿当处级干部，也是因为新任领导与原任领导关系紧张，结果把他扯了进去，最后他被剥夺了工作权利，甚至以莫须有的罪名被判了 3 年徒刑。赵满宏同样四处申诉，8 年得不到申冤。梁雨润接案后，多次叫上赵满宏所在单位的领导，亲自上赵满宏家问寒问暖。是梁雨润的不懈努力与竭力争取，才使赵满宏彻底申冤，重新获得工作和待遇。老赵告诉我，他现在不仅对工作岗位满意，去年还被矿务局评为先进党员。

另一位被采访者叫鹿冬云。这位女同志一谈起梁雨润，便激动起来，说何作家我只用一句话来形容：在我们山西的上访者心目中，他梁局长就像太阳一样，见到了他，等于就有了光明和希望。“我的事也是梁局长给办妥的。现在我还经常路过省信访局大门，每次经过时就在想：如果我没有遇见梁局长，是不是每天还在为上访的事没完没了地痛苦着？”

是不是？谁能回答？

“我能回答，肯定是这样。”说这话的是山西霍州煤矿的毛国爱。时年 64 岁的退休职工毛国爱，一位满头银丝的老人，用她的沧桑经历证明了我回答不出的结论。

毛国爱 1958 年参加工作，那时她年轻貌美，充满朝气，被组织选送到技校学习。可是后来因为身体原因，于 1961 年休学，1969 年重新上班，她的单位是一个国防军工企业。由于她的丈夫是霍州煤矿的职工，结婚后的毛国爱在病休期间一直在丈夫工作的霍州某矿驻地居住。这期间正值“文化大革命”时期，一件不经意的事，让毛国爱参加工作后的 40 多年里，有 35 年是在为自己的冤情申诉。“35 年哪，我从一个刚进门的小媳妇，变成了白发苍苍的老太婆！如果不是遇见了梁雨润，我还不知是否带着冤屈进棺材呢！”毛国爱拉着我的手，说往事让她不堪回首。

中国的奇事真多。毛国爱的冤屈说出来让人无法相信：1966 年，刚嫁给霍州矿务局某矿职工的毛国爱，有一天与邻居几个妇女在一起做针线活时，不知谁不小心将桌子上的一尊毛泽东瓷像碰倒掉在地上摔碎了，当时没有人在意。可到了 1970 年，毛国爱的一位女邻居同毛国爱家发生了一点矛盾，结果她向造反派报告说毛国爱曾经摔碎过毛泽东瓷像。在那疯狂的年代，毛国爱摔碎毛泽东的瓷像，便自然而然地成为“现行反革命”。毛国爱不是傻子，她气愤地责问造反后掌权的单位领导：“你们谁能说出我在何时何地摔碎了毛主席像？”向她放黑枪的人是劳资科长的家属，劳资科长在矿上算是重量级人物，“现行反革命”帽子戴上后一般就不那么容易摘掉。最让毛国爱吃暗亏的是，此时正是她原单位恢复她工龄和工作的关键时刻。一顶“现行反革命”的帽子，使她的工作和待遇问题全泡汤了！毛国爱不服，上太原和北京申诉。1973 年，总算有人出面为她进行了“口头平反”。而正式平反是在 1985 年 9 月 30 日由矿务局正式下文的“彻底平反，恢复名誉”八个字，这使毛国爱重新获得了政治新生。可这时毛国爱年已 43 岁，而且失去工作近 20 年。两年后的 1987 年 12 月 25 日，省国防科工委下文恢复毛国爱的工作。此时年已 45 岁的毛国爱，已在霍州矿务局与丈夫生活 20 多年，3 个孩子也大了，她原来的国防军工企业在太原，考虑到毛国爱的实际情况，经国防科工委出面，与霍州矿务局协商，将其安置在霍州煤电下属单位工作。本来这事也算有个结果了，可多少年来因“现行反革命”问题而失去无数次调资等待遇，毛国爱自然不甘心。她强烈要求有关部门解决她的遗留问题。可是她现在被安置的单位恰恰是当年将她打成“现行反革命”的那一家。虽然决定她命运的领导班子换了好几茬，可毛国爱要求补偿她在打成“现行反革命”期间而耽误的调资等应有的福利待遇时，单位不予理会。其理由是：那段时间你毛国爱不是咱霍州煤矿的人。毛国爱气极了，说我当时确实不是你们的人，可定我“现行反革命”的事却是你们矿上做出的决定，当时你们为什么不说这人不是我们单位的，凭什么还说我是“现行反革命分子”呢？

谁也无法回答这个问题。但历史就这么荒唐地将这段非人经历烙在了毛国爱身上，现在想改竟然又碰上了隶属问题！客观讲，双方都有道理。

从1988年开始，毛国爱重新踏上申诉之路。她到过矿务局，到过省主管部门，到过北京许多中央部门，但一直没有解决。1999年，毛国爱办了退休手续，没有解决冤情的她便有了更多时间往外跑了。毛国爱因此也是在省里和北京挂上了名的"上访专业户"。毛国爱之所以要不停地申诉，除了自己的工资待遇外，还涉及分房的问题，这些都是平民百姓最看重的事，也是最切身的利益。就个人而言，没有理由认为她的问题不重要。可毛国爱饱尝了遥遥无期的申诉之苦，头发就是这样一根根地提早发白的。

2004年，她从熟人那儿知道省里有个叫梁雨润的干部能为百姓解难事，所以赶到省城，在梁雨润上任信访局副局长的第三个工作日便找到了他。见面的第一次谈话，梁雨润给毛国爱的答复是：只要你的要求合理，我一定为你解决问题。35年的陈年旧账，解决起来难度确实不小。梁雨润曾3次从省城南下到霍州，苦口婆心地与相关方面进行协调商量，特别是最后一次是从早晨9点开始一直谈到下午4点，反复协商，反复研究，最终把毛国爱的事给彻底解决了，而且几方面都很满意。

那天我上毛国爱家，看到她精神爽朗，气色很好，儿孙媳妇都在身边，其乐融融。老人抚摸着一把银丝，拍着双腿，感慨地对我说：要不是梁局长，我跑断这双老腿，还不知能不能有个结果！

我听后默默无语多时……

# 第六章 一根铁棍引发的血案

邻里间的一场不该有的争吵，引发一个百姓丢命、近20名干部一起“双规”……劳模毛鸿喜两度跪在梁雨润面前，失声痛哭：“我恨害民干部，我谢爱民清官！”

自古为政者都有治理天下的一番经典宏论。梁雨润也有一段话，让人回味。他说：“为百姓办事要有人情味，这是我们为政者的基本出发点。你或许缺少对他人的感情，但你得有基本的人性。人性是做人的道德底线，每个国家公务员都要有这个起码的水准。有了人情和人性，才可能有党性，才有建设和谐社会的可能。”

下面的故事可谓是衡量一名共产党干部和政府官员是否有人情与人性的分水岭。

事情的起因很平常，结果却十分严重。

家住山西平陆县城辛下巷的毛鸿喜的一个邻居，姓丁名银凤，50来岁的妇人，依然风韵不减。2000年5月12日这一天与往常无异。清早，丁银凤起床的第一件事便是清扫庭院。平陆地处黄河北岸，风沙偏大，几日不打扫，屋前房头必定厚厚地积一层沙尘。前些日子摔倒造成右腿骨折的丁银凤见院内已被勤快的儿媳妇清扫干净，便让儿子搀扶出门，开始从东往西清扫巷道的沙尘。丁银凤的西邻就是毛鸿喜家。丁银凤扫到最后时，顺手将垃圾堆在邻居毛鸿喜家门前，小小一堆，看起来挺扎眼。丁银凤往自己的“杰作”颇为得意地瞅了一眼，转身进了自己家的院子。

邻里间爱占便宜的人干些这类事也没什么大不了的，缺德人就是从这样的小毛病上体现出来。8点左右，邻居毛鸿喜本来兴致蛮好地领着小孙子从外面往家门走来，低头却见门口被一堆垃圾堵着，再往隔壁丁银凤家的房顶上一瞅，生气了：肯定又是她干的好事！毛鸿喜自己清楚，他不会冤枉人的，这样的事过去常有。也不知道今天怎么搞的，毛鸿喜有些窝火，一见垃圾又堆在自己家门口，便顺手从自己院子里拿起一把铁铲，一边铲着门前的垃圾，一边嘴里嘀咕着："谁这么缺德，将垃圾堆在别人家门口！"

毛鸿喜这话不轻不重，却被正在房顶上扫沙尘的邻居丁银凤听到了。"你说谁呢？谁缺德？"丁银凤居高临下责问毛鸿喜。

毛鸿喜心头一惊，心想怎么没管住自己的嘴呢！因为他太了解这位厉害的邻居了，平常没事就想找事，你这不是火药撞枪口嘛！可做人也不能太窝囊，老毛觉得自己并没有犯啥浑，你能把垃圾堆在我家门口，就不兴我说一句话？于是便回敬道："我说什么啦？我觉得这堆垃圾不该堵在我家门口嘛！"

"谁堵你家门口了？"丁银凤不依道。

老毛有些生气了："你看看这不是我的家门口？你不能不讲理嘛！"

丁银凤这回开始高声嚷嚷了："谁不讲理了？就你全国劳模、县人大代表讲道理？哼，瞧你那德行，我看连畜生都不如！"

毛鸿喜乃一介知识分子。1967年从林业学校毕业后一直在平陆县张店国有林场工作，1988年就任林场场长，他带领职工以林为家，把张店林场建设成远近闻名的先进林场，多次被评为省、国家级先进单位，老毛本人也是全国林业战线的劳动模范，处级干部，在平陆大小也是个人物。有人竟然这样谩骂自己，老毛七尺男儿之心很不平衡，立即反击："丁银凤，你不要给脸不要脸！我什么德行你什么德行，天底下人都知道！"

丁银凤在邻里之间是出了名的爱闹事爱占便宜的人物，毛鸿喜这么一说，她哪受得了！更何况，两人的吵骂已经惊动了周围的其他邻居，没一会儿看热闹的人就多了起来。从不吃亏的丁银凤觉得不把毛鸿喜的气焰压下去那才是真正丢脸，于是跳着一高一低的双腿开始更凶狠的谩骂了："毛鸿喜，你个老王八才缺德！你睡了你闺女你不缺德？"

毛鸿喜一听这无中生有的真正缺德话，一时气得说不出话来："你、你、你……"

这时，毛鸿喜的妻子闻声从屋里出来，见丁银凤如此骂自己的丈夫，便接过话，冲丁银凤："你是好人！平陆人谁不知道你是大好人！"

毛鸿喜妻子的这话，刺痛了丁银凤，她丁银凤过去因为与邻居不和，弄得满城风雨，所以前几年才从县城南关搬到了现在的居住地辛下巷与毛家相邻。丁银凤见毛鸿喜的妻子跟她顶牛，便一下将矛头转向毛妻："你说出来！我哪里不好？我是不好，可我不像你老汉睡自己的女儿！"

毛妻气得浑身哆嗦："你、你这是人说的话吗？"

这时，丁银凤腰大臂粗的儿子栗鹏突然出现在其母身旁，瞪着眼珠冲毛妻嚷道："你再说！再说一句，我戳死你！"后又转头对站在院子内的妻子喊道："快给爸打电话，让他赶紧回来。就说我妈跟毛家干仗了！"

此时周围四邻八舍的居民闻声而来，一位邻居一边将毛家夫妇往里推，一边又朝房顶上的栗鹏挥挥手：你们也别嚷了！都回家、回家吧！

毛鸿喜是个要脸面的人，顺着邻居的劝说，便朝妻子做了个手势，两人一前一后往自己院子走……谁也没有想到，就在一瞬间，一根一米多长的铁棍从天而降，不偏不倚向毛妻的头顶飞来……只听毛妻从鼻孔里发出一阵沉闷的哼声后，立即两眼发直，仰身倒地，随即血流如注，从脑壳中央冒出来……

“爱强！爱强——”毛鸿喜转身看见倒在血泊中的妻子，拼命呼喊。他下意识地用手抓住插在妻子脑壳内的铁棍，试图把它拔出来，第一下没拔动，第二下才拔出一半，第三下才将铁棍拔出……“完了，完了，全完了！”毛鸿喜见铁棍拔出的那一瞬，妻子双眼直勾勾地看着他没有一丝声响，吓得浑身哆嗦。

“老毛，赶快送医院！快！”有人大喊了一声，不知所措的毛鸿喜反应过来，赶紧抱起妻子。

“天哪！怎么会出这样的事？快、快，快用我的车！救人要紧！”这时，一个特殊人物出现在现场，他就是毛鸿喜的邻居、丁银凤的丈夫、县公安局纪委副书记栗天刚。只见他从车子内跳出来，招呼毛鸿喜和其他人将血泊中的毛妻抬到他的车里……

送进医院的毛妻，由于被铁棍击中要害，经全力抢救无效，于4天后的5月16日下午2时被医院宣布死亡。

“爱强啊，是我对不起你，是我连累你啊……”连续几天守候在妻子身边的毛鸿喜抱着僵硬的尸体，哭得天昏地暗。

“老毛，人死了再哭也没有用了。你以后打不打官司？”有人悄悄问毛鸿喜。

毛鸿喜突然止住哭声，毫不犹豫地：“打！打到底！我要为屈死的爱强讨回公道！”

“那你就得保护好案发现场，尸体也得请法医作鉴定呀！”

毛鸿喜一下清醒了，冲出医院，拨通两个电话：一是当地派出所，请求保护案发现场，进行实地侦查；二是请运城市公安局法医来做尸检。

尸检并不复杂。法医的验尸报告有密密麻麻两页纸，最后这样写道：

*……根据尸检及病历记载，死者屈爱强头顶有一1厘米长的裂*

创，边缘有挫伤带，创伤深约5厘米，达左顶叶内。该损伤引起颅内出血，颅压增高，脑组织广泛软化、坏死，并有大量凝血块，引起小脑扁桃体疝、大脑幕上疝形成，进而致呼吸、循环衰竭死亡。

结论：屈爱强系左头部损伤造成小脑扁桃体疝，大脑幕上疝引起呼吸、循环衰竭而死亡。

普普通通的日子，只因邻里间拌嘴吵架，居然横飞灾祸，毛鸿喜家陷入了巨大的悲痛之中。尸检结束，毛鸿喜立即拿着法医的验尸报告，再次上派出所了解案件侦查情况，决定打官司。而这场本来简单纯粹的命案官司，变得错综复杂，成了正义与邪恶之间、人性与非人性之间的激烈较量……

案件其实并不复杂，也有物证人证，但由于毛鸿喜遇到的这位邻居不是一般人，而是懂行的公安局领导了，所以，这个案子成了后来轰动一时的大案要案！

我们来看看栗家这一头：栗天刚那天回家一看现场，职业的敏感马上让他意识到这是人命关天的大事。他将制造命案的妻子狠狠地骂了一通。早已吓得魂飞胆裂的妻子，又见丈夫如此臭骂自己，伤心得直哭。

“爸，你就少骂一句妈吧！事到如今，咱们得赶紧想想办法，总不能让妈这么大年纪去坐牢吃官司吧！”儿子栗鹏提醒父亲。

“是啊，老栗，你快想想法子，你、你可不能让我坐牢去啊……”此刻的丁银凤再不像平时那么神气了，两眼挂着泪珠直乞求丈夫。

“我能不知道吗？行了行了，你们别再吵吵嚷嚷，让我想想……”栗天刚一肚子气，坐在那儿猛抽着烟，脑子不停地飞转着……

“有办法了吗，老栗？”老婆见丈夫憋着心气抽烟，不敢大声地问。

栗天刚突然把烟蒂一掐："我想跟他私了……"

"他吃这一套吗？毛鸿喜可是劳动模范、人大代表！"

"狗屁！劳模、人大代表就不是人了？"栗天刚瞪了儿子和老婆一眼，"先弄4万块试试看。"

"只要不让我坐牢，老栗，就是8万咱们也给他！"丁银凤的眼泪又流出来了。

栗天刚瞥了她一眼，气急道："你开银行了？你这次给老子闯的祸比天还大，知道吗？"

丁银凤"哎哟"一声，瘫在地上又大哭起来。

"行了！"栗天刚怒吼一声，吓得老婆再不敢吱一声。

栗天刚手一甩，匆匆出了家门——他要去办重要的事情……

毛鸿喜这边这几天的事也特别多，就在验尸报告出来后的第二天，一位陌生人找到老毛："你老婆死了，是件不幸的事。可人毕竟死了，你再告状也没意思。你们跟栗家紧挨着住，以后还是好邻居嘛！"

毛鸿喜有些警惕，反问来人："你这话啥意思？"

那人笑笑，说："俗话说，和和美美，日久天长，你们两家以后相处的日子还长呢！老栗这人在平陆上上下下都很吃得开，你与他好生相处，他绝不会亏待你老毛的。"

毛鸿喜鼻孔里哼了一声："他是不会亏待我，连我好端端的老婆都被他家戳死了，多好啊！"

来人见与毛鸿喜话不投机，便干脆挑明了："老栗那边的意思是，你老婆的医疗费和办丧事的钱全由他出了，另赔偿你家4万元，怎么样？"

"4万元？你以为我老婆是啥？一条人命哪！你告诉他，就是40万、400万元我也不会与他私了的。杀人抵命，由法律来解决！"毛鸿喜一字一句地明白告诉来者。

另一头的栗天刚得知毛鸿喜的态度，冷冷一笑，心想：咱们走着瞧吧！

毛鸿喜当干部多年，大小也领导着一个国有林场，多少知道些如何把致妻子之死的罪犯绳之以法的程序。因此他先是找现场证人，证明当时丁银凤用铁棍击死屈爱强的事实。同时又找到公安部门要求将犯罪嫌疑人抓起来。可是几天过后，却不见动静。邻居栗家照样该过什么日子还过什么日子。毛鸿喜便找到县人大领导，老泪纵横地陈述自己的要求。县人大王主任听后很气愤地说道：“人命关天的事，怎么可以拖啊？”说着，当即给在家主持工作的县公安局张政委打电话，追问为什么公安局不动手将嫌疑犯抓起来。

平陆公安局决定对犯罪嫌疑人采取措施了。可到底是丁银凤还是栗鹏从房顶扔下了铁棍造成了毛妻之死，公安局一时没有现场证据。所以公安局方面要求毛鸿喜协助取证。

毛鸿喜虽然也是事发当事人，可在妻子被铁棍击打那一瞬，他并没有看到。只有那些看热闹的邻居看到了。于是他含泪走访众邻，终于有两人愿意出面作证，说他们清清楚楚看到是丁银凤扔的铁棍。

毛鸿喜随即拿着这两个人的证言送到公安局。

几日后，公安局张政委和公安局副局长陆大明（此为化名）在单位办公室内与栗天刚进行了一次面对面的谈话。

“老栗，事情你肯定都知道了。县委、县政府对此案非常重视，县人大领导也催办了几次。公安局不得不对你家银凤采取一些措施了。这个案子因为涉及你，所以我们局里压力也是很大，我们几个也有难处，请你理解和配合。否则事情可能更难办了！”张政委的话沉重里有几分无奈。

陆副局长则气愤地直敲桌子，对栗天刚说：“毛鸿喜有理啊！

他不光告你，连公安局都告上了！这个毛鸿喜，我们公安局怎么啦？公安局的人还不比他懂法？”

栗天刚一言不发，静听着两位与自己每天工作在一起的同级领导和同事说话。

“老栗你有什么想法？”张政委问。

栗天刚不能不说了：“我没有啥，你们该采取啥措施就采取吧。”

到底是公安局纪委副书记，基本觉悟还是高的。张政委朝他满意地点点头。

“现在的问题是，毛鸿喜报案说是银凤作案致死人命，我们公安局获得的证词是你儿子小鹏说铁棍是扫下来的。这扫下来和扔下来，从法律上讲，性质区别还是蛮大的。老栗这一点你得弄清楚啊！”

“我知道。”栗天刚欠欠身子，“铁棍确实是银凤一气之下从房顶上扫下来的。”

见同事肯定地说了这句非常关键的话，张政委和陆副局长对视了一下，什么话也没往下说。

“老栗，看来银凤要吃点苦了。”张政委岔开话题，对栗天刚说。

“你们该采取措施就采取吧。不过，不要吓着了银凤，她神智有毛病……”栗天刚说完，用恳切的目光看了看两位同事。

“这一点你放心。有你老栗在，我们哪能不照顾点情面呢！”张政委和陆副局长朝他笑笑。

隔日，警车开到栗家。民警在拘留丁银凤时没有给她戴上手铐，而是像医院接病人似的客客气气地把她接到车上。这一点毛家和邻居们都看在眼里。不过，大家可以理解，毕竟丁银凤男人是公安局的领导嘛！

丁银凤当晚被送进公安局滞留室关押起来，由 4 名女警察看守。不到 1 小时，栗天刚出现了。他向 4 名女警察使使眼色，说："陆副局长让我来做做她的工作，你们出去吧。"人家是领导，咋办？ 4 名女警察面面相觑，只好退出。

这一夜，栗天刚没有出过滞留室，与妻子度过了特殊的一夜。

据后来丁银凤交代，她与老头子谈了几句非常关键的话：

"他们要审讯我，我该说啥呀？"

"你说什么？你什么都不要说！"

"可人家如果硬要我说怎么办？"

"他们敢拿你怎么样？真是的！实在顶不住，你就照小鹏说的，铁棍是扫下来的……"

"他们能信吗？"

"他们不信，谁拿得出证据不是扫下来的？只要你不改口，没有人会捅破的！"

果真，第二天公安局的人——丁银凤基本都认识他们，开始审讯。丁银凤哭哭啼啼，就是金口不开。"算了，算了，下去再好好考虑考虑吧！"审讯人员挥挥手让女警察带丁银凤出了审讯室。

而栗天刚父子其实此时就在另一间屋子里监视着整个审讯过程。

平陆县公安局看守所没有女子监号，丁银凤只能异地关押到附近的芮城县去。张政委和陆副局长安排两名女警察负责押送，可她们在上警车时，发现她们的领导——栗天刚正安安稳稳地坐在押送的吉普车里，而且驾驶员座位上竟然是栗的儿子栗鹏！两名女警察不知如何是好，嫌疑犯一家 3 口，执法的她们反倒成了少数。

"放心，你们问问陆副局长，是他安排的。"栗天刚努努嘴，两位女警察回头一看，可不是，陆副局长就在她们后面笑呵呵地站着。

"你们放心去吧。有什么问题我负责！"

有领导的话在，她们还能有什么不放心的？

荒唐事从现在起就多起来了！局外人根本弄不明白是怎么回事。

先说毛鸿喜这边——

先前不是有两个证人证明“铁棍是丁银凤扔下”的吗？可转眼丁银凤关押才两天，毛鸿喜掌握的两个关键证人突然改口，说自己当时只看到毛鸿喜的妻子突然倒下，却并没有亲眼看到铁棍是谁扔下的。

没有证据，凭什么抓丁银凤？杀人凶手不就可以放出来了？妻子一条命白白丢了？毛鸿喜急得嘴上直起泡。他每天一次次跑有关领导和部门去诉说，回答他的都是“重在证据”。可现在没有了证人和证据咋办？毛鸿喜哭天喊地没人应他，只得回到停放在医院太平间的亡妻身边哭诉……

“毛场长，老毛！”突然，半夜里有个黑影像幽灵似的来到他身边。

“你是谁？想干什么？”毛鸿喜惊出一身冷汗。

“老毛你贵人好忘事。我是县农业发展银行的老赵呀！”黑影说。

“你深更半夜的来这儿干啥？”毛鸿喜问。

那个自称姓赵的给毛鸿喜递上一支烟，自己也点上一支，然后说：“我知道毛场长正在找证人，我今天是特意来为你提供证人线索的……”

正急得不知所措的毛鸿喜听后，心头一动：“老赵，你是不是也看到谁扔下的铁棍扎死了我老伴？”

赵压低声音道：“不是我，是圣人涧镇的两个农民，他们看见的！”

毛鸿喜不解：“他们是圣人涧的，怎么会看见呢？”

“那天他们正好进城路过你家，看见你们两家正在吵架，所以停下来看热闹。他们站了一会儿，看见房顶上有个小青年抄起一根黑棍子，朝房子底下扔去，接着你媳妇就倒在了地上……”

“太好了！总算有人亲眼看到了！”毛鸿喜兴奋地站起身。过一会儿他又小心地问，“他们两个敢不敢出来作证？”

姓赵的把烟蒂往脚底下一捻，说：“敢不敢就看你毛场长花什么本钱了！栗家的人厉害，大家都知道，你要想扳倒他不容易。人家证人肯定不愿白出力……”

毛鸿喜明白了，问：“那——他们要啥条件？”

“一人 5000 元，我老赵帮你搞定！”姓赵的拍着胸脯保证道。

“那我——我怎么谢你老赵呀？”

“你毛场长是个痛快人，我也不想跟那两人挣啥了，这两天你准备 12000 元，我保证你啥时候要证据，他们啥时候在家等着你！”

一心想着为亡妻讨回公道的毛鸿喜有了绝路逢生的感觉，所以咬咬牙就答应了：“明天，我就办这事！”

第二天，当毛鸿喜把 12000 元交给那姓赵的后，证人和证据他都很快得到了。随即，毛鸿喜带着两份证据到了公安局。

“是他！原来是栗鹏扔的铁棍！”毛鸿喜向陆副局长和郭红军、张智鹰等办案人员递上新证据时，满腔愤怒地诉说道。

“是吗？”陆副局长等人传递着毛鸿喜提供的新证据，脸上皆露出捉摸不透的笑意。

毛鸿喜心里发毛：“你们这是怎么啦？”

还是陆副局长挑明了：“老毛啊，上次你指控丁银凤扔下铁棍扎死了你老婆。这回你又指控栗鹏……你说是让我们抓谁、放谁呢？”

“可不是，铁棍只有一根，你却指控了两个人，你让我们到底相信你呢还是相信两个嫌疑人的供词呢？”郭红军也不阴不阳地说道。

“这、这……”这回轮到毛鸿喜自己发愣了。

“据我们侦讯和调查，你老婆应该是丁银凤从房顶把铁棍扫下来落在你老婆头上的……”陆副局长趁毛鸿喜发愣时，这样说道。

“不！铁棍绝对不是扫下来的！他们在作伪证，不可能！我要告他们！告到市里！告到中央！”毛鸿喜尽管自己被证据弄得都有些糊涂，可一听“铁棍是从房顶扫下来的”这话，还是立即反击。毛鸿喜这几天从相关的公安人员和律师朋友那里多多少少明白了一些刑事法律知识，这“扫下来”的和“扔下来”的性质完全不一样。罪犯想逃脱杀人责任，没门！毛鸿喜坚守这一点。

陆副局长突然发怒道：“你告去吧！告到哪儿最后还不是由我们平陆公安局来办案吗？再说，你说别人作假证，你呢？你的证据又是什么呢？”

“是啊，你那两个证人明天让他们来见见我们！我们很想听听他们当面陈述，你明天叫他们来一趟公安局，就明天！”郭红军和张智鹰也在一边咧着嘴，嚷嚷道。

满心以为柳暗花明的毛鸿喜被陆副局长等搞得直发懵。回到家后，左思右想不对劲。案情怎么会这样呢？再仔细一想，显然是在公安局有背景和势力的栗家，现在极力想避重就轻，将白说成黑，企图混淆是非，蒙混过关，逃避法律严惩。怎么办？一想起白天陆副局长等嘲讽自己花了12000元好不容易获得的证据，毛鸿喜怎么也睡不着。第二天一大早，他赶往圣人涧去找两个农民，结果都说不在家。回头再找农业发展银行姓赵的，那家伙也不知溜到哪儿去了。毛鸿喜双手拍着大腿，直叫冤：上这三个王八蛋的当了！

出此招的人确实不一般，他们是想借毛鸿喜自己的手混淆事实，从而减弱毛鸿喜原本铁证如山的法律强势，并通过这一手段来软化毛鸿喜的心理，从而让他接受“铁棍是从房顶上扫下来的”这一“事实”，进而再为犯罪嫌疑人最后逃脱法律制裁铺路……

就在这时，另一件奇事又出现了：那根可以证明杀人的唯一物证——铁棍，在公安侦查人员第一次现场侦查后不过几天突然又神秘地消失了。毛鸿喜一听差点当场晕倒，这铁棍没了，后面的案件还不知朝哪个方向发展呢！他当即向县委、县政府和县人大领导反映，并强烈要求追查铁棍的下落。

在各种强大的压力下，几天后栗家公子终于在公安人员监视下，从自己家附近的一个草丛里找到了消失几天的铁棍。可这时的铁棍再也没有多少刑事证据意义了：上面的指纹全部被消除了。

显然，想毁灭罪证者都是些懂行的高手。

找不出证人，唯一物证——铁棍又失去犯罪嫌疑人的指纹，毛鸿喜此时期望通过现场技术鉴定来证明犯罪过程中铁棍不是被扫下来的。

公安局的技术鉴定很快展开。执行任务的乃是公安局陆副局长带领下的几名派出所干警。他们来到栗家，忽儿上房，忽儿在院子内转悠，尤其是那位陆副局长，一边与紧随其后的栗氏父子说说笑笑，一边对正在做实验的干警嚷着："这不很清楚嘛！我看铁棍肯定是扫下来的！"

侦查干警听顶头上司这种口气，草草收起实验工具，笑呵呵地向栗氏父子道别。

这样的鉴定结果，毛鸿喜根本不服，他请求第二次鉴定。第二次现场鉴定是由平陆公安局技术中队勘查，结论仍然可想而知。毛鸿喜于是不再相信平陆公安局的任何鉴定了，他要找运城市公安局的技术专家来鉴定。

运城市公安处法医安铁喜来了，这位在当地颇有名声的法医来到现场后，为母亲作证铁棍是从房顶上"扫下来"的栗鹏显得特别活跃。他看公安人员忙里忙外在勘查，便干脆急不可待地上房顶表演起来：只见他将铁棍摆成45度斜角靠在墙根下，然后双手攥着笤帚把，做出一副如打高尔夫球的架势，他手中的笤帚对准留有空档的铁棍用劲一扫，铁棍碰着墙壁，叮叮当当地落在了巷道里。栗鹏极其得意地朝安铁喜等现场警察比画着，说："我妈那天就是这样扫落铁棍，然后正好扎着了屈爱强的。”

安铁喜不以为然地过来问他：“你敢肯定？”

“当然敢喽！”栗鹏直着脖子说，“我已经向办案人作此证了！”

安铁喜拍拍栗鹏的肩膀，一语双关道：“好。不过你的实验和我们现在的勘查鉴定都不能采信，最终结论还要有待进一步勘查和调查。”

三次勘查，都无结论，毛鸿喜觉得快要绝望了。那天他正独自走在大街上，突然有人在后面叫住他：“老毛！”

毛鸿喜回头一看，惊诧万分：“哎哟，是安科长呀！”

公安处法医安铁喜立即将毛鸿喜拉到一旁，悄悄告诉他：“老毛，今天我是来向你说声对不起的……”

“看你说的，安科长，你能来帮助做鉴定，我已经非常感激了。”毛鸿喜大小也是个官，场面上的一些事他不是不知道。但他认定安铁喜是个正直的公安法医，人家肯定也有难处。

果然，安铁喜对他说：“老毛，我虽然没能做出有利证据证明铁棍是被人扔下来致死你妻的结论，但有一点可以肯定的是，你妻子绝对不可能是被扫帚扫下来的铁棍扎死的。我能力有限，你应该找省厅的专家，他们完全有这能力弄清楚！”

毛鸿喜眼睛顿时发亮：“谁行？我去请他！”

“你找公安厅技术处的人就行。”

“好，我立即就去省城。”

毛鸿喜当日下午就动了身。在省公安厅技术处接待他的是副处长阎兴同志。“阎处长，这个鉴定不弄清楚，我毛鸿喜夫妇俩死不瞑目啊！”

“老毛同志，你的情况安科长电话里专门说了。我现在就跟你去平陆，事不宜迟！”

毛鸿喜见阎处长如此仗义，激动得眼泪直流。

省城的专家又来做现场实验，这无疑在平陆又一次掀起波澜……在栗家发案现场，栗鹏仍然重蹈上一次“成功”老路，给阎处长表演一番，并且自我感觉良好。

“有意思！有点意思啊！”阎处长看完栗公子的表演，拍拍他的肩膀，不知是夸他还是其他什么意思，反正连县里的公安人员和毛鸿喜这一边都弄不清其真意。

在现场折腾几个小时后，省、市、县三级法医原班人马聚集到阎兴身边，想听听省里的专家作权威性的结论。可不料阎处长的话让大家又如掉在云雾之中：“同志们，省里有事，我要向大家告辞了！”

在场的所有人你看我、我看你，不知所措，“阎处长，你来一次不容易，如果结论一下出不来，你总得给我们提出点高见吧！”

“是啊，这个案件平陆现在闹得沸沸扬扬。我们有些骑虎难下、走投无路了！”平陆县政法委的同志更是一脸愁容地乞求道。

阎处长直直腰，然后笑了笑，说：“那我就说两句：第一，栗鹏是个捣蛋鬼，他的表演和证词你们千万不可采信；第二……”正在这时，毛鸿喜来了。阎处长把刚才想说的话又咽了回去。改口道：“实话告诉大家，我这次来平陆，主要任务是想掌握些案情的基本情况，真正的技术勘察鉴定结论要由吴振华同志来做，他才是真正的权威专家！”

原来如此！

“吴振华是谁？”毛鸿喜悄悄问坐在身边的安铁喜科长。

“山西法医界德高望重的老专家！”安铁喜轻声说。

噢——毛鸿喜把“吴振华”的名字记在心里。

第二天，毛鸿喜不管阎兴处长返回省城与否，便自己直奔太原。不过，到了省城，最后还是由阎兴处长介绍才见到了已经退休在家的吴振华老先生。

“你是毛鸿喜同志？全国林业战线的劳模！张店林场场长兼党支部书记！来来，坐坐！”毛鸿喜见到的吴振华，果然是位面目慈善、满头银发的老专家。当听完毛鸿喜一番恳切的请求之后，吴振华老先生炯炯有神的目光里充满了同情，说：“毛鸿喜同志，你先不要着急。我和省厅技术处同志会在明天下午准时到达运城的，再同安铁喜等同志去平陆。你呢，可以先走一步，在家等我们拿结论。至于结论到底如何，我们只有通过鉴定出了结果才能定。我想告诉毛鸿喜同志你的是：不管鉴定什么结果，我会坚持实事求是的。”

“谢谢吴老，我听你的。我只是不服栗鹏说的，他完全在胡说！”毛鸿喜临别时感激地拉着吴振华久久不肯放手，“吴老，你一定得去平陆啊！”

“放心，明后天就会到的！”吴振华郑重地点点头。

6月2日，平陆县城辛下巷可谓人山人海，省、市、县三级专家共同进行现场勘查实验，这将决定早已在平陆县闹得人人皆知的毛鸿喜妻子被害案的事实真相，所以除了毛、栗两家的亲戚好友与邻居外，所有那些对本案感兴趣的人都闻讯纷纷赶来观看……

公安人员对现场进行了严格的警备，因而使现场气氛显得十分凝重。在此现场的人群中，有一位胖墩墩的中年男子很特殊，他既不是办案人员，也不是毛、栗两家的亲朋好友，他是《山西日报》记者王永海。老王负责运城一片的新闻报道，是省报有名的“无冕之王”。本来案件与他无任何关系，但因为有人曾经出钱想收买他，希望借他的笔将公安人员的查案视线转移到有利于他们的方向，不料，这个王永海生就一身正气，最后反倒成了那帮人的眼中钉、肉中刺。老王后来在《山西日报》连续发表了数篇揭露本案真相的报道，让平陆公安方面那些企图为所欲为的人处处被动，当然另一方面他也为正义一方开展案情调查和判断做出了特殊贡献。现在王永海就在人群之中，他的优势是可以借一双敏锐的眼睛，记录下人们容易忘却可又不该忘却的历史画面。

王永海的一位老乡张大奎，曾为他在本案中所做的贡献而写了一篇文章《天职——无冕之王》，记述了有关吴振华勘查现场并做出惊心动魄、确凿无疑的实验结论的过程——

现场勘查的致伤方式在有条不紊地进行。

在低于屈爱强身高160厘米的砖垛上，吴振华小心地把一堆沙土拢成半圆周球状，然后把一顶预先准备好的干燥的人颅盖骨轻轻地扣在沙土上，人颅盖骨上再覆盖一层同样是预先准备好的新鲜猪皮。这一切安排停当，吴振华亲自登上栗天刚家的厨房顶，用现场提取的铁棍，从不同角度做自由落体运动，垂直戳击猪皮……经过反复试验，铁棍戳不穿猪皮，直到加力到10.2米/秒时，铁棍虽然戳穿猪皮，而头盖骨却丝毫未损。

吴振华擦了擦额上的汗水，如释重负地长舒一口气，对身边的安铁喜说："可以撤了！"

……说话间，吴振华等回到了平陆县公安局。按照原定计划，原班人马涌进刑警大队办公室，接着要开一个案件分析会。当然参与案情分析的除了参加办案的郭红军、孙治平、张智鹰几位民警外，还有平陆公安局张政委、陆副局长等几位局领导。

案情分析会围绕铁棍究竟是扫下来的还是扔下来的这个老话题开展。张政委作为会议主持人，他先让郭红军通报了一下案子的审理情况。郭红军便把几次审讯栗鹏的询问记录复述了一遍，接着说："丁银凤那方面的审理仍然无法进行，她的情况时好时坏，哭哭啼啼，一会儿说不知道铁棍怎么下去扎着屈爱强了，一会儿又说铁棍是她一气之下扫下去的，究竟铁棍是怎么弄下去的反反复复的，到现在也没个准儿。我们实在拿她没有办法。"

接下来是平陆公安局法医李跃芳代表前几次现场勘查表示意见："通过我们认真、仔细的查询和分析，认为铁棍扫落可能性不大。栗鹏有极大的伪证嫌疑……"

不知何故，张政委很不高兴地打断李跃芳的话："好了，分析和认为代替不了科学技术。还是请省厅领导谈谈这次现场鉴定的情况吧！"

终于轮到关键性人物吴振华出场了！只见吴振华轻轻咳了咳，目光凛然地朝会场环视了一遍，然后说："我们应运城市公安处技术科邀请，就屈爱强头部被铁棍致伤方式进行了鉴定。这里，我们首先应该感谢市、县两级法医给予我们的大力支持和密切合作，没有他们的支持与帮助，就不可能有今天现场鉴定的顺利进行。从前些日子县、市两级鉴定加上我们今天做的屈爱强受伤现场实验及所掌握的其他情况看，可以得出以下几点综合论证：一、屈爱强头顶部距矢状线 2 厘米，前额发际 7 厘米处有一 1 厘米 ×0.2 厘米纵行头皮裂创，创角较钝；右创缘不整齐，呈现皮瓣状，创壁不光滑。结合平陆县人民医院（病案号 69711）记载，屈爱强左顶骨处有伤道约 1 厘米，沿伤道探及深度 5 厘米。据此说明，铁棍自死者头部前上方击中死者时，具有较大速度和冲击力。二、根据现场勘查，铁棍距地面高 3.38 米，屈爱强身高 1.6 米，站在地上，那么铁棍距屈爱强头部垂直距为 1.78 米，水平距为 2.43 米，倘若用笤帚扫铁棍达到屈爱强头部时，其速度为 7.15 米 / 秒；采用干燥人颅盖骨，下垫沙土，上面覆盖与人头组织结构相近的猪皮，运用现场提取的铁棍从不同高度做自由落体运动，垂直戳击猪皮，测出高度达 5.38 米时刚好戳穿猪皮，而戳穿处相应的颅骨无明显破损，戳穿猪皮时的速度为 10.2 米 / 秒。通过上述两个方面工作所得的数据，用笤帚平扫铁棍，铁棍跌落至屈爱强头部时不会导致其穿入脑颅腔！"

吴振华说到此处，办案全场一片寂静。各种人的表情各不一样，形态各异。

吴振华说到这里站起身：“现在我们不妨做一次与现场相同的模拟试验。”吴振华话音刚落，张勇、安铁喜等刑侦人员随即起身，把一包沙土和从现场带回的人颅盖骨、猪皮、铁棍，在会议室门口的一片空地上摆放停当，几个民警把两张桌子、椅子搬到门外。张勇一跃上了桌子，那利索劲儿就像正走路时随便跃过哪个沟坎似的。张勇先是站在一张桌子上，按照 1.78 米的高度用铁棍戳击猪皮，猪皮完好无损。随着铁棍戳击猪皮的垂直距离加大，张勇登上已升高至三张桌子摞起的最高度处，那忽悠忽悠的架势就像马戏班的演员耍高空杂技。在场的人鸦雀无声，屏住呼吸，眼不眨地看着站立一丈多高的张勇，心仿佛被提到了铁棍上……只有吴振华表情是平静的。

张勇每升一层，便做着一次铁棍击落猪皮的实验，而每一次都没有将猪皮戳穿。这样一次次地做着，直到张勇登上 5 米多高的时候，并加大力度戳击猪皮时，铁棍才戳穿了猪皮，而戳穿处的颅盖骨无破损。

这时，吴振华让张勇下来，说不用再做了。然后吴振华分别举起猪皮和颅盖骨，让在场的所有人过目，那认真劲像生怕别人怀疑他们做了手脚。

做完模拟试验，人们重新回到屋里，等吴振华、张勇、安铁喜坐停当，会议又重新开始。“同志们都看到刚才的实验了吧！所以，我在这里再重复一遍：通过我们的勘查、检验和反复实验，得出的结论只有一个，那就是：屈爱强颅脑损伤不是铁棍被笤帚平扫落下所致！”

会场比刚才吴振华第一次宣布结论时更加寂静，人们的表情也更加复杂了……

“我能说几句吗？吴处？”陆副局长打破了这种寂静，他询问吴振华。在省厅处长面前，他这个科级公安局副局长自己也觉得自己是小官一个。

“可以。当然可以，谁都可以发表意见。”吴振华炯炯目光中透着热情和真诚，同时也充满了严肃，“我们都是共产党员嘛！都应该襟怀坦荡，有什么说什么！”

“那我就说了。”陆副局长似乎已经憋了很长时间的话终于有了倒出来的机会。他问：“猪皮和人的头皮相比，猪皮的质地是不是要比人的头皮坚硬些呀？”

“问得好！”吴振华像早有思想准备似的说：“我想这不仅是陆副局长要问的，恐怕在座的不少同志，包括当事人栗鹏如果在这里，也会问到这个问题的。我在这里解释一下：前面我已提到，猪皮的结构组织和人的头皮相近，但这不是我吴振华研究出来的，这是解剖学家、动物学家通过实践观察、仪器化验得出的结论。这一结论不仅被应用于国内刑侦技术勘查鉴定，而且国际不少国家的刑侦人员，也广泛应用这一结论做类似案件的勘查鉴定。至于说哪种皮的质地坚硬性大，通过化验，人的带发头皮要比新鲜猪皮稍微坚硬些。”

陆副局长听完吴振华的这番话，顿时像泄了气的皮球。与他一样表情的还有不少人，他们基本都是平陆公安局的办案人……

省公安厅的专家结论在平陆县城如炸弹爆炸一般，栗家犯故意杀人罪的事实铁证如山！百姓们都在为毛鸿喜一家欢呼，因为老毛他终于有了让亡妻闭眼的铁证了！

毛鸿喜听到这消息后，伏在亡妻的尸体柜盖上痛哭了一夜，他嘴里不停地向亡妻喃喃诉说着人间的这一切……

可是日后的相当一段时间里，毛鸿喜不仅没有发现凶手真正被惩治，反而案情越变越复杂了，简直到了他无法理解的地步——

先是栗鹏又冒出来，说那天铁棍不是他妈——丁银凤击落下去的，而是他怒击屈爱强的。不管哪种情况，平陆公安局在社会强大压力下，将栗鹏作为作伪证的嫌疑人收容起来。但到底最后谁是凶手，怎样法办，案件的变化令平陆百姓莫名其妙。

栗鹏坚持说是自己干的狠毒之举之后，丁银凤也坚持承认了是她“从房顶扔下铁棍戳死屈爱强的”！娘儿俩揽罪，显然这一家人是为了尽量不让对方承担严厉的法律惩治。这一份亲情可以理解，但明白人清楚：栗家这么做还有更深的“伏笔”，拖延定罪时间，寻找机会再度反击。

这不，在老百姓议论纷纷中，县委和县人大领导不断催问公安局：既然是故意致死对方，为什么凶手还不正式逮捕？

是啊，你们公安局还想包庇罪犯？还想做手脚？老百姓整天都在打听、询问。公安局压力太大了！

因此有了公安局第一份向检察院提请逮捕丁银凤的报告。哪知检察院批捕科长李亚平将卷宗看了一遍，又扔回公安局：夹生饭咱不吃，退回去重新侦查！

陆副局长听说申请逮捕报告被检察院退回来了，火气冲天：检察院几个小玩意儿还想跟我玩招儿啊？便立即命令再报。

再报还是再次被退回。

这是怎么回事？公安局的人糊涂了，老百姓更糊涂了，都以为检察院执法从严呢！哪知，这都是有人在使招儿使劲儿：把丁银凤杀人案想法弄成呆案滞案，最后干脆成为谁也没法弄的死案……

原来如此！公安局的人全然明白了！陆副局长等人暗暗地伸出拇指直夸检察院那帮家伙“老到”。

其实真正老到的还是他栗家的主子——栗天刚。

我们好久没有见栗天刚的影子了，似乎他离本案远远的，大似避嫌之明举！其实不然，栗天刚做的事不能不说是高：公安局一方顶不住要逮捕丁银凤，他就立即到检察院那边“做工作”，致使逮捕令总也批不下来。

这个时候，《山西日报》捅出一篇报道，记者还是那个王永海，他把这一内幕给揭开了，引起省、市、县三级有关领导高度重视。

检察院没有了退路，丁银凤的逮捕令这才下达。

这回毛鸿喜觉得丁银凤是只“死老虎”了，只等法院判刑了！

但事情变化，更令毛鸿喜目瞪口呆：有一天，他从单位回家，发现丁银凤正嘻嘻哈哈地在自己的院子里晒衣晾被，跟孙儿与媳妇又说又笑……老毛揉揉眼睛：没错，就是用铁棍戳死爱强的丁银凤！她怎么像没事似的回家了？

这是怎么回事？

毛鸿喜跑到公安局和检察院询问，人家告诉他，丁银凤确实回家了，是经检察院和公安局批准的。

她是杀人犯！还没有判刑她怎么就回家了？

人家有医院证明，患有精神病，所以保释回家了！

她？她丁银凤什么时候患的精神病？从来没有听说过她有精神病呀？毛鸿喜彻底糊涂了。

这个我们不管。我们办案只按照法律规定和程序进行。

那天毛鸿喜不知道自己是如何回家的，反正他觉得这个世界一片漆黑，看不见阳光……共产党的天下咋会出现这样的事？明明白白的一个犯罪嫌疑人，怎么转眼就成为精神病患者？老毛再向懂法律的人一打听，如果真是精神不正常的人可以免予刑律。

这么说她丁银凤杀了人还可以不坐牢？

差不多吧！

毛鸿喜气得七窍生烟。我上北京告他们去！栗天刚和公安局的人串通一气，蹂躏法律，包庇罪犯！

金秋十月，三晋大地正是果香枣脆的丰收季节，可满腔悲愤的毛鸿喜却无心留意这丰收的景象，他带着干粮，登上了开往北京的列车，也踏上了漫长的申冤之路……在列车上，毛鸿喜不禁暗自流泪，因为他想起了上一次到北京的情景，那是几年前他作为全国林业系统劳动模范到的北京。也是在那次会议上，他毛鸿喜受到了党和国家领导人的亲切接见。崇高的荣誉，使他在内心发誓一定要加倍努力地工作，争取用更加优异的成绩来报答党和组织的培养。毛鸿喜一路擦眼泪，既为痛失妻子伤心，更为妻死案中竟然会有那么多营私舞弊者而悲愤，也为自己愧对组织培养——此次上京竟然是去上访！毛鸿喜为此有些抬不起头，几十年来，他像头老黄牛似的埋头工作，从不愿张扬。劳模是组织上推荐的，如果不是妻子命案，他毛鸿喜还是没几个人认识，也不会上北京来的。可现在他要去北京了，而且是作为一个上访者进京城的……

毛鸿喜进京城后先到国务院信访局，再到最高人民检察院和公安部。十几天后，北京方面的层层批示下达，最后到了平陆县。出于强大压力，平陆县有关方面不得不对丁银凤逮捕问题重新研究审核，并再次批捕归案。

据说，栗天刚找到公安局政委和陆副局长那里流泪求情："银凤她患那么重的精神病，你们不看僧面该看看佛面吧？"

张政委和陆副局长感到非常无奈，说："老栗，先这么着。你家银凤的事我们心里有数，你该忙什么继续忙什么去啊！"

丁银凤重新收监，使毛鸿喜舒心了几天，可就在他等候检察院对其提起诉讼时，不料又传出消息：运城市检察分院将丁银凤的案卷退回补侦，要求平陆公安局对她的精神病情况进行重新鉴定。

平陆可以处理的案子，怎么一下就弄到了运城市去了？毛鸿喜还以为是上级机关重视这案子呢！他哪里知道这都是有人在为栗家出高招：你平陆公安、检察部门不是扛不住了吗？那我把案子推到运城去。运城再一次次在关键时刻借个理由把案卷往下一批，让你平陆方面“重侦”“补侦”。至于你补到什么程度、得补多长时间，可就不是你平陆和毛鸿喜想告一状就能算得了的。

真是高！这种高招只有那些对法律和刑事案件办案程序极其熟悉的人才能玩得转，而且必须是公安、检察几个部门都有特殊关系的人才能玩得转。而此案发展到这一阶段，案情的复杂情况已经开始涉及运城方面了！

毛鸿喜你还有什么能耐？

毛鸿喜真的没有能耐了！那天他眼睁睁地看着丁银凤再次又嘻嘻哈哈地回到了家，并且见到他后丁银凤还故意对他做了一个蔑视的动作。一打听，原来这回丁银凤“有精神病”的司法鉴定还是省精神疾病司法鉴定委员会拿出的证明材料。难怪啊！难怪栗家兴高采烈，难怪丁银凤如此嚣张！

从另一渠道得知，即便丁银凤在关押期间，她生活照样过得舒适滋润，经常能与老公在狱中团聚……这说明了什么？说明了她丁银凤丈夫够牛呗！平陆公安局似乎就是为他栗家开的私人店铺，想怎么打理就怎么打理！这是共产党的天下吗？他栗天刚身为共产党的一名纪委副书记，如此无视法律，良心和党性何在？如果说栗天刚包庇妻子、儿子尚可理解的话，那么公安局、检察院的办案人员中还有那么多共产党员、那么多公务员是怎么回事了？

还有运城市检察院的办案人员又怎么与平陆方面的一些人一个样了？

还有省精神疾病司法鉴定委员会的人又是怎么回事？

这一切实在太不可思议了!

一串串问题，一个个疑点，使深陷绝望中的毛鸿喜苦苦思索又无从解释……提出这样质疑的人除了毛鸿喜外，平陆的百姓和多数干部也在摇头——他们不解一个故意伤人致死案件为什么变得越来越复杂，而且时间拖了近一年，犯罪嫌疑人竟然最后借个荒唐的理由给放了出来!

法律难道就只对着小百姓吗?难道只对着那些无权无势的公民吗?

发出如此不平之声的人还有一位《山西日报》的记者，他就是王永海。老王以自己的正义之感，再度在《山西日报》上发表了《法律天平岂容倾斜》一文，一针见血地指出：最近栗家又搞了个精神病鉴定：认定丁银凤为无责任能力。丁银凤确系无责任能力吗?案发前，丁银凤反应十分正常，案发以后却一直沉默不语，使侦破工作无法开展。而当儿子被刑拘、承认屈爱强是他打的后，丁银凤立即承认是自己打的；而她儿子则得知其母承认罪行后又马上改口不是他打的。由此可见，丁银凤不疯不傻，完全有责任能力!然而，正是这样一个思维清晰、虑事周全的人最近却以患精神病为由，再度取保候审，使这起恶性凶杀案至今迟迟得不到实质性进展。

又过一些日子，王永海再次在《山西日报》重要位置发表《“法律天平岂容倾斜”仍无下文，有关部门你推过来我推过去》为题的另一篇文章，更加不平地指出：现在栗、丁一案已到了市检察院退回、公安局不要、县检察院无法办理、政法委协调无果的地步!在此案“漫游”于县市两级三个部门一年多时间里，各办案机关或多或少的一些这样或那样的“失误”，致使案件目前进退维谷……

看来，此案没有铁腕人物出面是难办了啊!有人在毛鸿喜面前叹息道。

铁腕人物哪里会有呀？毛鸿喜的心头一震，同时又想起了人们说过的“梁雨润”这个名字。对，在前两年毛鸿喜组织支部党员学习时就学过梁雨润的先进事迹，那真是个办案高手、为百姓申冤的好干部呀！毛鸿喜想到这儿，仿佛在漫漫黑夜里看到了一缕光明：对，找他去！

毛鸿喜比梁雨润大十多岁，当他好不容易找到梁雨润时，扑通双腿跪在面前：“梁书记……”随即号啕大哭。

“起来起来！老毛同志，平陆的事我多少也知道一些。你快起来！我先看看你的材料！”梁雨润扶起毛鸿喜，然后迅速将对方提供的所有材料看了一遍。之后，梁雨润抖抖材料，一针见血指出：“凭我过去办案经验，这个案子背后有人营私舞弊，而且涉及多人。”

梁雨润思索片刻，对毛鸿喜说：“老毛你先回去，我马上会向运城市委和纪委报告，然后根据情况，我们会有统一的行动。请你相信，组织一定会非常重视，关注事态的发展，并实事求是地按照程序开展必要的工作采取措施的。记住我一句话：正义终归要战胜邪恶的，那些搬起石头者迟早会砸自己脚的！”

毛鸿喜紧握梁雨润的手，感动得热泪盈眶，连声说：“我也是一名党员干部，本不想这么兴师动众，可他们实在太不像话了。我老毛当了几十年干部，多少也懂得点事、认识一些人。如果这事搁在普通百姓身上，不知他们还要怎么个颠倒是非呢！”

梁雨润表情严峻地说：“我们是共产党政府的干部，不管给谁办事，都要一碗水端平，否则就对不起组织和老百姓。”

有你这话我就放心了。毛鸿喜离开后，梁雨润立即向运城市委和市纪委的领导报告了毛鸿喜妻案的情况。市委黄书记和安永全副书记说，市委已经开始关注这事，正准备采取行动，只是涉及的大多数是司法领域的人，所以需要极其缜密。

“老梁，你是我最相信的纪检干部，这事非你带队莫属！安永全副书记干脆点了梁雨润的将。”

“只要市委放心，我梁雨润一定会尽全力把这个捂了一年多的盖子彻底掀开！”梁雨润保证道。

“好，市委常委会研究后，你老梁就放手大胆地干！”

就在梁雨润接受这一特别任务之后，正在认真研究案子情况时，《山西日报》记者王永海不知哪儿来的情报，有一天突然来找梁雨润：雨润，平陆的事越闹越大了，你挑头干最合适！我这里有你所需要的诸多材料和情况。

梁雨润与王永海是老熟人了。王永海掌握的毛鸿喜妻案的情况，使梁雨润坚信本案是个有许多无视党纪国法的干部陷进去的大案！

好，老王，你继续……梁雨润向王永海如此这般面授机宜之后，自己又迅速找到市委安永全副书记，两人又反锁办公室房门，开始一起谋划一场更为惊心动魄的打击腐败的战役——

不几日，平陆县政法委书记石杜杰先后接到安永全副书记和梁雨润的电话，之后，石杜杰立即召开了由公安局、检察院负责人参加的紧急会议。议题是根据毛鸿喜的要求，研究对丁银凤“精神病鉴定”问题进行重新鉴定事宜。按照最高人民法院、最高人民检察院和公安部、司法部等机构做出的司法规定，被害人有权提出这样的要求，鉴于丁银凤现在所做的精神病鉴定是省精神疾病司法鉴定委员会做出的，为此会议研究做出以下决定：一、由政法委副书记李根贯出面，请山西省精神疾病司法鉴定委员会答复对丁银凤所做的鉴定是否是最终鉴定？他们是否接受重新鉴定？二、如果上述问题得不到答复或不能进行对丁银凤“精神病”重新鉴定，那么政法委将派李根贯副书记赴京请国内最高权威精神疾病司法机构专家进行重新鉴定。李副书记必须在三天之内与鉴定单位联系好；与之相关的，公安局、检察院要各确定一名优秀干部随时待命出发。同样与之相关的，此次新鉴定所需全部费用根据规定应由毛鸿喜出。

石杜杰书记最后扫了一眼与会的各位同志，语气凝重地强调："毛鸿喜妻子被害一案，已经拖了一年多，上上下下议论纷纷，这其中多数是冲着我县政法系统相关部门的！为此，我要求大家以党性原则办事，否则损害的不仅是我们政法委和办案机关的形象，恐怕也会害了办案人自己。对下一步新开展的工作，各部门既要配合，又要注意对办案的保密！"

这次会议非同寻常，因为公安局领导、检察院领导都参加了这次会议。而从过去一年多来的案件变化来看，公安、检察部门毫无疑问名堂多多。这次会议表明组织已经开始正面回应这些非正常的行动了！

不少人开始紧张了，因为紧张也就会有更疯狂的反扑。严酷的斗争是在无声中进行的……

梁雨润受运城市委的委派，担任此次平陆查案的调查组组长之职，在市委安永全副书记的挂帅下全权指挥反击战的行动。他对平陆政法委方面的石杜杰书记有交代：对丁银凤的"精神病"重新鉴定，必须派政治上可靠的同志秘密执行此项任务。

8月4日晚，李根贯副书记率公安局黄群发和检察院的冯爱平两同志从平陆出发，外人只知道他们上北京去了。一小时后，三人到达豫西的三门峡市，走进一家餐馆就餐。李根贯见旁边无人，便开始布置任务："同志们，这次我们不是到北京，而是到上海，到那儿去请顶级专家来平陆给丁银凤重新做鉴定。为了确保任务完成，我现在宣布四条纪律：一、随身携带的所有通信工具，全部交我保存；二、不返回平陆县城，任何人不得使用公用电话；

三、路上不得向任何人泄露此行目的，不允许提“上海”二字；四、无条件服从命令。任何特殊情况，均不得中途返回平陆，直到完成任务。”

“李书记你放心，我虽然在公安局受栗天刚领导，但我是党员，我知道在是非面前应该怎么做。”黄群发说着，把手机交给李根贯。

冯爱平显得轻松一些：“李书记你放心，我知道这个案子牵涉到了检察院的人，但我可以保证自己除外！”

“好，我们进火车站后悄悄改道到目的地！”李根贯手一挥，三人出了餐馆，消失在夜幕之中……

话说栗天刚这一头：这栗天刚确实不是一般人物，他是县公安局领导成员之一，又是公安局的纪委副书记，仅凭这两点，他在侦查与反侦查方面的经验就不是一般人能及的。任凭政法委领导的精心密谋，栗天刚很快知道，李根贯一行是到了上海请专家。弄明白政法委领导的意图后，栗天刚内心极其恐惧和愤怒，可无名火又不宜发作，只得静等机会反击。

十几天后，李根贯一行从上海回来，却并没有见上海的专家来。一天、两天，八天、十天……专家仍没有来。再一打听，原来李根贯一行根本没找到想请的专家。而且其他新的动静也没有。这让一直神经绷得紧紧的栗天刚不由得意了一番：可能自己在县、市两级检察院有关人士那儿使的劲没白费啊！

“放心，老栗，只要他们不出山西省，我们的鉴定结论还是改不了！”省城那边的省精神病院鉴定大夫更是给他吃了定心丸。

又是数日过去。这一天，栗天刚突然接到通知：上海专家来了，让他务必配合。并立即要求把上次进行鉴定取证的证人一起带到县信用社金融中心接受专家询问。

妈的，给我来突然袭击！而且把办案地址放在信用社金融中心，显然要给我老栗灌迷魂汤嘛！栗天刚心头顿生怒火。可也没有办法，赶紧将上一次出面说丁银凤有“精神病”的证人一一通话吩咐如何如何回答专家的询问，说完便自己来到了金融中心……

与栗天刚同时进金融中心的还有毛鸿喜和他这方面的证人。

栗天刚面对专家询问，表现出一副坦荡，并一一列举妻子平时如何不正常的病史。似乎专家也没有问出个所以然来。那些他找的人证也一个个是铁杆，认定丁银凤是有病的，而且是“挺严重的精神病患者”。

“你们听清楚了吗？我妻子就是病得不轻！”栗天刚好生得意。但自以为机关算尽的他仍然失了最重要的一关：妻子丁银凤那头没把好！

上海专家本来想让丁银凤也来金融中心接受询问鉴定，可侦查员报告，丁银凤死活不出门。“那好，我们就上门去！”而且上门询问与询问栗天刚同时进行！

关于上海专家上门与“装疯”的丁银凤现场对话十分精彩，我在此摘下张大奎先生在记者王永海所写《天职》一文中所述的相关情节——

……丁银凤终于被人“请”出卧室。

只见她留着长发，衣着整齐，文过的眉毛黑黑细细，像一弯月牙儿。她右侧腋下撑着单拐慢慢从卧房步入厅内，自己寻了座位坐下来，眼泪就像早准备好了似的，一见来人就泪水长流，呜呜哭泣。

专家钱玉林朝屋里环视一圈，只见里面的东西收拾得井井有条，桌椅箱柜一尘不染。他心想：丁银凤有洁癖，果然名不虚传。然后，他转向丁银凤，凝视一阵，问道：“你叫什么？”

丁银凤知道开始对她检查了，边哭泣边回应道：“我要回屋……我要娃，你是坏人。”

钱玉林问："你娃怎么啦？"

丁银凤用手指朝外一指："走了……媳妇跑了。"

钱玉林："你今年多大岁数？"

丁银凤佯装不懂，只用手胡乱比画，不说话。

钱玉林："我问你几岁了？"

丁银凤伸出一只手说："5 岁。"接着呜呜地哭，嘴里不停地叫着："我要娃！我要娃！老汉不要我，老汉有三个媳妇。"她手指旁边的鉴定人员记录时在桌子上写字发出的沙沙声："你听，嘟嘟，老汉有三个媳妇……老汉杀……我要娃……你们是我娃，你给我娃！"

钱玉林："你丈夫叫什么名字？"

丁银凤摇摇头："他打我……老汉……他是日本人。"

钱玉林："公安为什么要抓你？"

丁银凤明显一怔，又断断续续地说："……没有……地扫一扫，白胡子爷爷说不扫就杀了你……"她手一指旁边的检察员："你骂我，人家都骂我，要杀我。"她又一指钱玉林："你不骂我。"她又对另一位检察员说："他也骂，他是好娃……你听，他骂我，一直在骂我。"

钱玉林："骂你什么？"

丁银凤回答："不是东西……我去看看。"佯装要往外走，但挪动一下接着胡言乱语："白胡子老头说不扫就杀，不扫就杀。"她一副狠声狠气的样子。

钱玉林也做出急的样子问："那你如何办？"

丁银凤回答："我赶紧扫，不扫就杀！"

钱玉林："你为何要到屋顶上扫？"

丁银凤胡乱答道："鸟飞上去了……老汉杀媳妇，你不骂我。"

钱玉林切入主题问："毛鸿喜骂你没有？"

丁银凤昂昂头，挺干脆回答 ：“都骂我，都骂我！”

钱玉林追问 ：“屈爱强为何倒在地上？”

丁银凤用右手两指压在嘴唇上，做出吸烟的样子，朝钱玉林说 ：“你抽烟，你抽烟。”

钱玉林 ：“你的腿怎么受伤的？”

丁银凤拍拍腿 ：“老汉不要我了，老汉打我腿。”

钱玉林 ：“屈爱强是谁？”

丁银凤怔怔地望着钱玉林，又望望另两位检察员，迟迟不作回答。

钱玉林 ：“你为何与屈爱强吵架？”

丁银凤似乎没听懂地问道 ：“什么？”

钱玉林 ：“公安局为何抓你？”

丁银凤像触到了痛处，猫儿念经地呜呜哭开了，边哭边诉 ：“寻我娃娃，我要娃娃，娃娃好可怜……”

钱玉林 ：“你娃多大年龄？”

丁银凤止住哭 ：“8 岁。”

钱玉林指指桌上的健力宝饮料问 ：“这是什么？”

丁银凤迟疑着 ：“……你喝。”

钱玉林掏出一张 100 元的人民币问 ：“这是什么？”

丁银凤 ：“买烟。”

钱玉林问 ：“你的耳朵在哪儿？”

丁银凤反问 ：“你也有耳朵？”

钱玉林 ：“你数数屋内有多少人？男的几个，女的几个？”

丁银凤的头慢慢转运，呆滞的目光从这个转到另一个，只是不做任何回答。

钱玉林伸出两只手指，问她是多少？她不答。钱玉林又拿出纸让她写出丈夫和儿子的名字，她在纸上画了十几个圈……写完她的眼睛向外寻找着什么。

她哪里知道，她做出来的任何细微动作，不仅没有逃出检察员的眼睛，而且也始终没有逃出一直在旁边紧盯着她的一部放在检察员胳膊下挟着的黑皮包内的那部微型摄像机的镜头追踪……

上海精神病分析专家是我国这方面最权威的鉴定专家，他们的鉴定结果将决定丁银凤的命运。然而，当经过一天的紧张询问和调查后，他们卷起皮包，没留任何结论就走了，回到了上海。栗天刚和毛鸿喜两位当事人都只知道一件事：凡是栗天刚提供的证人，百分之百地说丁银凤有“精神病”；而毛鸿喜这边则百分之百的与之相反。

栗、毛两人全都悬在半空。

我们似乎已经忘了还有一位重要人物，他就是栗家公子。这位因作伪证被关押在监狱的年轻人，身在监狱却仍在耍着公子哥的威风，结果在监狱里把另一名囚犯打成残疾，他的罪恶行径从另一方面让人看透了栗家人之恶，在某种程度上加速了本案的进展。

正当平陆方面的人不知该如何进展时，指挥战役的梁雨润其实已经掌握了几个关键性的证据：以北京“中华人民共和国司法部司法鉴定中心”名义发出的关于丁银凤的最终权威鉴定已经收悉。鉴定结论为：丁银凤未患癔症，丁银凤对本案具有完全刑事责任能力。几乎是在同一步，他已经获得通过省纪委掌握了栗天刚行贿山西省精神疾病司法鉴定中心任某，由其出具丁银凤“患有精神病”的假鉴定书的铁证。以上两个关键性证据，决定了毛鸿喜妻子一案的最终定性。一年多来在栗天刚的操纵下，案子进程始终曲曲折折，如今终于真相大白。而根据群众举报和侦查，围绕该案一年多来出现的种种非正常情况，省、市、县三级公安、检察部门有多名干部陷入其中，干出了违背党纪国法的种种令人发指的行径……

现在该彻底清算了！人民在期待，法律须正视。

新的鉴定书，首先决定了丁银凤的命运。这名几经关押又几经放出的罪犯，于10月20日下午4时再次被逮捕。执行此次任务的是县检察院冯爱平等人。据说那天中午栗天刚得知新的鉴定结果后，立即回家催丁银凤“赶紧收拾东西”——他想让装疯的妻子装到底，再借自己的能力让其逃之夭夭。可惜晚矣，警方堵住了他们的去路。

见警察包围了栗家的院子，栗天刚最后一次拿出公安局领导的口吻训斥部下道：“你们想干什么？”

检察院冯爱平亮出盖有国徽红印的逮捕通知书告诉他：“执行逮捕杀人嫌疑犯丁银凤！”栗天刚气急败坏地冲着冯爱平：“凭什么？”

“就凭这个！”冯爱平手持逮捕令，严正回答。

“不行，我还要请示领导！”栗天刚拿起电话，给公安局一把手打电话。电话通了，但对方没有声音。

“你们这是怎么啦？我是老栗呀！”栗天刚声嘶力竭地喊着，企图捞最后一根救他老婆的稻草，但他听到领导给他的三个字是：“配合吧！”

许多人看到了栗家女主人在男主人疯狂阻拦下被捕的全过程。用毛鸿喜的话说是“大快人心的一幕”！

但由于本案涉及的更大内幕，更加叫平陆百姓大快人心的战幕，已在坐镇运城的安永全副书记和梁雨润、黄有泉书记的布局下全面拉开——

10月23日上午9时许，运城市委大院内，10辆警车一字排开，从公安处、检察院、法院和市纪委等部门紧急抽调的60多名执法办案人员整齐地站在那儿，接受市委书记黄有泉的动员：“同志们，你们今天要去执行一项任务，彻底清查运城历史上从未有过的如此规模的众多执法人员渎职违法的重大案件！任务极其艰巨，望大家经得起各种考验，对得起我们的党和运城人民！”

黄有泉书记过来与安永全副书记、梁雨润等对视了一下后，宣布道：“立即出发！”

于是，浩浩荡荡的执法铁军在安永全副书记和梁雨润的带领下，威风凛凛地开向几十里外的平陆……此次行动是秘密的，但那是执法者与违法者之间的公开较量，平陆方面很快就知道了消息。而平陆出了那么大的事情，连普通老百姓对决策机关的每一点新的行动都仿佛了如指掌。

在梁雨润他们的行动队伍到达平陆刚刚在县宾馆住下吃中午饭时，突然听得宾馆大门外有人哭天喊地。梁雨润与安永全副书记及县领导出去一看，原来是毛鸿喜等人身着吊丧的白衣跪在地上高喊着“为民除害！”“共产党万岁！”“安青天万岁！”“梁青天万岁！”等等口号。梁雨润和安永全副书记等虽然觉得不妥，可此时又不能对毛鸿喜他们多说什么，最后还是安永全副书记出面劝阻道：“乡亲们，同志们，大家请起，听我给大家说一句：请你们相信，只要共产党在，好人最终不会受委屈，法律不容受践踏，恶人一定会被惩治！”

“共产党万岁！”

“安青天万岁！”

“梁青天万岁！”

又是一阵震天动地的口号。那口号发自百姓的心灵，因此人们并没有觉得它出格。劝说群众离开专案组后，梁雨润与安永全副书记等立即布置“双规”行动。名单现在就在他们的口袋里，梁雨润向办案人员念着第一批10余个被“双规”人员的名字：栗天刚、陆大明、高杰、张春暖、郭红军……他们清一色都是公安局的执法者。

“当时我们进驻平陆，一下抓了那么多人，连办案的地方都不够。随着对被‘双规’人员的调查审讯，查出来的涉案人员更多了。我们虽然从运城来了60多人，可仍然不够，市委当即又从其他几个县的相关部门里抽调了不少人 于当晚和第二天、第三天陆续进驻平陆。这场战役确实很大，涉及的人又那么多，连我都感到吃惊……”梁雨润在接受我采访时说。

“栗天刚在处理妻子犯罪过程中，企图隐瞒、包庇和指使部属违法办案，他为了阻挠正常司法程序，又向有关人员行贿而将一个个执法人员拖下水。因此，查清该案的整个黑洞，关键人物是栗天刚。这人既长期在公安战线工作，又是纪委副书记出身，对他的调查审讯难度相当大。有不少事他拒不交代，盖子就掀不开。办案关键时刻，安永全副书记对我讲：老梁，拿下栗天刚是关键，你是办案高手，只有你上了！我想我梁雨润虽然名声在外，但干实事一向是我的作风。栗天刚之案非常有挑战性，把他拿下自然义不容辞。”梁雨润向我描述了当晚他审讯栗天刚的过程：

这是一场高手与高手之间的面对面较量。两人都有纪委书记的资历背景，一位还是长期从事公安侦查破案的实战者，一位则有名声在外的“百姓书记”尊称。二人在当地的名气不相上下，只是区别在梁雨润是好名声，他栗天刚是恶名声。好与坏到了对峙时，凭的都是本事，谁胜谁负，不能简单地用正压邪来论别。恶人之所以能够恶到今天，必有他厉害的一面。爱民为民的“百姓书记”梁雨润面临一次严峻的挑战——

调查审讯从晚上十一点开始。小屋子里摆设很简单，主审方有一只供记录员写字用的桌子，被调查审讯方有一只凳子坐。

较量正式开始了。

梁雨润：老栗，据我所知，你从一个农民的儿子，到今天成为县公安局一名领导，纪委副书记，也很不容易啊！听说你干过的岗位不少，能跟我聊聊吗？

从“双规”以来一直不吭一声的栗天刚在与梁雨润交锋时就憋足了劲儿，他对梁雨润的熟悉程度远远超过梁雨润对他的熟悉。这是因为从工作关系角度，梁雨润在当运城纪委常务副书记，经常主持召开纪委工作会议，他栗天刚在台下，梁雨润在台上，梁雨润不可能一双眼看得清台下那么多人，可台下的栗天刚则能看清台上梁雨润的面目。再加上梁雨润办案办出名，以前也因办案到过平陆，他栗天刚过去还是暗暗尊敬和佩服梁雨润的，只是没有想到今天他自己成为这位闻名全国的“百姓书记”的审查对象。想不到啊！想不到的事太多了……栗天刚闭上眼睛，什么都不说，也什么都不想说了……他清楚，对付这样的办案高手唯一的办法就是沉默、再沉默……

梁雨润那不怒自威的目光始终不离栗天刚的那张脸，他知道对方在防备他，并且以沉默来抵消他的威严与办案气氛。

“栗天刚，你也是办案多年的老同志了。你不应该不知道我们为什么找你，你也不是不知道任何回避问题的方式最终都是站不住脚的。你说是这样吗？”梁雨润开始正面的第一问。

对方沉默。

“你自己可以想想，我们审查你的问题，如果不掌握确凿的证据能找你吗？所以，你可以想想你能沉默多长时间呢？”

对方依然沉默。

“栗天刚，据我所知，你1971年参加工作，这30多年来，走过的路也不容易是不是？你从一个农民，后来当上了乡团委书记。后来又到了公安系统，先当驻南村乡的特派员，之后到了茅津渡派出所，在这里你干得蛮风光，从普通民警干到副所长、指导员、所长。1993年你调到局里当纪委副书记，还兼任过驻烟草公司打假办副主任。应该说，你在基层干得还是比较实惠的，是不是？”

梁雨润这话里有话，因为他掌握在茅津渡派出所任职期间，特别是在驻烟草公司打假办期间，栗天刚这小子没少捞油水。敲敲边鼓震震栗天刚的耳朵，看其反应。

栗天刚依然双眼紧闭，一言不发。

“你真是什么都不想说？”

“你真能修炼到像张春桥那样的水平？”梁雨润的口气显然变了。

“你是不是对我梁雨润认识还不够？”

“睁开你的眼睛！”梁雨润突然大怒，桌子拍得震起来……

栗天刚浑身一惊，两只带着血丝的眼睛十分惊恐地看着眼珠瞪得溜圆的梁雨润……那一瞬，栗天刚打了个冷战，开始说话了：“梁、梁书记……我、我……”

“你什么？你自己说：你还是不是共产党员？你还想不想有条出路？”栗天刚没有与梁雨润交过手，更想不到这个“百姓书记”一旦发起进攻，是那种排山倒海之势，你想躲闪都不可能的……

“你把头抬起来！抬起头！”

栗天刚慢慢地抬起了头。

“看着我！”

栗天刚被梁雨润如雷之势的吼声震得两眼发蒙……

“听着栗天刚：你今天不说，明天就把你送进监狱！你以为自己很聪明，就凭你向省精神疾病司法鉴定中心的专家行贿这一条我就可以送你进监狱去！你要不说，我一句话都不想多问了！撤——”梁雨润大手一挥，转身欲走。

“梁书记，你别走……我、我说……”栗天刚像狗熊似的终于败下阵了。

之后的情节就简单了。他把自己为了妻子避罪操纵公安内部、买通县市检察部门有关人员的过程一一做了交代。而在这同时，梁雨润获得了办案人员从栗天刚家搜出的一本栗天刚的日记。谁也想不到这个平时干事精明的公安局纪委副书记，竟然有个记日记的习惯，而有趣的是，他把案发以来每天所做的事一一记录在自己的日记里，比如什么时候去见了谁，在什么地方给了谁多少钱，人家如何告诉他什么事，等等，甚至在饭桌上为人家点了几个菜，全部记录在那本日记上……

写本文时，梁雨润给我从当年案宗中找到了栗天刚的那本“日记”。我翻了一下，觉得有些好笑。栗天刚想瞒天过海的事在里面记得清清楚楚，不用多少工夫，尽可对案件的疑点查个水落石出。

专案组根据栗天刚自己的交代和“日记”里记载的事实线索，开始了更大范围的“双规”，而“双规”又引出另一批违纪犯罪人员来。最后，本案涉及平陆公安局共有 12 人。除栗天刚涉嫌徇私枉法被捕外，其余 11 人也分别受到党纪政纪法纪处理。

运城市检察院一名处长和两名检察员因受贿被查处，其中一名调离司法队伍。

山西省精神疾病司法鉴定委员会一名大夫做假鉴定，交由当地纪检监察部门审查。

平陆县供销社主任王某为丁银凤做假证被撤职。

城关派出所三名民警在现场侦查过程中对杀人凶器的无故丢失负有重大责任，被清除出公安系统。

还有平陆农业发展银行赵某与另两位骗取毛鸿喜钱财、作伪证的农民被捕……

11 月 26 日，平陆县人民检察院将毛鸿喜妻子屈爱强被杀一案交由运城市人民检察院提起公诉。审判大会那天，运城市委特意让平陆县电视台记者到现场进行电视直播。当天平陆县万人空巷，全都挤在电视机前观看审判过程……

用铁棍致死屈爱强的丁银凤被判 15 年；

其子栗鹏作伪证加在监狱犯故意伤害罪合判 7 年；

栗天刚犯行贿罪被判 2 年 6 个月，缓刑 3 年；

……

至此，这件震动三晋大地的案件宣告结束。当看到一个个犯罪分子被公安人员押上囚车、违纪干部被宣布处分、革职时，为冤案奔走近两年的毛鸿喜泪流满面，泣不成声。他从心底无数遍地呼喊着：“共产党万岁！”

毛鸿喜专程给梁雨润送了一面金字闪耀的大锦旗：

当代包公

干部楷模

在向我谈起本案时，梁雨润的心情显得格外沉重。他说：这个案件最后使那么多人牵连进去，他们或被判刑，或被处分，或被降职，或被开除公职，老实说如果不是栗天刚一家人的所作所为，他们不会出现这种命运的。但这些人也有自身的问题，如果他们能够执法为民，保持公正，不在一点好处和人情面前丧失原则的话，就不会在办案过程中徇私枉法。就是栗天刚一家本来也完全可以避免现在这种悲剧的。栗家与毛家如果平时能和睦相处，如果有了矛盾后仍能心平气和，也不会闹出命案。所以说，建立社会的和谐，有时就得从一点一滴做起，从我们的日常生活开始。它是我们所有公民的事。

梁雨润的话，很值得我们沉思和回味。

# 第七章　不结籽的玉米棒子

2006年10月26日晚，我带着《为了弱者的尊严》样稿飞抵太原，准备让有关方面和梁雨润本人审稿。当夜与主人见面时已近深夜十一时，司机安排好我的住处后，梁雨润与我打个照面便匆匆赶回办公室，他说这几天省里正在召开党代会，为确保大会顺利进行，担任会务信访接待工作的他每天有很多事需要直接处理，约好明天即27日抽个时间再与我细谈一次。太原的第一夜就这样过去，入睡时已是子夜，窗外正吹着呼呼的秋风……

“何老师，起床了吗？”第二天清晨，梦中的我突然被梁雨润的司机小朱叫醒，他的急促叫喊声让我意识到日理万机的梁雨润可能又遇上突发事件了。果不其然，小朱告诉我，省党代会会场大门口从凌晨一点左右就被160多个农民团团围住，现在梁雨润正在现场处理……小朱说：“梁局长他不能来陪你吃早点了，把我叫过来了！”

“他这么忙，干吗还打扰他嘛！”同梁雨润认识多年，我已经非常了解他，许多时候他与朋友们约好的事，总被一件件急需他处理的急事挤掉了。“先不要管吃不吃早点，我们去现场看看如何？”我对小朱说。

小朱犹豫了一下，说：“那好吧。”

几分钟后，我们来到大会会场——湖滨会堂所在地，这里到处挂满了彩旗和高高悬浮的气球，一幅幅欢庆党代会的标语渲染出庄严与欢庆的气氛。但与之并不相称的是大门口严守着众多的公安与保安人员，特别是马路对面的那个广场沿街处，更聚集了一大堆喧嚷的人群……“闹事的农民就在那儿。”小朱指指对面的人群，对我说。

“过去看看。”我说。

绕着警察和围观的层层群众，我看到一片席地而坐的农民，他们个个穿着破旧的棉衣与羊皮袄，有的手中举着用白布做成的横幅，那横幅上面写着“强盛种子公司卖假种子，坑害农民天理不容！”“我们要吃饭、要活命！”“强烈请求省委为农民主持正义！”等内容，有的干脆在膝前摆着一堆玉米棒子……农民们憔悴而疲倦的脸上布满了愤怒。

怎么回事？

小朱悄悄告诉我：这些都是从平遥县赶过来的农民。他们是这个县洪善镇南长寿村的村民，今年种了省农科院所属的强盛种业公司的玉米种子，结果玉米只长棒子不见籽，农民们得知自己受害了，便找到种业公司要求赔偿。但因为种业公司坚持自己的理由，结果关于如何赔偿问题一直没有达成协议。

“他们已经第二次来省城闹了！”小朱说。

“农民们也真会挑时间啊，省里开党代会，他们就来堵大门口……”我不由感叹。

“是。现在的农民水平高着呢！他们知道怎么才能解决问题。”小朱说。

“老梁呢？”我在现场寻找梁雨润，却没有见到他的身影。

小朱看了看，随后掏出手机：“您在哪儿呢？噢噢……知道了。”小朱回头告诉我，梁雨润正在省委领导那儿汇报情况，一会儿就过来。

现场似乎处在相峙的状态：公安人员团团围住，席地而坐的农民怒颜沉默……“昨晚到现在他们就这样在外面冻着？”看着蜷缩成一团团的农民们和他们一张张又饥又倦的面容，我心头不由得涌起一阵怜悯。

“唉，没办法，说干了嘴也劝不走他们……”现场的一位公安干警朝我叹息道。

“耗呗，他们当官的不出来解决问题，我们就冻死饿死在这儿……”一位农民举着一把没有粒籽的玉米棒，异常愤怒地冲我说。

“种业公司也太可恨了！农民们都多么不容易，该赔人家就赔呗！”围观的几位太原市民愤愤不平道。

“走走！有什么好看的？别堵塞交通了！”一个干部模样的公安在驱赶越来越多的围观群众。然后，他的嘴里在嘀咕着：“什么事嘛！闹闹闹！”

“他来了！”这时，小朱捅捅我的胳膊。我回头一看，见梁雨润正一脸凝重地跨过马路朝这边走来。考验他真本事的时候到了，我心里暗暗想：你梁雨润到底有啥办法？

梁雨润的出现，令现场气氛活跃起来。我感觉无论是公安还是农民都与我怀有同样的期待心理。

走近农民跟前，只见梁雨润朝现场扫了一眼，然后提高嗓门大声道：“平遥县南长寿村的村民们，大家听着：上次你们为自己的事来省委上访，经省信访局协调，跟种业公司达成了协议，当时他们答应每亩赔偿你们 540 元钱，但后来反悔了，提出每亩只赔你们 300 元，与达成的协议差 240 元。所以今天你们又来上访。刚才我向省委有关领导汇报了你们的事，领导们非常重视，现在责成我梁雨润来继续把这件事处理好。那么现在你们全体人员都到信访局去等候处理。大家不要在这儿坐了，希望同志们给我一点面子！啊——你们得给我老梁一点面子，我负责帮助你们一起把问题解决了！走！咱们全体都走！”梁雨润说完，朝坐在地上的农民们挥挥手，一边吆喝着“走走”。

“今天解决不了我们就是不走！”有人喊道。

"对，我们要求种业公司说话算数，兑现赔款！"有更多农民开始说话。

梁雨润一边扶起一位面对面跟他顶牛的农民，说："我就是来给你们解决问题的嘛！你们来是不是想解决问题的呀？"

"是，我们受饿挨冻就是为了让种业公司如数赔偿。"有农民说。

"这就对了嘛！你们想解决问题的，就跟我走！"梁雨润再一次使劲挥手，"走！想解决问题的都跟我走！"

"走吧！梁局长会帮助你们解决问题的，走啊！"公安人员开始协助动员那些坐在地上的农民。

"走走！上我们信访局去！"梁雨润大步流星地走在前面，一个让人惊喜的情景又出现在人们眼前：僵持了六七个小时的160多个农民，收起摆放在地上的一堆堆玉茭穗，一个随一个地陆陆续续跟在梁雨润身后开始离开广场，直至全部撤出……"好了好了，大家回去吧！"一名公安干部招呼着警友们上了警车，现场很快恢复了秩序，像没有发生过任何事情一样。

这是27日上午九点左右的事。一个多小时后，我因另有要事乘飞机离开了太原。为了不打扰梁雨润的工作，我只让司机小朱悄悄送行。我原以为平遥南长寿村的农民集体上访事件不会再给梁雨润增添任何麻烦了，可后来才知道，事情远没有想象的那么简单——

我们还是先从这事的由头说起。

2005年，山西省农科院所属的强盛种业公司与平遥县洪善镇南长寿村种粮大户任某签订了200亩的玉米制种协议，即任某在这家种子公司技术人员的指导下，为种业公司种植玉米种子，其收获的玉米种子全部由种业公司按高于市场价大约一倍多的价钱回收。第一次试种获得丰收，任某喜气洋洋。第二年续种时，南长寿村的农民与强盛种业公司签订了750亩玉米种子种植协议。于是种业公司按机械种植的用种量给南长寿村农民发放了相应的玉米种子，南长寿村的农民精打细算，没有采取机械种植，而是改用人工种植播种，结果省下玉米种又多种了100亩。多种就多种呗，每亩35元的种子费对农民来说也是个不小的数目，种业公司也认可了南长寿村的做法，村民们更是高兴，纷纷从自己承包土地中挑选出最好的地块和浇灌好的田垅做育种耕地。

南长寿村地处晋中，历来是种玉米的好地方。如今又有种业公司的技术人员指导，加上新种子收成后的价格那么诱人，于是村上农民辛勤劳作，使得所有育种玉米长势茂盛，一天一个样……数月过去，育种田的玉米确实与众不同，不仅秆壮叶绿，而且玉米穗长得格外粗大，个头比普通的玉米穗大出近一倍——穗大才收粒多嘛！农民们看着又大又粗的玉米穗乐开了嘴。收获季节将至，农民们小心翼翼地掰开那些又粗又大的玉米穗，却全都傻眼了：原来那些又粗又大的玉米穗根本就没长几粒玉米，有的干脆颗粒不长……这是咋回事？村民们急忙找任某，任某也傻了眼。技术员呢？我们可都是按他的要求种植的，咋种成这个样了？他人到哪儿去了？

"技术员早回太原了！他也弄不明白是咋回事。"有人垂头丧气地告诉农民们。

"这、这这……种业公司怎么可以用假种子坑害咱嘛！他们想让我们喝西北风呀？"那一天，南长寿村的250多户参与种植玉米种子的村民们陷入了绝望的境地。

"不行！他们这样坑害农民，我们坚决要求他们赔偿！"村民们把问题反映到村委会，村干部同样感到了问题的严重，于是一起研究决定向强盛种业公司提出赔偿要求。

地里的玉米长得如此怪异，强盛种业公司认为既有气候方面的原因，也可能有技术上的缺陷。他们答应农民们的要求，愿意给予赔偿。

一个要求赔偿，另一个同意赔偿，这本来就没有什么问题了。然而在如何赔偿的实质性问题上，南长寿村农民与强盛种业公司出现了严重分歧。

南长寿村的农民提出的赔偿条件是：850 亩所种玉米育种地基本是绝收，种业公司应按照种植普通玉米的正常收成赔偿。

种业公司说："不管怎么说，玉米棒子上总还长了不少玉米粒吧，要赔我们也不能按绝收来赔。"

农民们说："十根玉米棒子上的籽儿加起来还没有一百粒，不算绝收算什么？"

种业公司依然坚持："要按绝收赔偿我们不接受，我们只能在收购价格上做适当调整。"

农民们火了："你就是 20 元一斤，我也没有啥可卖给你的，你这也算是赔偿？不行，必须得按绝收赔偿！"

"绝不绝收也不能是你们说了算嘛！我们找人现场测定，估出产量后再讨论赔不赔的问题。"

"行啊，玉米秆还都在地里插着，你们派人去估产好了！"农民们和种业公司各持已见，等现场估产后再论赔偿问题。

数日后，种业公司派人来到南长寿村，在育种玉米地里左看右摸，最后告诉村民，他们的估产为每亩可收 240 斤。考虑到农民的损失情况，公司愿意每亩按这个产量为依据，将原先拟定的收购价每斤 1 元 4 角提高到 2 元，如果同意这个方案，所有种植育种玉米的村民们可以上公司来领取赔款。

"姥姥的，我们哪儿去收每亩 240 斤嘛！种业公司坑了一把我们，现在又想树牌坊不是？没门！"村民们一听就来火了，"走，告他们去！"

南长寿村的村民们先是到了平遥县工商局。县工商局的工作人员告诉他们，强盛种业公司在太原，就是要告状，也得到太原工商部门去。

太原就太原，他们坑害农民，到哪儿我们也不怕！于是农民们派出代表找到了太原市的工商局。

看着农民们拿来的一捆捆只有茭穗、没有玉米粒的棒子秆，工商局领导义愤填膺："这样坑害农民的事件，我们一定为你们主持正义！"

南长寿村民代表们听了这话后热泪盈眶，如同盼到了救星。可就在当天，他们接到工商局负责人的电话，说："你们南长寿村的这个事情我们不能受理，你们真要让种业公司赔偿，恐怕得到法院去解决。"

"为啥？白天你不是答应得好好的，咋转眼就变卦了？农民不理解。"

工商局那位领导支支吾吾地回答说："这事……我们实在不好受理。"

打官司我们也不怕，打就打！村民们不信这邪。但有人马上不支持这样做："现在打一个官司，没有几个月下不来，我们几百亩的玉米地总不能让玉米秆一直竖在地里，冬季麦子还种不种了？"

"就是。他们种业公司在技术上出了问题，就是对我们农民的一种严重坑害。粮食种子是一种生产资料，谁坑害了农民，工商部门没有理由不受理！"有人告诉农民们：这是一起典型的坑害农民事件，工商部门应当管。

走，我们上省工商局去告！如果他们还不管，我们就让新闻媒体曝光！农民们天天看电视，天下的道理多少也知道一些，于是他们来到省工商局。

"五天后回答你们。"省工商局的人告诉南长寿村的农民说。

第四天，农民们得到的回答是：不予受理。

这是咋啦？谁都不想受理？好吧，让大伙儿来评评到底是咱农民不讲理还是他们种业公司缺德！

9月28日，《山西晚报》将南长寿村民种植育种“玉米光见棒子不见籽”的事件在报上刊出。“这回看他们种业公司的脸面往哪儿搁！”农民们手捧报纸，笑嘻嘻地等候有个公平说法。哪知日子一天天过去，人家种业公司方面依然石板一块，要想获赔，条件依旧。

农民们没辙，一商量，看来得把事情闹大了才解决呀！走，咱们上省城找省委领导去！有人一挑头，村上那些种植育种玉米的农户立即响应。这下了不得，你要去，他也要去！哗啦一下，一点人头，有160多个！

“走！要想不喝西北风的，就上省城去喽——”农民们决意要拼老命夺回损失了！他们发动自家的农用三轮车，管它能不能进城，上路了再说！于是浩浩荡荡的要求赔偿的队伍，驶向省城……

“了不得呀！南长寿村农民要上省城闹事去啦！”洪善镇干部和平遥县领导得知此事，一路出面阻拦，甚至派出公安队伍，但都被南长寿村的农民问得哑口无言：“我们已经收成无望，官司又打不起，你们要是能为咱解决问题，谁愿意往省城去呀！”

县上和镇里的干部被问得无话可说。于是十几辆农用三轮车载着160多名讨债农民，颇有声势地在黑暗中直奔200里之外的太原城——这是10月15日深夜的事。

10月16日清晨上班时分，平遥南长寿村的村民们已经齐刷刷地坐在省委大门口五六个小时了，他们以静坐的方式将省委大门围得人车难行。消息很快报告省委总值班室：“老梁，你在哪儿？快过来吧，省委领导很着急，省委大门口来了一大群农民，赶紧想法子把他们领走，不要影响了机关正常上班。”刚刚从北京接受另一项接访群众任务的梁雨润没来得及放下早餐的筷子，又被叫到了“火线”。

“王英吗？你是在现场？好好，你让农民们选出几名代表一会儿到信访局来，我现在就通知省农业厅、省农科院和强盛种业公司的领导……九点半，对九点半，在局里召开协调会。还要让工商局的人一起来！”梁雨润一边小跑步地走出家门，一边不停地打着电话。

群众围聚省委大门口是大事。每逢这样的事，梁雨润就像接到火线的战斗命令一样，总是冲锋般地在第一时间内赶到现场并及时予以处置。

现在是九点半，省信访局的三楼会议室坐满了平遥南长寿村村民代表和省农业厅、省农科院、强盛种业公司代表，以及县、区、市、省四级工商局和省、县信访局等单位的负责人，气氛显出几分凝重。在南长寿村村民代表和强盛种业公司双方陈述各自的赔偿数目及理由后，省农业部门的领导态度坚定地表示“要维护农民利益”，并责成强盛种业公司尽快做出相应的赔偿。但责任方强盛种业公司对南长寿村村民提出的赔偿条件不肯答应，坚持认为他们的“职工利益同样需要维护”。如此僵持不下，一直到下午协商仍在继续……

“因为另有一件急事需要我去处理，所以下午的协调会开始我没有参加。下班后我回到局里，见会议室里仍然吵吵嚷嚷的。进去一看，南长寿村村民代表和种业公司负责人火气都很大，根本没有达成协议的可能，于是就宣布当日的协调会暂告结束，第二天继续开会。当时南长寿村的100多名上访农民都在我们信访局的大院里等着，我对村民代表说，希望他们劝农民们先回平遥，留下代表与种业公司协商。就在这个时候，省值班室又通知我去处理另一件事，正当我要离开局机关时，聚集在院子内的农民们竟然有几个抱住我的双腿，苦苦恳求说，你梁局长一定要为咱受害的农民做主，否则我们就待在省城不走。我真不知如何是好，只得暂且劝说一下就匆匆办其他事去了……可我没有想到的是，这一夜他们这些村民们因为见种业公司的领导不肯应答他们提出的赔偿条件，将患高血压的种业公司副总经理围堵在会议室整整一夜。第二天早上，因为省委大门口又有突发事件，我一直在现场处理。中午，我拖着非常疲乏的双脚回到自己单位时，见南长寿村的村民还都在那儿，就有些上火了。一问，原来他们的村民代表与种业公司就因为每亩还有10元钱的差距没有谈妥协议，而且双方都丝毫没有妥协的意思。我上楼把种业公司副总经理叫出来好声劝他，说：'你种业公司再穷也不至于像绝收的农民那么可怜吧！现在就差10元钱一亩的赔偿了，你就答应这些农民兄弟算了。'可那经理沙哑着嗓门冲我说：'农民们是可怜，我们种业公司的职工也不是开银行的。别说10元钱，就是再多一分钱我们也不答应！'我一听就火了，对那经理说：'你这是想解决问题哪？你种业公司再穷也不至于穷得揭不开锅吧？可你看看他们绝收的农民，为了上省城来讨还公道，拼凑了钱上省城来讨债，三个人合吃一盒方便面。你拍拍胸口，如果你敢说种业公司现在确实穷得再不能拿出每亩10块钱的赔偿金，那我梁雨润用自己的工资帮你解决这10块钱中的一半，你种业公司再另外拿5块钱如何？不就是4000多块钱嘛！我拿出两个月的工资，你看怎么样？'种业公司的副总经理听我这么一说，不好意思了，说梁局长你真是好人，无论怎么说我们不能让你拿自己的工资来为我们解难。那好吧，我做这个主了！第一个协议就这样敲定了下来，真不容易，磨了两天又一夜……"梁雨润事后回忆说。

我在省信访局的卷宗里看到了调解下的第一份"协议书"，大致内容为：平遥县南长寿村部分村民与山西强盛种业公司因制种发生纠纷，经省信访局协调，达成四点协议：

一、种植亩数按850亩计算，每亩保底价为575元，共计488750元，由种业公司赔偿。

二、当年所产的合格种子玉米由种业公司按当地种子市场价回收。

三、每亩的原种子款35元由种业公司从回收村民的种子款中扣除。

四、种业公司的赔偿款分三次支付给南长寿村村民。

但这个苦苦磨下的“协议”对南长寿村的农民来说，如同水中捞月一场空。原因是，当晚由梁雨润在场监督的“协议”，当时涉及是否具有“法律效力”的盖章问题。

“这都什么时候了，我总不能把管章的人再从家里叫回办公室吧？”在南长寿村村民委员会在协议上盖了章后，种业公司的副总经理强调了这样一个理由。

村民们信了他的话。“明天你们到我们公司去盖！”种业公司的人这样承诺。

第二天一上班，南长寿村的代表梁中禄等人来到强盛种业公司，说要找昨天跟他们签约的那位副总经理盖章。管章的人告诉他们，副总经理不在，她不能随便盖章。

“副总经理去哪儿了？”村民们有些紧张。

“还说呢！他被你们气病住院了！”种业公司的人没有给农民们好脸看。

“他住院了，可这协议上有他的签名，你们也该盖章吧！”农民们拿出合同书。

种业公司的人瞄了一眼，毫不在乎地说：“那也不行。你们找他去说吧！”

农民们面面相觑，不知如何是好。“上医院找他！”他们赶到医院，找到病房，但病房内是空的，病床上挂着的牌子上有那位副总经理的名字，却不见其人影。

“我们上他们当了！他们在糊弄我们！”农民们愤怒了。“这怎么可能？”梁雨润听南长寿村的农民代表回来向他反映情况后，极为意外。叫接待员打电话到种业公司，可没料想，这边电话还没打过去，就接到了那边的“一把手”——董事长的电话，说“你们做得也太过分了，怎么能把我们的副总经理折腾一夜不让回家？他有严重的糖尿病你们知道不知道？你们这样做想过后果没有？”说着，对方的手机挂断了。

梁雨润知道后，憋了一肚子气，这也是搞信访的“职业特点”——你得随时准备夹在中间受气。那天，梁雨润刚刚上班，强盛种业公司的人就给他递上一份盖着印章的公函。梁雨润接过一看，不由生气起来：“这算什么事嘛！”

种业公司的公函内容不能不让梁雨润生气，因为他们在公函上的白纸黑字明确说与南长寿村农民的那份协议是“被迫签订的”，并希望省信访局梁雨润他们按照300元的保底价作为赔偿条件与南长寿村村民商谈处理此事。

“卖种子时他们把农民们坑了一回，人家大老远地跑到省城上访又把农民们蒙了一回，还想让我们出面给他们擦屁股，亏他们想得出！”王英等信访局的工作人员也生气了，说种业公司这么个态度，我们没法再插手协调了，等着农民再闹吧！

梁雨润从椅子上站起来，摆摆手说：“生气归生气，事情还是要办得稳妥。种业公司这回的出尔反尔，必然会引起南长寿村农民更大的情绪，眼下我们要及时掌握那边事态的发展。”这是10月25日的事。就在梁雨润他们省信访局接到这份公函的差不多时间，南长寿村村民们也从广播喇叭里知道了种业公司的“毁约”行为以及他们提出的新赔偿意见。

“岂有此理！他们欺人太甚！走，到省城再告他们去！”村头的打谷场上，情绪激奋的村民经人一招呼，立即重新发动起三轮车和摩托车，男男女女，老老少少，披上棉袄，拉起白布标语，再次向省城太原进发——这回的人数比第一次上访多出了几十人。前头是三辆摩托车开道，紧随其后的是 11 辆农用三轮车，车上载满了受害的农民兄弟姐妹，他们带着满腔愤怒和誓死讨回公道的决心，要去求见省委领导……这也就有了我到太原第一天在省委大门口现场看到的那一幕。

160 多人集体围堵省委大门并在省党代会会场门口闹事，可不是一件小事。种粮农民们因种子出现问题造成绝收的事件同样不是小事。最苦最累的要算梁雨润他们这些信访部门干部了。领导和党代会的安全他们要负责，群众有难事上访求助他们也不能推辞责任。27 日早晨，梁雨润耐心劝说南长寿村村民离开党代会现场，带着 160 多人回到信访局大院之后的事就不那么容易了，一是“上了一次当”的南长寿村村民变得不再那么顺从了，二是种业公司无丝毫退让的意思。这可怎么办？难题又一次摆在梁雨润面前。

“梁局长，也不是我们不给你面子，如果种业公司不答应我们上次已经达成的协议条件，如果这回赔偿拿不到手，我们是坚决不会撤的！”农民们对梁雨润如此说。

“梁局长，也不是我们不给你面子。是的，农民的利益要维护，可我们的职工利益就不该维护了吗？”种业公司的人则对梁雨润如此说。

看梁雨润还有什么招儿！

梁雨润没有招儿，因为梁雨润不是神。但梁雨润有办法化险为夷、排危解难，他靠的是诚心、耐心、真心感化人，直到当事双方和解。

听信访局的同志们讲，从南长寿村的农民再度上访省城起，他梁雨润就心急如焚，立即一方面向省委有关领导汇报事情的来胧去脉，一方面苦口婆心劝说种业公司及其上级单位——省农科院领导，请求他们要客观真诚地对待农民受损问题。那些天正值省里召开党代会，各级领导都在会上，为了让领导出面协调和做说服工作，身为厅级干部的梁雨润像个办事员，楼上楼下、东院西院不断地跑，回头还要组织信访局的同事去安排、稳定好南长寿村的160多名来访村民。深秋的寒风里，梁雨润额头却从未断过汗珠子……

在梁雨润的努力下，协调会终于再一次在信访局召开，农民代表和种业公司及各自的上级单位领导都派主要负责人参加了。然而在利益面前分歧严重，依然各不相让，梁雨润急在心里，又不能埋怨哪一方，只能耐心细致地协调。

“农民的利益要维护，职工的利益同样不能刻意损害。既然要处理好事情，就得实事求是，依法办事。合同上订的是750亩，种业公司应当对合同内的这个亩数的种植种子所给农民们造成的损失，按照你们上一次已经达成的协议履行赔偿责任……”种业公司的上级主管领导单位——省农科院的院长到底水平高、胸襟宽，一语能定音！

种业公司不再言语了，南长寿村民拿着早先与种业公司签订的种植合同书同样无话可说。但还有多种的100亩地的损失谁负责呢？农民们不知如何是好了——他们把目光盯向种业公司，种业公司的负责人不再理会。农民们只能自己看自己……唉，谁让我们见了好事就有贪心，以为多种就一定能多收！

进省城前，村民们自发按种植种子面积每亩交10元钱作为上访经费开销，可其余吃喝拉撒还得花钱呢！地都荒了，一年花在地里的钱每亩也有好几百，有人本来就是靠借钱贷款种的玉米，这下颗粒无收，还得上省城来讨公道，而且眼看着讨赔也不那么容易，100 多农民在省城几天里没有一人住旅馆，全部整夜待在露天，靠来时一身棉衣保暖。省城的饭吃不起，开始是三个人合吃一碗方便面，后来有人连方便面都不舍得买。一位妇女出门时带了 32 元钱，本来是预备饿了买碗面买个饼啥的，那天这妇女闲时看到街上的小摊前有卖便宜儿童服装，便想起了自己家里的两个娃儿，于是横说竖说，用 32 块钱从小贩那儿买了两件孩子穿的衣服。因为与种业公司谈判一直没有着落，所以只能跟着大伙儿继续在城里待着。口袋里没了买饼买方便面的钱了，这妇女饿了也不吭声，一连两天肚子不进粒米，结果躺在信访局的石梯上昏厥后滚了下来，吓得同来的村民和梁雨润赶紧将其送到医院，看病花掉的医药费足有几百元。这还不是最严重的，有个妇女第一次进省城，夜间上厕所找不到地方，结果掉进了污水坑里，差点连命都丢了……100 多人，一天天地在省城待着不走，而且全都聚集在信访局大院里，要有个三长两短谁能扛得住？几宿没有合眼的梁雨润，此刻忧心忡忡。可当他抬起充血的双眼企求农民们能够放他一马时，看到的却是 100 多双正望着他充满期待的眼睛……

“梁局长，你要不帮我们解决，我们这回就一直在你这儿待下去了！”农民代表们对他说。

梁雨润只好把目光移向种业公司和农科院的领导，那些人把目光移得远远的，那目光告诉他——根本不可能再有商量余地。“依法办事，按合同办事”，人家的理由充分又合理，不能硬把所有责任揽到一边嘛！但农民毕竟是受害者，是社会的弱者，同样是农民出身的梁雨润深知辛苦劳作投入了一年心血的农民眼见颗粒无收景象时的心境，那等于是要了他们的命呀！

从南长寿村农民第一次进城上访到现在已经十几天了，一百多个农民继续闹下去，假如再出些人身意外，事情就更复杂了！梁雨润急得嘴唇直起泡，但在问题全部处理完之前，似乎谁也不同情他和他的同事们。

有了！梁雨润突然想到了平遥县所辖南长寿村的上级单位洪善镇政府……“来来，你们都是南长寿村民的‘父母官’，在乡亲们的危难时刻，我们一起用为农民所急的真诚之心想想办法！”梁雨润找来平遥县领导和洪善镇干部，如此这般地商量起来。

“行，听你梁局长的。你已经为我们南长寿村的农民讨回了那么大的损失！既然事情已经这样了，我们两级政府也不能不管。就这样吧：剩下事我们两级政府负责帮助南长寿村的农民解决！”

“谢谢你们！”梁雨润激动得握住平遥县和洪善镇负责人的手连声致谢。

“是我们要谢谢你梁局长嘛！”平遥人有些不好意思道。

这回农民们该放心如意地走了吧？但梁雨润想错了，有过一回“上当”教训的南长寿村村民在梁雨润和平遥县、洪善镇干部的一再劝说问题已解决，希望他们离开省城回到自己村里去时，谁也不答应，说一定要见了种业公司赔款兑现后才肯走。

与种业公司第二回正式签订协议的这一天是10月27日，恰巧是周五下班时间。28、29日是周六、周日，种业公司的会计外出不在家。梁雨润把村民希望见到汇款再走一事通报了种业公司，人家一听就又火了：“我们由省农科院院长担保，你们怎么还不相信我们呢？周一我们保证给！”

“别再烦了，周一我们把原先分三次支付的赔款，现在一次性全部汇出！”种业公司的领导更是咬着牙说话了。

不行！我们就是要见汇款单！不见他们的汇款单就是不回村！有农民们继续嚷嚷，坚持不走。

28日劝说一天，无果。

29日继续劝说，仍然无果。

30日是周一，当平遥县信访局赵桂花局长欢欢喜喜拿着种业公司从银行汇款的现金汇单给南长寿村村民时，有人竟然瞅了一眼立即吵嚷起来，说怎么少了100亩的赔款。

赵桂花局长解释另外100亩的54000元赔偿款由我们平遥县政府另行支付给大家，哪知有农民反诬说，是不是你赵桂花局长吃了人家种业公司的回扣了？

“你、你们怎么能这样说？我辛辛苦苦……呜呜……”女局长赵桂花当场被人气哭了。

“你们也太不像话了！怎么能这样冤枉一位跑前跑后为你们办事的好干部呢？”梁雨润再也压不住心头之火了。这时，身边的王英悄悄拉了拉他的衣角，说：“我去想想办法。”说着就疾步离开现场。

“平遥的农民同志们，问题已经解决到这一地步了，你们提出的赔偿要求基本得到了满足，省农科院和强盛种业公司现在的处理态度和行动也是积极和实事求是的，他们也做出了很大牺牲，一次性支付了你们的750亩绝收种子地损失，剩下的100亩，平遥县也做了明确安排，这应该说是圆满了结的好事。可你们不能一味坚持所有的意图都按你们的来办。农民利益要维护，人家职工利益也要维护的嘛！再说我们处理也总得有个灵活方法是不是？所以说，这种情况下，你们再不离开省城，一定要坚持聚集闹事，那我只能马上通知平遥方面派100个公安干警，并且请求太原市公安局再增援200名干警来强行遣返你们……”梁雨润这回真是发怒了，只见他说完这些话后，大步跨上车，“嘶——”地离开了现场。

这时，信访局处长王英气喘吁吁奔跑过来，只见他将手中的一个纸包交给平遥信访局赵桂花局长，说："54000元整，你让大伙看清了，一分不少。"

赵桂花局长问王英："你这是从哪儿弄来的钱？"

王英笑笑说："我媳妇是今年从部队转业的干部，她有一笔转业安置费，我给偷偷提了54000元借你急用……"

赵桂花一听，眼泪夺眶而出。然后转身举起那54000元现金和那张汇款单，高声对南长寿村的农民们说："你们都看到了吧？钱都在这儿！你们还不回哪？啊——？"

"好嘞，我们回家了！"160多位农民，这才欢欢喜喜地离开现场，登上回家的路途……从而结束了在省城的15天讨赔之战。

11月3日，平遥县委书记带领的一行人专程来到省信访局，他们向梁雨润送上一面锦旗，上面这样写着：良雨润田百姓福。

平遥人感谢梁雨润和他的同事们，不辞劳苦为他们解决了一桩难事。

事后我问梁雨润："那天你向农民大发雷霆，是不是真的要派警察来驱赶他们？"

梁雨润笑笑，说："我根本就没有真心想请警察来，我是想吓唬吓唬那些不懂法、不明理的个别人。让他们明白一个道理：啥时候，人都得讲究得理让三分。我们是个法治社会，做什么事情，都得在法律允许的范围内进行。对农民也有一个教育问题，如果需要维护他们的利益时，我们应当坚决维护，但他们对政府、对组织、对他人也得尊重，尤其要遵纪守法。其他人也是这个理，我们要建立和谐社会，它不是哪个人、哪个部门的事，它是全社会所有公民的共同责任。"

是的，没有全社会的所有成员的这份责任，和谐社会的建立只能是一句空话。

和为贵，是中国人的处世良方。五千年的中华文明集中体现的正是这种和谐理念。

人与人需要和，家与家需要和，族与族需要和，国与国更需要和。和，让我们心境愉快，能让我们精神健康、身体健康地去工作和生活。心平气和，能让我们在困难和艰辛时，找到一种蓄势待发的力量，能让我们在胜利和成功时保持清醒和谦逊，从而获得更大的进步。

人与人和谐了，我们面对的是笑脸；家与家和谐了，我们获得的是真诚与亲情；族与族和谐了，我们感受的是处处阳光；国与国和谐了，世界就是美好的大同。和谐是一种心态，和谐是一种行为，和谐还是一种修养。和谐本身就是辩证法和自然法则。社会要创造和谐，那么就应人人行动起来，从我做起，点滴开始。而和谐本身，就是在克服不和谐的矛盾之中逐步实现的。

和谐让我们的一切都美好起来。

# 结语　假如没有梁雨润

没有梁雨润，这个世界照样还存在。没有梁雨润，这个地球肯定还在运转。这是毫无疑问的。但对局部地方、对一些弱者来说，没有梁雨润，则意味着一生的不幸，或许他们在人生的半途上倒下后不再能起来，或许一辈子永远处在含耻与痛苦之中……梁雨润在他所在的地方，他是那些民众的福星。我不止一次听到有人由衷地高喊“梁雨润万岁”这样的口号——我绝对相信这是发自内心的呼声。因为所有通过他的努力改变现状的百姓们真切地告诉我，如果没有梁雨润，他们或许还会一天天地挣扎下去，一年又一年地屈辱下去，直至对整个社会产生厌恶与憎恨……这种心结其实很可怕，问题之严重在于这种国民心态在今天的社会里在相当多的一部分人中存在着。它与我们如此高速发展的经济形势和日益繁荣的物质世界格格不入，与我们梦想建立的和谐社会更是背道而驰。

在一个庞大的国度，一个发展极不平衡的国度，一个贫富差异越来越大、强者与弱者严重分化的社会里，梁雨润这样的共产党人和国家公务员的存在，变得越来越重要和具有现实意义。

我认识梁雨润是2001年的事。之前我们彼此毫不相干，后来因为一部《根本利益》，改变了我们彼此的关系，我们从此成了朋友和熟人。《根本利益》之前，只因为一次偶然的机会使我们得以相识，并由于当时梁雨润一个简短的自我介绍，使我下决心为这位被百姓称为“梁青天”的人民好干部写一本书。这就是我用了仅半个月时间完成的作品《根本利益》。当时写得很淋漓洒脱，但由于作品发表后产生的影响比较大，中央政治局常委和政治局委员共有三人做了批示。为调查核实梁雨润的事迹真假，中央专门组成了一个庞大的考察组，对其进行近半年的事迹核实工作。所幸的是我书中所谈及的梁雨润的事迹全部无误，于是在作品发表的半年多之后，中共中央纪律检查委员会专门做出决定，号召全党向梁雨润同志学习。加之中央电视台把梁雨润评选为2003年度十大“感动中国”人物之一，梁雨润的名字和我的《根本利益》从此成为大家熟识的人物和作品。但这期间，外人并不了解一个情况：因为梁雨润当时所在单位的个别人出于忌妒心理，扬言说是梁雨润“为了自我宣传”，向首先报道他事迹的记者与写《根本利益》一书的我“送了几十万元的好处费”。这一诋毁梁雨润和我及那位记者的人格的无耻谣言，后来被考察组否定，梁雨润的形象和我的《根本利益》从此不再受质疑，更加广为传播。梁雨润后来成为党的先进性教育中的一个全党学习榜样，根据《根本利益》改编的电影《信天游》，在这场空前的党员教育中也起到了积极的宣传作用。

作为一个优秀共产党员先进典型的主要发现者和传播者，老实说我心头想想此事就有些心酸：为什么好端端的一个共产党人，为人民做了那么多好事并被人民誉为“百姓书记”的梁雨润，却被某些同级干部同事无中生有地诬陷造谣呢？细细想来，也很简单：有些人自己不为人民办事、办好事，看到别人做出一些成绩并出了名后，心里就醋劲涌动……中国的许多事坏就坏在这里！这样的人不仅仅在梁雨润身边有，我们的身边也常有。他们的所有本领是：我做不成的事你也别想做成；我没有捞到的好处，你也别想捞。这倒也没什么，可憎之处是：你明明出于一个共产党员和人民公务员的一片公心去为他人、为单位做些有益的事，并做出成绩之后，他自己不去做也就罢了，却反过来说你的风凉话，甚至造谣诬蔑泼脏水，实在是不配公务员的称号。更暴露出一副小人嘴脸。

《根本利益》中的梁雨润，作为一名纪委书记，他看不惯有人不为百姓做实事，因而自觉自愿操心劳命去解决难题，为政府和党的形象增了光添了彩。四年过去了，梁雨润怎么样了，这是人们有兴致关注的事。我当然也一直在关注着他，因为《根本利益》出版后，梁雨润对我也有一种无形的压力，那就是他必须经得起时间和实践的考验，他必须是一名值得人们信赖的好干部。

梁雨润无愧这一称号，尽管他也不是一个十全十美的完人。

现实生活中其实有许多梁雨润式的活着的优秀共产党人和优秀公民，他们是支撑着我们这个民族的脊梁。但在现实中又有一个非常无奈的现象：谁要是当一名活着的焦裕禄、活着的孔繁森是很难的，因为他们必须要比死去的那些先进人物更优秀，甚至十全十美。而十全十美的人几乎是没有的，所以像梁雨润这样不是先由“组织”确定的先进人物一旦宣传出名后，自然会遇到各种各样的说法和看法。好在梁雨润过得硬，好在他做的那些事让众多百姓受益和解难了，好在我们都是按着党性和良心在做事……

有人会说现在的良心还值几个钱？这倒是真的，现今良心几乎不太值钱了！可就是因为良心贬值了，所以我们才呼唤人要讲良心。建立和谐社会，有人可以把党性扔在一边，但你总还得有点起码的良心吧！

发生在我们这本书里的故事，有些并不复杂，一般负责任一点的干部或公务员，完全可以像梁雨润一样处理得漂漂亮亮、利利索索，但就是有人不干正事，不那么负责，不把百姓的事当作自己的事一样放在心上，所以才把一件件简单的事越弄越复杂，一拖就是几年、十几年，甚至几十年。有些人爱富嫌贫，恃强欺弱。在物质、权势和利益关系显得尤为突出的今天，我们身边一些无权无势又无钱的平民百姓经常受到不公正的待遇，这是现实生活中的一个极为普遍的现象。如何改变这种人与人之间的不平等，如何让弱者和强者享有平等条件下的共同的生存权、财富权与话语权，是今天这个社会的一项重大历史责任。

据报载，目前中国有绝对贫困人口2300万，有3000万左右的残疾人，有2亿左右的进城农民工，每年还有1000万左右人次上地市、进省城、赴京城的上访人员，更有亿万在生活上、心理上、情感上和司法上需要帮助的人们……这一庞大的数字组成了中国现实社会中的一个特殊的弱势群体，他们是中国社会稳定与否的重要因素，是中国能否全面建成小康社会的关键考量，也是中国能否实现伟大民族复兴目标的难题所在。因此尊重弱者，其实是为了让强者有更大发展与发挥的空间；尊重弱者，其实是为了让富有者能够更快更好地获得收益与财富；尊重弱者，其实就是让不是弱者的人永远不会沦落成弱者。明白了这个道理，千头万绪的烦恼就不再有了，勉强与无奈的情结也能挥之而去，一切变得清爽与流畅，快乐与轻松。

可是现实生活中的情形很可能就不是这样的，你是弱者，你就会受气、受欺，当你伸出干枯的双手去乞求他人帮助的时候，因为你没有背景没有送礼，你的事就可能永远无人理会，直至你怒发冲冠、出言不逊，或者做些过激的事，你因此就被扣上“刁民”的帽子。如果走运，你可能只吃了些皮肉之苦，不走运你就可能会背上黑锅而苦度终身……这绝非危言耸听，监狱的门内门外，你有心稍稍打听一下，会有人主动向你诉说这样的“典型事例”的。

为弱者呼唤尊严，我们怕谁？怕过谁？但我们确实最怕的是那些连起码的人性和人情都不讲的公务人员与官员！党一再提倡“执政为民”的理念，不就是希望那些应该为民执政的官员和公务人员能够履行起自己的职责，哪怕是出于人的基本同情心去关怀或关心一下那些脆弱无助的人们。但正如我在采访梁雨润时看到一幕不该看到的场景时，我失望之余更坚定地要为梁雨润再写一本书，写一部《根本利益》的姐妹篇——仍然并非梁雨润是个十全十美的人，仍然并非有哪个上级领导或者主管部门指令我去发现和挖掘某一先进典型。是我觉得我们13亿人口的大国，有那么多错综复杂的事要有人去处理、去处理好，是因为我们这个有着7000多万中共党员的社会主义国家，是一个有着庞大的、由几千万人组成的公务员队伍的大国。为什么有的问题本来很简单却没有去管、没有管好，最后成了没法管的烂摊子？

《为了弱者的尊严》里所写的那些百姓的事，其实本来在基层、在事发初期是完全可以解决或解决得好的，但该办事的时候有人不给百姓认真办，非到矛盾激化成不可收拾时，在北京和上级一道又一道“批示”“责令”下才硬着头皮去办，而且即使去办，在感情上对老百姓仍旧十分冷漠。一次次勉强的办事态度与煮夹生饭的办事方式，其结果不难想象，老百姓怨声载道便是必然结果。怪谁？当然责任不在百姓！这样社会能和谐吗？不能。

有一次在现场看梁雨润处理一起群众围攻省委大院事件的情景，我很有感触。那天有上百群众，举起白布写的标语，他们希望同省领导对话，以解决他们的问题。与上访人员人数相近的公安人员和其他政府工作人员站在现场似乎束手无策，这时围观的人越来越多，现场一片混乱。怎么办？折腾下去，一是没个头，二是影响不好。负责现场的公安局负责人和政府工作人员很着急。后来，匆匆赶来的梁雨润出现了，大家脸上顿时露出轻松的笑容，窃窃私语道：“老梁来了就好了！”梁雨润确实有办法，只见他三下两下地就把现场原本态度强硬的闹事群众领走了。我当时就想：假如没有梁雨润怎么办？

“假如没有梁局长，那肯定闹事的人还会多蹲上几个小时，甚至可能是几天，或者来了一次又一次……”信访局的一位处长十分肯定地告诉我。

大量的现场与实地采访证明了这位处长的话。假如梁雨润这一天因事没能到现场，事情会闹到什么程度？这是我心头多次设想的事。

我知道无论离开了谁，地球还照常会转动。但现实生活中也确实大量存在着这样的情况：那些原本对政府和国家工作人员深怀信任的群众，因为一些关系到自己切身利益的事恳求组织和政府帮助解决，但就是跑断了腿、磨破了嘴、磕青了头，问题始终得不到解决，一拖几个月、几年，甚至十几年、几十年！这些需要帮助的群众，本来对政府、对某个部门或工作人员并没有多少意见，结果因为吃尽了千辛万苦，受够了冷落和歧视，甚至是无情的报复与残酷的打击，最后走向了仇视社会的极端。这样的事并不少。而从这个意义讲，没有梁雨润这样的人，我们的党，我们的政府，我们的社会，就会变得很不和谐，各种矛盾越聚越多，最后结果是，一些原本简单的事情成了永远解不开的死结，平平常常的矛盾激化成“有你无我、有我无你”的严重对立……

因此在我看来，对百姓有真情，处理起事情来又有方式方法、能干实事、能办好事的梁雨润，我们太需要他了！在建设和谐社会过程中，我们期望梁雨润式的干部越来越多……

# 后 记

本文主人公梁雨润到任山西省信访局副局长，主抓群众接访工作，经他之手处理的民事案件和化解的难题数以千计，而且其中相当一部分是在中央、省里挂名的“老大难”问题。由于文章的篇幅限制，笔者不能一一记述。但在采访日子里，所到之处，感受最深的一点是梁雨润同志在百姓中的威望之高，令我常常敬佩与感动不已。

北京。10月10日，就在笔者正与梁雨润交谈时，突然有人急慌慌地前来向他报告：几个山西籍的人在中央机关办公所在地的门口闹事，谁也劝不动。

“那我去一下。”梁雨润连与我打个招呼都顾不上，起身便走。一个多小时后，他汗水淋漓地回来了。

“对不起啊……”梁雨润一边擦着汗珠，一边向我道歉道，“刚才把几个上访群众送上回太原的火车了，耽误你时间了。”

一直为突然冒出来的事绷紧神经的我顿时轻松地笑了：“你到底有什么招儿呀？公安警察和别人都治不了的事，你一去就这么顺当地解决了？”

梁雨润脸上露出了欣慰的笑容：“因为我跟群众谈得拢。”

“怎么才能谈得拢？”

“当然首先你得跟他们有共同语言，讲话还得有技巧，他们能听得进去，觉得你没有架子，与他们平起平坐的，而且要公正、公平地看待问题，从他们的角度思考他们所提出的问题与意见，并敢于做出判断，承担责任，提出解决问题的思路与建议，绝对不能用高高在上、简单粗暴又什么责任都不敢负的态度对待群众……”梁雨润说得很随便，但我听后细细品味却极感深刻。于是也有了下面笔者和他的几段对话——

“现实生活中，我们的许多干部恰恰就是做不到你说的这几点。”我说。

“主要是感情问题。看他对老百姓，尤其是对那些弱势百姓有没有基本的感情。没有了对百姓的基本感情，你就不会感觉别人的事有那么重要、那么紧迫，所以你也就不会去认真负责地处理。”梁雨润说，当他每次看到有老百姓来找他，尤其是看到他们流着眼泪、跪下双腿来求自己时，就会揪心。

“一个人一辈子、一个家庭几十年，谁能保证不会出现三长两短？就算今天你有权有势，你也保证不了一生都顺畅，何况你有后代、你有亲朋好友，他们也不出一点问题？想想这些，我们就会对那些有困难需要帮助的人，心态好一点，工作勤奋一点，或者态度好一点，把事做得细一点，本来可能很激烈的矛盾就化解了，再难的事也不用拖那么长时间了……

“当公务员的不办真事，当干部的不为群众着想，怕麻烦，怕惹事，这是我们现在社会中的一个普遍现象，也是导致一些地方的社会不和谐、干群关系紧张的主要原因。”

梁雨润深有体会地说，有些事，你早发现、早处理了，就什么矛盾和冲突也没有了。你拖着不办、不处理，麻木不仁，甚至说些难听的话，做些伤人感情的事，群众情绪不对立才怪！小问题就一下变成了大问题，局部问题一下变成了全局问题；个人的事、单位的事，一下可能变成了国家和政府的大事了！

“所以和谐问题，我认为，重要的问题是要提高广大干部和公务员的执政理念、勤政能力以及他们的素质与水平。当然不是说老百姓本身就没有一点问题，但群众与执政者产生矛盾和分歧时，执政者是主要因素，是解决问题的主要方面。我经常对一些官员说，你们少请客一次、少外出旅游一次、少到国外跑一次，省下的钱就能解决一个甚至好几个群众的困难了。事实上，我们现在有些地方的干部和领导，遇到需要为群众解决一些经济困难时，就说没钱、没钱。应该承认我们国家还不富裕，有些地方财政不算宽裕。可是我们真的就一点能力也没有吗？不是的。我举个例：山西有个地区，有个上访群众就是为了15000元的事，与政府闹了好几年，当地干部为这个人光到北京一次次接他回去花的钱就有15万之多！如果那里的干部和领导会算一笔账的话，这个群众的问题不早解决了嘛！遗憾的是，我们一些地方的干部和领导并不算这样的账，他们只算给群众解决困难时要花多少钱是如何如何的'没办法'，可从来不说在应付和处理这些群众工作的过程中所花费的成本。全国各地一年光为应付和处理群众上访事件所花费的人力财力不计其数，数额惊人！

"都是国家的钱、人民的钱、纳税人的钱！我们应当学会心疼我们靠汗水和辛劳换来的财富，不然国家再强大，早晚也会吃穷吃空的！而且该解决的问题没解决，原本几千元、万把元就可以解决的问题，最后十几万元、几十万元还没法解决！

"建立社会和谐，司法公正、公开是一个非常重要的环节。现在一些群众有意见，闹事，就是因为司法不那么公正、公开，人情案居多。一些法律本身存在的缺陷也是产生问题的原因之一。所以，要提高公民的法治观念，首先要解决司法本身的问题，这是关键。

"最后我想对普通百姓说一句话：今天我们的国家，正处在社会全面进步与发展时期，进入转型的历史关头，各种利益关系和社会矛盾随之也不断突现。追求社会和谐，过上富足、祥和、快乐的幸福生活，是我们每个人的良好愿望。但现实生活中，难免有些不如人意之处，我们每个生活在现实中的人，应当以健康的心态，正确面对可能出现在你身上的问题和矛盾，学会心平气和地处理问题，尤其要体谅政府和国家的难处。考虑问题和处事时，一定要从实际出发。在人与人相处时，更应发扬谦和、谦让的中国传统美德，即便理都在你这一边，也要做到得理让三分。这样，我们13亿人才能真正做到和谐共处。”

身体力行的梁雨润，思考比笔者写《根本利益》时更加成熟和深刻了，我们有理由相信这位曾经感动中国的人物，今天更能感动你我他……

在《为了弱者的尊严》一书收笔时，笔者正参加中国作家协会第七次全国代表大会。会上有幸聆听胡锦涛总书记所做的报告，他倡导“一切进步文艺，都源于人民、为了人民、属于人民”，号召作家“以充沛的激情、生动的笔触、优美的旋律、感人的形象”去创作，以及“进步文艺，刻写着一个民族的希望，昭示着一个国家的未来，深深影响着一个民族的精神和一个时代的风尚”等话语，长久地回响在耳边。当代的进步文艺为了什么？我们作家的创作应该走什么方向？这些问题，胡锦涛总书记又一次给我们做了深刻的阐明。备受鼓舞之际我有一种欣慰：回顾近10年来所走过的文学创作历程，我自我检查，感觉基本在朝这一目标实践，并且没有停止过。10年来，我创作了十几部作品，近300万字，虽然觉得很累，而且经常有朋友劝我别那么累了。确实很累——作为非专业作家，作为负责一家大型文学期刊的主编，再腾出时间写作本身就已经是件很累的事，问题是还必须使作品能够产生一定的影响，这注定是更难的事。但我一直没有听进朋友们的劝告，原因很简单，单位的工作责任是不可推托的，写作是自己生命的一部分——更加不能放弃。尤其是在已经相对越来越熟练的创作实践之后，感觉要写和可以写的或者别人压来的任务太多了……

绝不是贪婪，绝不是随意，更不是想进入“工业化”的写作状态，而是我们这个社会有太多的事情可以去写，别人追在你后面等着你去写。

有人认为，一个人写作到一定阶段就可以吃老本了，小说家和诗人可能是这样，但对一个报告文学作家来说，这种可能几乎不存在——除非你的文学激情和新闻感觉没有了。一个充满文学激情和新闻感觉的报告文学作家，不可能在你生命允许的每一分钟内停止关注社会、停止写作生涯……这就是我们的时代给予了今天的报告文学作家的一种财富和生命的不懈推动力。你可以耗尽精力，你可以缩短寿命，但你不能不满怀激情地一次次投入火热的生活，采撷鲜活的素材，进行紧张的创作——像战士对战争胜利的渴望一样。

我真不知自己什么时候能够减弱这种对报告文学创作的激昂情怀，我太热爱和适合报告文学了，报告文学使我丢失了生命中的许多宝贵东西，又使我拾回了更多的精神财富和心灵的满足——这种财富和满足就是作品发表后，在广大读者中得到了回应。

写梁雨润即是一例。

我历来主张，报告文学必然具有“报告”的对象与“报告”的效果。一部报告文学，我们检验它优秀与否，如果不考量读者和社会及市场对它的反馈，就将失去这一文体本身的意义。没有读者和没有影响面的作品，首先就已失去了报告文学应有的文本功效，获再多的奖也没有任何用。同样道理，不能一版又一版地发行、被一批批读者长久阅读的作品，也不可能称得上是优秀的报告文学，更无须去谈论它的“文学性”。在各种媒体大膨胀、大发展的今天，报告文学越来越被近似的文本样式（如电视中新闻和“纪实”类的东西）所挤压，报告文学的创作面临着更加艰难的形势与发展态势。报告文学又因它独特的新闻材料所构成的基本内容，常常容易被电视与报纸的新闻所赶超和克隆，很自然地被公众淡化与漠视。如果加上创作本身存在的问题，报告文学毫无疑问将面临“死亡”的境地。为了这一文类不“死亡”并能重新散发独特魅力，我们只有靠比从事任何文学类别的作家和新闻记者们付出更多的劳动与高超的智慧去实现。我们不可能拥有那些具备越来越完备的现代化手段的新闻记者们的强势条件，也不可能有小说家和诗人们那样悠闲潇洒的生活方式，报告文学作家是冲锋的战士，是驰骋的骑士，是生命驿站上的赶路人！我们永远疲劳，我们永远激情，我们永远年轻，我们才可能永远保持其文体的存在价值与创作这一文体的意义。

这是读者对报告文学作家的要求和报告文字自身文体所决定的。今天的人民依然非常愿意看优秀的报告文学，非常喜欢看那些与他们现实生活紧密联系的报告文学作品，我因此而继续狂热地热爱报告文学，并愿意写更多梁雨润式的人物，写伟大时代出现的那些激动人心的重要事件。我热爱报告文学就像热爱自己的生命一样……

写于2006年初冬

中国作家协会第七次全国代表大会期间

# 出版说明

何建明先生是中国文坛著名作家，长年坚守在报告文学一线。“非典”、汶川地震、天津大爆炸、利比亚撤侨等重大事件发生时，何建明先生都尽可能出现在第一时间、第一现场，将第一手材料及时地呈现给读者，将中国故事讲深、讲透、讲生动、讲精彩。他强烈的责任感和使命感让人感动，其直面真相、忠于现实的精神令人钦佩，是中国当代报告文学界极有影响力的领军人物。

有感于斯，我社特收录何建明先生近40年创作的报告文学作品，结集为《何建明文集》三十卷出版。这些作品是对时代、社会、自然和人文的记录、呈现与见证，是作者响应时代的召唤，置小我于大我之中，循着时代背景和社会需求而创作的，完整、真实地表现了社会各个层面人物的喜怒哀乐，代表了当代中国纪实文学、非虚构创作的高峰水平，大气磅礴、激情豪迈，极具胸怀和气量。其中多部作品获得鲁迅文学奖、国家图书奖、“五个一工程”奖、徐迟报告文学奖等。

每个时代都有自己的特征，每部作品都有自己的特点。为了全面展示何建明先生历时40年创作内容、使用语言和文学风格的变化，本文集对何先生已发表的所有作品原则上不做修饰和润色，除特殊情况外也不做大的删节和修改，以保证今天的结集出版，仍不失当年作品的激情和味道。